[illegible]국어

# 중학문법

## 심화편

- 개념 정리+기본 문제 -

알앤비
RJNBJ

# 이 책을 펼치는 학생들에게

**탄탄한 기본을 갖춘 여러분, 문법과 조금은 가까워졌나요?**
**한 번 더 생각해 봅시다.**
**우리는 문법을 왜 공부해야 할까요?**

중학생 중에서 문법을 쉽고 재미있는 것이라고 여기는 사람은 많지 않을 것입니다. 대개 문법을 왜 배워야 하는지 모르거나, 부모님이나 선생님의 조언에 따라 성적을 잘 받기 위해서 어쩔 수 없이 공부해야만 하는 것으로 받아들입니다. 문법을 몰라도 사는 데 지장이 별로 없다고 생각해 애초부터 포기하는 경우도 있습니다. 열심히 공부하려는 학생들은 주어진 개념과 예시를 외우고 문제풀이를 반복하고는, 시험이 끝나면 언제 배웠냐는 듯 이내 잊어버리고 맙니다. 안타까운 학습-망각의 쳇바퀴가 아닐 수 없습니다.

한편 문법을 가르치는 선생님의 입장에서도 어려움이 있습니다. 주어진 시간은 한정되어 있고 학습해야 할 내용은 많기 때문입니다. 강의식 수업으로 지식을 최대한 전달하고, 까다로운 부분은 예시와 설명을 보충하며 학생들이 일단 시험을 잘 볼 수 있도록 대비해 줍니다. 가끔 어떤 학생이 이런 것을 왜 배워야 하냐고 물어보면, 정확하고 원활한 의사소통을 위해 필요한 것이라고 답변합니다. 하지만 문법 개념과 현실의 의사소통 사이에는 마치 거대한 벽이 있는 듯합니다. 그 벽을 무너뜨려서, 학생들의 지식과 소통 역량이 연결·융합될 수 있도록 돕는 것이 선생님의 역할일 것입니다.

이 책은 여러분이 문법을 체계적으로 이해하고 탐구하여, 실생활에서 활용할 수 있는 힘을 기르는 데에 주안점을 두어 만들었습니다. 문법은 단순 암기의 대상이나 성적을 변별하는 도구가 아닙니다. 문법은 말과 글에 담긴 규칙과 원리이며, 인간을 인간답게 만들어 주는 언어의 체계입니다. 사람들이 살아가며 접하는 모든 정보와 지식은 언어의 형태로 생산·전달되는데, 그 언어의 질서가 바로 문법인 것입니다.

울음으로 자신의 모든 의사를 표현하던 아기가 처음 말을 배우기 시작하는 것을 보면 신기하기 그지없습니다. 여러분이 자신도 모르게 직관적으로 습득했던 국어의 말소리·단어·문장은 왜, 어떻게 그런 형태·의미·구조를 지니게 되었는지 궁금하지 않으신가요? 물론 모든 질문에 대한 답을 찾기는 쉽지 않습니다. 그러나 중요한 것은 말과 글의 질서에 대해 궁금히 여기는 마음과 그 궁금

증을 풀고자 하는 태도입니다. 이것이 바로 탐구심입니다. 어떤 분야에서든 탐구심은 발전과 혁신으로 이어지는 원동력이 됩니다.

'같은 말이라도 아 다르고 어 다르다'라는 속담이 있습니다. '아'와 '어'는 왜 다른지, '아'와 '어'의 차이점이 무엇인지 등을 이해하는 과정이 바로 문법을 공부하는 일입니다. 제대로 공부한다면, 실생활에서 상황과 상대에 맞게 '아'와 '어'를 어떻게 구별하여 써야 하는지 알고 적절하게 활용할 수 있겠지요. 이러한 점에서 우리의 모국어인 국어의 문법 체계를 이해하는 것은 정확하고 원활한 의사소통을 하는 데 도움이 되며, 나아가 탐구심은 물론 비판적·창의적 사고력을 기르는 바탕이 됩니다.

그럼에도 불구하고 문법을 공부하는 것 자체가 재미없고 어렵게 느껴질 수 있습니다. 마음의 빗장을 풀고 학습의 효과를 높이기 위해, 스스로 공부의 목적이나 학습 목표를 먼저 성찰해 보면 어떨까요? '목적'은 국어사전에 '실현하려고 하는 일이나 나아가는 방향'이라는 의미로 풀이되어 있습니다. 여기서 어떤 것을 실현하고 어디론가 나아가는 사람은 누구인가요? 바로 여러분 자신입니다. 남이 시켜서가 아니라 스스로 문법을 왜 공부하는지, 자신이 공부를 통해 무엇을 이루고 싶은지 등을 생각할 수 있다면 눈앞의 점수에 일희일비하지 않고 공부의 중심과 방향을 잘 잡을 수 있을 것입니다.

고생스러우면서도 뿌듯한 그 과정을 경험하는 여러분에게 이 책이 조금이나마 도움이 되기를 바랍니다. 이번 [패턴국어 중학문법:심화편]에서는 현행 2015 교육과정에 포함되어 있지 않지만, 2015 교육과정 이전에 있었던 조금 더 어려운 문법 개념을 공부하게 됩니다. 중학교 수업을 이해하고, 내신 시험을 대비하는 데에는 [패턴국어 중학문법]만으로도 충분합니다. 그러나 [패턴국어 중학문법:심화편]을 꼼꼼하게 공부한다면 고등학교에서 배우게 될 학습 내용 준비는 물론, 국어 문법 체계에 대한 종합적이고도 심도 있게 이해를 완성할 수 있을 것입니다.

자신이 무엇을 알고 모르는지 구분하고 자각하여, 부족한 부분을 스스로 보충하고 문제를 해결할 수 있는 능력을 '메타인지(meta-認知)'라고 합니다. 메타인지와 공부의 선순환이 만들어지면, 시간과 노력을 적절하게 조절할 수 있게 되므로 학습과 삶의 효율이 전반적으로 높아집니다. 특히 문법은 우리의 생활 속에 녹아들어 있기에, 말과 글의 규칙과 원리에 대해 탐구하는 것은 메타인지를 향상시키는 좋은 자극과 계기가 될 것입니다. 이 책을 통해 여러분이 시나브로 성장한 자신을 발견할 수 있기를 응원합니다.

# 이 책의 구성과 사용법

## 1. 대한민국 하나뿐인 중학교 전 학년 문법 교재의 완결판

◆ 2015 중학교 개정교육과정에 포함되어 있지 않지만, 고등학교에서 배우는 중요한 문법 내용으로 구성하였다.

◆ 한 권으로 고등학교 핵심 문법 개념을 체계적으로 정리할 수 있다.

◆ 중학생 눈높이에 맞춰 혼자서도 쉽게 접근할 수 있도록 문법 이론과 문제를 알차게 구성하였다.

## 2. 이 책의 구성

### 01 단어와 형태소-개념 정리

#### 01 개념

- 단어: 최소의 자립 단위. 일정한 의미를 지니면서 자립적으로 쓰일 수 있는 가장 작은 말의 단위이다. 형태소가 하나 또는 2개 이상 결합하여 만들어진다. 단어의 개수는 띄어쓰기(어절) 단위로 세되, 앞말에 붙여 쓰지만 단어로 인정되는 조사에 유의한다.
- 형태소: 최소의 의미 단위. 일정한 의미를 지닌 가장 작은 말의 단위이다. 이때 '의미'는 실질적 · 어휘적 의미 및 문법적 · 형식적 의미를 모두 포함한다. 형태소는 더 작게 나눌 수 없으며, 나누면 형태소가 지닌 뜻이 사라진다.

  예 먹었다 = 먹- + -었- + -다, 뛴다 = 뛰- + -ㄴ다('-ㄴ-'과 '-다'로 한 번 더 분석하는 견해도 있다), 눈사람 = 눈 + 사람('사+람'으로 나눌 수 없다), 풋사과 = 풋- + 사과('사+과'로 나눌 수 없다).

#### 02 형태소의 종류

| 기준 | 혼자서 쓰일 수 있는가? | | 실질적 · 어휘적인 의미가 있는가? | |
|---|---|---|---|---|
| | ↗ 있다 | 없다 ↘ | ↗ 있다 | 없다 ↘ |
| 종류 | 자립 형태소 | 의존 형태소 | 실질 형태소 | 형식 형태소 |
| 설명 | 다른 형태소의 도움 없이, 홀로 쓰일 수 있는 형태소 | 홀로 쓰일 수 없어서 항상 다른 형태소와 함께 쓰이는 형태소 | 구체적인 대상, 상태, 동작 등의 실질적인 의미를 지닌 형태소 | 실질적 의미 없이, 문법적 · 형식적인 의미(기능)를 나타내는 형태소 |
| 예 | 꽃, 사과, 밥, 돌, 봄, 사람, 나무 등 | 이/가, 먹-, 푸르-, 헛-, -꾼, -(으)ㅁ 등 | 꽃, 사과, 밥, 아이고, 먹-, 푸르- 등 | 이/가, 헛-, -다, -(으)ㅁ, -개 등 |

◆ 학습자 혼자서도 스스로 학습할 수 있도록 개념 설명이 자세하게 되어 있다.

◆ 기본에서 심화에 이르는 내용까지 단계별 학습을 할 수 있도록 하고 있다.

◆ 중요한 내용은 머릿속에서 쉽게 정리될 수 있도록 표를 통해 다시 한 번 제시하고 있다.

### 01 단어와 형태소-기본 문제

**01** 단어에 대한 설명으로 적절하지 않은 것은?

① 일정한 의미를 지니고 있다.
② 하나 이상의 형태소로 만들어진다.
③ 뜻을 구별해 주는 가장 작은 단위이다.
④ 더 작은 단위인 형태소로 쪼갤 수 있다.
⑤ 조사는 앞말과 쉽게 분리되어서 단어로 인정한다.

**02** <보기>를 참고할 때, 각 문장을 이루고 있는 단어의 개수가 가장 많은 것은?

보기
풀잎의 이슬이 아름답다. → 총 5개: 풀잎 / 의 / 이슬 / 이 / 아름답다.

① 어머니가 책을 읽으신다.
② 이제 학교에 가는 중이다.
③ 친구는 나에게 물을 주었다.
④ 별이 반짝반짝 빛나고 있다.
⑤ 우두커니 앉아서 그를 기다렸다.

### 01 형태소

**01**
형태소와 단어에 대한 설명으로 적절하지 않은 것은?
① 형태소는 뜻을 가진 가장 작은 말이다.
② 형태소가 하나 이상 모여 단어가 될 수 있다.
③ 문법적 관계를 나타내는 말은 형태소가 아니다.
④ 홀로 쓰일 수 있는 가장 작은 말은 단어로 정의한다.
⑤ 자립성이 없지만 분리 가능성이 있는 조사는 단어로 인정한다.

**02**
주어진 문장을 이루고 있는 단어의 개수가 다른 하나는?
① 가을 하늘이 높고 푸르다.
② 가수가 노래를 잘 부른다.
③ 너마저도 나를 배신하다니!
④ 내일까지 비가 오면 어쩌지?
⑤ 오늘 하루는 참 길게 느껴졌다.

**04**
분석되는 형태소의 개수가 가장 많은 문장은?
① 낫 놓고 기역 자도 모른다.
② 지렁이도 밟으면 꿈틀한다.
③ 거미는 작아도 줄만 잘 친다.
④ 고래 싸움에 새우 등 터진다.
⑤ 개구리 올챙이 적 생각 못 한다.

**05**
<보기>에 대한 설명으로 적절하지 않은 것은?

◆ '기본 문제'와 '연습 문제'를 통해 앞서 학습한 문법 이론을 정리하고 적용할 수 있도록 하고 있다.

◆ [패턴국어 중학문법]처럼 학습활동에서 다루는 주요 내용을 다수 문제화하고 있다.

## 01 단어와 형태소

**07** 〈보기〉 중 ㉡이면서 ㉢인 것을 3개 찾아 쓰시오.

[9~10] 다음을 읽고 물음에 답하시오.

나는 밥을 먹었고, 빨래를 하였다.

**09** 위 문장을 형태소 단위로 분석하여 빈칸에 적고, 각 형태소의 유형에 ○ 표시하시오.

| | | | | | | | | | | | |
|---|---|---|---|---|---|---|---|---|---|---|---|
| 자립 | 자립 | 자립 | 자립 | 자립 | 자립 | 자립 | 자립 | 자립 | 자립 | 자립 | 자립 |
| 의존 | 의존 | 의존 | 의존 | 의존 | 의존 | 의존 | 의존 | 의존 | 의존 | 의존 | 의존 |
| 실질 | 실질 | 실질 | 실질 | 실질 | 실질 | 실질 | 실질 | 실질 | 실질 | 실질 | 실질 |
| 형식 | 형식 | 형식 | 형식 | 형식 | 형식 | 형식 | 형식 | 형식 | 형식 | 형식 | 형식 |

◆ 선다형 문제뿐만 아니라 서답형 문제(30%)도 함께 갖추고 있다.

# 04 모의고사

**01**

**단어에 대한 설명으로 적절한 것은?**

① 조사는 단어로 인정하지 않는다.
② 형태소보다 더 작은 말의 단위이다.
③ 하나의 형태소로 단어가 만들어질 수 있다.
④ 더 이상 나누면 뜻을 잃어버리는 말의 단위이다.
⑤ 앞말과 쉽게 분리되지 않아 홀로 쓰일 수 없는 말이다.

**02**

**〈보기〉의 ㉠~㉤을 이루는 단어의 개수가 다른 하나는?**

보기

㉠죽는 날까지 하늘을 우러러
㉡한 점 부끄럼이 없기를
㉢잎새에 이는 바람에도
나는 괴로워했다.
㉣별을 노래하는 마음으로
모든 죽어가는 것을 사랑해야지.
그리고 ㉤나한테 주어진 길을 걸어가야겠다.

오늘 밤에도 별이 바람에 스치운다.

– 윤동주, 「서시」

① ㉠ ② ㉡ ③ ㉢
④ ㉣ ⑤ ㉤

**03**

**형태소에 대한 설명으로 적절하지 않은 것은?**

① 뜻을 가진 가장 작은 말의 단위이다.
② '읽다'의 '-다'는 뜻이 없으므로 형태소가 아니다.
③ 실질 형태소는 실질적인 의미를 지닌 형태소를 말한다.
④ 홀로 쓰일 수 있는 형태소는 모두 실질적 의미를 지닌 형태소다.
⑤ 형태소는 자립성 유무에 따라 자립 형태소와 의존 형태소로 나뉜다.

**04**

**〈보기〉를 형태소 단위로 적절하게 분석한 것은?**

보기

호랑이도 제 말하면 온다.

① 형태소: 호랑이, 도, 제, 말, 하-, -면, 오-, -ㄴ다
② 홀로 쓰일 수 있는 형태소: 호랑이, 도, 말하면
③ 홀로 쓰일 수 없는 형태소: 제, 오-, -ㄴ다
④ 문법적인 의미를 지닌 형태소: 도, -면, 오-, -ㄴ다
⑤ 실질적인 의미를 지닌 형태소: 호랑이, 제, 말하-

**05**

**〈보기〉의 ㉠~㉤ 중, 홀로 쓰일 수 있고 실질적인 의미를 지닌 형태소를 골라 적절하게 묶은 것은?**

보기

하늘은(㉠) 맑건만(㉡) 그는 차마(㉢) 고개를(㉣) 들지(㉤) 못한다.

① ㉠, ㉡ ② ㉠, ㉣ ③ ㉡, ㉢
④ ㉢, ㉣ ⑤ ㉣, ㉤

◆ "모의고사" 문제를 통해 고등학교 내신과 수능 동시 대비 실전 감각을 키울 수 있도록 하고 있다. 특히, 고득점에 도달할 수 있도록 최고 난이도 문제를 적절하게 배치하고 있다.

◆ 대단원 총 문제수만 100문제이기 때문에 모든 유형의 문제를 집중적으로 풀어볼 수 있도록 구성하여 학습자의 학습 효율을 높이고자 하였다.

## 제1강 단어의 짜임과 형성

**단어와 형태소-기본 문제** 본문 12~14쪽

| 01 | 02 | 03 | 04 | 05 |
|---|---|---|---|---|
| 06 | 07 | | 08 | |
| 09 | | 10 | | |

01

정답 해설

뜻을 구별해 주는 가장 작은 말의 단위는 단어가 아니라 음운이다.

오답 체크

단어와 형태소는 모두 일정한 의미를 지니고 있다.

오답 체크

단어에 대한 설명이다.
문장을 구성하고 있는 각각의 마디인 '어절'에 대한 설명이다.
문장 성분에 대한 설명이다.
'강'이라는 하나의 형태소를 'ㄱ, ㅏ, ㅇ'처럼 음운 단위로 쪼개면 의미가 사라지게 된다.

04

정답 해설

'도토리'는 하나의 형태소(어근)로 이루어진 단일어이다. '도, 토, 리' 등으로 더 작게 쪼개면 의미가 사라지게 된다.

오답 체크

'봄'과 '바람'으로 나눌 수 있다.
'사냥'과 '-꾼'으로 나눌 수 있다.

◆ 〈정답 및 해설〉은 정답 선지에 대한 해설뿐만 아니라, 오답이 왜 오답인지에 대한 해설도 자세하게 덧붙이고 있기 때문에 자기주도학습교재로서의 요건을 완벽하게 갖추었다고 할 수 있다.

## 저자

**류대곤** 인천하늘고등학교 교사

고려대학교 국어국문학과 및 교육대학원 국어교육과 / 《청소년을 위한 한국고전문학사》, 《패턴국어 문법 심화편》, 《패턴국어 중학문법:기본편》, 《패턴국어 중학문법:심화편》, 《패턴국어 문법 기본편》, 《패턴국어 중학문학:현대시》, 《패턴국어 고등문학:현대시》, 《패턴국어 고등문법:기출문제》, 《패턴국어 중학문학:현대 소설》, 《패턴국어 고등문학:고전시가》, 《패턴국어 중학문학:현대시2》

**이승환** 영도중학교 교사

고려대학교 국어국문학과 졸업 / 2007, 2009, 2015 개정교육과정 중학교 국어교과서 집필, 《패턴국어 중학문법:기본편》, 《패턴국어 중학문법:심화편》, 《패턴국어 중학문학:현대시》, 《패턴국어 중학문학:현대 소설》

**김은정** 진성고등학교 교사

고려대학교 국어교육과 졸업 / 《청소년을 위한 한국고전문학사》. 2009개정교육과정 고등학교 문학 교과서 집필, EBS 올림포스 문학 집필, 《패턴국어 중학문법:기본편》, 《패턴국어 중학문법:심화편》, 《패턴국어 고등문학:현대시》, 《패턴국어 고등문학:고전시가》, 《패턴국어 중학문학:현대시2》

**황혜림** 성신여자고등학교 교사

고려대학교 국어교육과 졸업 / 《패턴국어 중학문법:기본편》, 《패턴국어 중학문법:심화편》, 《패턴국어 중학문학:현대시2》

**이지윤** 양서중학교 교사

고려대학교 국어교육과 졸업 / 《패턴국어 중학문법:기본편》, 《패턴국어 중학문법:심화편》, 《패턴국어 중등문학:현대시》, 《패턴국어 중등문학:현대 소설》, 《패턴국어 중학문학:현대시2》

## 검토진

**이기봉** 청심국제중고등학교 / **정철** 중산고등학교 / **김선혜** 하남고등학교 / **최성조** 인천국제고등학교

대치동 및 강남 서초 분당의 학원에서 학생들을 지도하시는 선생님들께서도 검토해 주셨습니다.

| | |
|---|---|
| 대치 | 김나래 / 김지해 / 박소현 / 백애란 / 성수나 / 신희정 / 윤경훈 / 윤지윤 / 이경희 / 이수현 이예원 / 이채윤 / 정장현 / 정태식 / 지현서 / 채상아 |
| 서초 | 나선애 / 송남권 / 이정화 |
| 압구정 | 곽은영 / 이연주 / 이정여 |
| 반포 | 김기식 / 김민경 / 양세영 |
| 분당 | 김현진 / 민병억 / 서보현 / 함범찬 / 홍승희 |

**초판 1쇄** 2022년 2월 28일 **초판 2쇄** 2023년 9월 29일
**저자** 류대곤, 이승환, 김은정, 황혜림, 이지윤
**펴낸이** 이상기 **펴낸곳** ㈜도서출판알앤비 **등록** 2018년 8월 22일 제 2022-000036호
**주소** 서울 강남구 남부순환로 2909 201-1호 **전자주소** rnbbooks@daum.net

ISBN 979-11-968123-5-5 53700 값 16,000원

# 목차

# 제1강

## 단어의 짜임과 형성

**01** 단어의 형태소
-개념정리
-기본 문제

**02** 단어의 형성 1
-개념정리
-기본 문제

**03** 단어의 형성 2, 새말의 형성 원리
-개념정리
-기본 문제

# 01 단어와 형태소-개념 정리

## 01 개념

- **단어: 최소의 자립 단위. 일정한 의미를 지니면서 자립적으로 쓰일 수 있는 가장 작은 말의 단위**이다. 형태소가 하나 또는 2개 이상 결합하여 만들어진다. 단어의 개수는 띄어쓰기(어절) 단위로 세되, 앞말에 붙여 쓰지만 단어로 인정되는 조사에 유의한다.
- **형태소: 최소의 의미 단위. 일정한 의미를 지닌 가장 작은 말의 단위**이다. 이때 '의미'는 실질적·어휘적 의미 및 문법적·형식적 의미를 모두 포함한다. 형태소는 더 작게 나눌 수 없으며, 나누면 형태소가 지닌 뜻이 사라진다.

  예 먹었다 = 먹- + -었- + -다, 뛴다 = 뛰- + -ㄴ다('-ㄴ-'과 '-다'로 한 번 더 분석하는 견해도 있다), 눈사람 = 눈 + 사람('사+람'으로 나눌 수 없다), 풋사과 = 풋- + 사과('사+과'로 나눌 수 없다).

## 02 형태소의 종류

| 기준 | 혼자서 쓰일 수 있는가? | | 실질적 · 어휘적인 의미가 있는가? | |
|---|---|---|---|---|
| | ↙ 있다 | 없다 ↘ | ↙ 있다 | 없다 ↘ |
| 종류 | 자립 형태소 | 의존 형태소 | 실질 형태소 | 형식 형태소 |
| 설명 | 다른 형태소의 도움 없이, 홀로 쓰일 수 있는 형태소 | 홀로 쓰일 수 없어서 항상 다른 형태소와 함께 쓰이는 형태소 | 구체적인 대상, 상태, 동작 등의 실질적인 의미를 지닌 형태소 | 실질적 의미 없이, 문법적 · 형식적인 의미(기능)를 나타내는 형태소 |
| 예 | 꽃, 사과, 밥, 돌, 봄, 사람, 나무 등 | 이/가, 먹-, 푸르-, 헛-, -꾼, -(으)ㅁ 등 | 꽃, 사과, 밥, 아이고, 먹-, 푸르- 등 | 이/가, 헛-, -다, -(으)ㅁ, -개 등 |

- 모든 자립 형태소는 실질 형태소이며, 그 자체로 하나의 단어가 될 수 있다.
- '이/가, 을/를'과 같은 조사는 자립할 수 있는 말에 붙어서 쉽게 분리되거나 생략될 수 있는 말이다. 단어로 인정받더라도, 자립성이 없으므로 의존 형태소이면서 문법적 의미를 지니는 형식 형태소로 분류한다.
- 용언의 어간(語幹: 동사나 형용사가 활용을 할 때 변하지 않는 부분)은 의존 형태소이면서 실질 형태소이다. 반면 어미(語尾: 어간 뒤에 붙어서 활용할 때 변하는 부분)는 의존 형태소이면서 형식 형태소이다.

  예 먹다, 먹어서, 먹으니 → 실질적 의미가 있는 어간 '먹-' + 문법적 의미(기능)를 나타내는 어미 '-다, -어서, -(으)니'

## <심화학습> 이형태(異形態)란?

동일한 의미를 지니면서 음운·형태적 환경에 따라 상보적 분포를 보이며 나타나는 것을 '이형태'라고 한다. '상보적 분포'는, 어느 한쪽은 다른 한쪽이 결코 나타나지 않는 환경에서만 나타나는 것을 말한다.

① **음운론적 이형태**: 주변 음운 환경에 따라 형태가 다른 경우.

예 조사 '이'와 '가'는 모두 앞말이 주어임을 나타내는 동일한 역할(의미)을 지니는데, '이'는 자음 뒤(앞말에 받침이 있는 경우)에만 나타나고 '가'는 모음 뒤에만 나타나는 상보적 분포를 보인다.

② **형태론적 이형태**: ①로 설명할 수 없고, 특정 형태소에 한정되어 다른 형태가 나타나는 경우.

예 '먹었다'에서 과거를 나타내는 '-었-'은 '하다'와 결합할 때에만 이형태 '-였-'으로 나타난다. 이때의 '-였-'은 '-었-'의 형태론적 이형태라고 한다. 참고로 '-었-(ㅓ, ㅜ 같은 음성 모음과 결합)'의 음운론적 이형태는 '-았-(ㅏ, ㅗ 같은 양성 모음과 결합)'이다.

# 01 단어와 형태소-기본 문제

**01** 단어에 대한 설명으로 적절하지 않은 것은?

① 일정한 의미를 지니고 있다.
② 하나 이상의 형태소로 만들어진다.
③ 뜻을 구별해 주는 가장 작은 단위이다.
④ 더 작은 단위인 형태소로 쪼갤 수 있다.
⑤ 조사는 앞말과 쉽게 분리되어서 단어로 인정한다.

**02** 〈보기〉를 참고할 때, 각 문장을 이루고 있는 단어의 개수가 가장 많은 것은?

보기
풀잎의 이슬이 아름답다. → 총 5개: 풀잎 / 의 / 이슬 / 이 / 아름답다.

① 어머니가 책을 읽으신다.
② 이제 학교에 가는 중이다.
③ 친구는 나에게 물을 주었다.
④ 별이 반짝반짝 빛나고 있다.
⑤ 우두커니 앉아서 그를 기다렸다.

**03** 형태소에 대한 설명으로 적절한 것은?

① 홀로 쓰일 수 있는 가장 작은 말이다.
② 맞춤법에서 띄어쓰기의 단위와 일치한다.
③ 문장에서 하는 역할을 기준으로 구분한다.
④ 뜻을 갖고 있는 가장 작은 말의 단위이다.
⑤ 음운 단위로 쪼개어도 일정한 의미가 유지된다.

**04** 두 개 이상의 형태소로 나눌 수 없는 단어는?

① 봄바람
② 사냥꾼
③ 솜사탕
④ 지우개
⑤ 도토리

## 05 〈보기〉를 형태소 단위로 적절하게 나눈 것은?

보기

오늘 아침에 갑자기 비바람이 불었다.

① 오늘, 아침에, 갑자기, 비바람이, 불었다
② 오늘, 아침, 에, 갑자기, 비바람, 이, 불었다
③ 오늘, 아침, 에, 갑자기, 비, 바람, 이, 불었다
④ 오늘, 아침, 에, 갑자기, 비, 바람, 이, 불, 었, 다
⑤ 오, 늘, 아, 침, 에, 갑, 자, 기, 비, 바, 람, 이, 불, 었, 다

**[6~8] 형태소의 종류에 대해 정리한 표를 참고하여 〈보기〉와 관련된 물음에 답하시오.**

| 기준 | 혼자서 쓰일 수 있는가? | | 실질적 · 어휘적인 의미가 있는가? | |
|---|---|---|---|---|
| | ↙ 있다 | 없다 ↘ | ↙ 있다 | 없다 ↘ |
| 종류 | ㉠자립 형태소 | ㉡의존 형태소 | ㉢실질 형태소 | ㉣형식 형태소 |
| 설명 | 다른 형태소의 도움 없이, 홀로 쓰일 수 있는 형태소 | 홀로 쓰일 수 없어서 항상 다른 형태소와 함께 쓰이는 형태소 | 구체적인 대상, 상태, 동작 등의 실질적인 의미를 지닌 형태소 | 실질적 의미 없이, 문법적 · 형식적인 의미(기능)를 나타내는 형태소 |

보기

강물<u>에</u> 비친 나무 그림자<u>는</u> 아주 어둡<u>고</u> 길<u>다</u>.

## 06 〈보기〉에서 ㉠에 해당하는 것을 <u>모두</u> 골라 바르게 나열한 것은?

① 강물, 나무, 그림자
② 강, 물, 나무, 그림, 자
③ 강물, 나무, 그림자, 아주
④ 강, 물, 나무, 그림자, 아주
⑤ 강, 물, 나무, 그림, 자, 아주

**07** 〈보기〉 중 ㉡이면서 ㉢인 것을 3개 찾아 쓰시오.

**08** ㉠~㉣ 중 〈보기〉의 밑줄 친 형태소들이 공통적으로 해당하는 것은?

① ㉠ ② ㉡ ③ ㉣ ④ ㉠, ㉢ ⑤ ㉡, ㉣

**[9~10] 다음을 읽고 물음에 답하시오.**

나는 밥을 먹었고, 빨래를 하였다.

**09** 위 문장을 형태소 단위로 분석하여 빈칸에 적고, 각 형태소의 유형에 ○ 표시하시오.

| | | | | | | | | | | | |
|---|---|---|---|---|---|---|---|---|---|---|---|
| 자립 | 자립 | 자립 | 자립 | 자립 | 자립 | 자립 | 자립 | 자립 | 자립 | 자립 | 자립 |
| 의존 | 의존 | 의존 | 의존 | 의존 | 의존 | 의존 | 의존 | 의존 | 의존 | 의존 | 의존 |
| 실질 | 실질 | 실질 | 실질 | 실질 | 실질 | 실질 | 실질 | 실질 | 실질 | 실질 | 실질 |
| 형식 | 형식 | 형식 | 형식 | 형식 | 형식 | 형식 | 형식 | 형식 | 형식 | 형식 | 형식 |

**10** 〈보기〉를 참고할 때, 위 문장에서 '이형태'에 해당하는 것을 2쌍 찾아 쓰시오.

보기

동일한 의미를 지니면서 음운·형태적 환경에 따라 상보적 분포를 보이며 나타나는 것을 '이형태'라고 한다. 이때 '상보적 분포'는, 어느 한쪽은 다른 한쪽이 결코 나타나지 않는 환경에서만 나타나는 것을 말한다.

# 02 단어의 형성 1-개념 정리

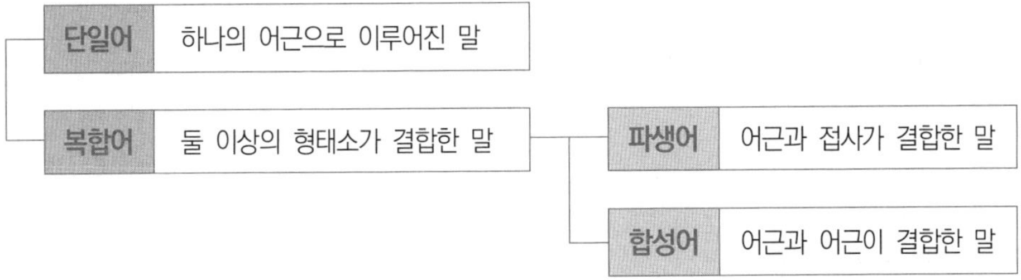

단일어
하나의 어근으로 이루어진 말
복합어
둘 이상의 형태소가 결합한 말
파생어
어근과 접사가 결합한 말
합성어
어근과 어근이 결합한 말

## 01 어근과 접사

- 단어는 하나 이상의 형태소로 만들어지며, 어근과 접사의 결합에 따라 그 종류가 나뉜다.

| 어근(語根) | 단어의 실질적 의미를 나타내는 중심 부분. |
|---|---|
| 접사(接辭) | 단독으로 쓰이지 못하고, 항상 다른 어근에 붙어 새로운 단어를 만드는 부분. |

- **하나의 어근으로 이루어진 단어를 '단일어'**라고 한다.

  예 꽃, 하늘, 나무, 사람, 먹다, 웃다, 푸르다, 옛, 우두커니, 아이고 등

- **둘 이상의 형태소가 결합하여 이루어진 단어를 '복합어'**라고 한다.

  예 밤 + 하늘, 밤 + 나무, 돌 + 다리, 책 + 가방, 코 + 뿔 + 소, 풋- + 사랑, 웃- + -음 등

- 어근(語根)과 '어간(語幹)'을 혼동하지 않도록 유의한다. 모든 어간은 실질적 의미를 나타내므로 어근이지만 거꾸로 모든 어근이 어간인 것은 아니다. 어간이나 어간 뒤에 붙는 어미는 단어의 형성에 기여하는 바가 없고, 이미 형성된 단어가 문장 내에서 활용되는 차원의 개념이다.

  예 한 단어인 '먹었다'는 의존 · 실질 형태소인 어간 '먹-'과 의존 · 형식 형태소인 어미 '-었-', '-다'와 같이 총 3개의 형태소로 분석되지만, 어근은 하나이므로 단일어이다.

## 02 파생어

- 복합어 중 **어근과 접사의 결합으로 형성된 말**을 파생어라고 한다.
- 접사는 결합하는 위치에 따라 '접두사(接頭辭)'와 '접미사(接尾辭)'로 나뉜다. 그 자체로 어근과 같은 수준의 실질적인 의미를 지닌다기보다는, 특정한 의미를 더해 주거나 품사를 바꾸는 등의 문법적 역할(기능)을 한다고 보아서 의존·형식 형태소로 분석한다.

① **접두 파생어**: 접두사와 어근이 결합하여 만들어진 단어를 말한다. 접두사는 접미사에 비해 그 수가 적고, 명사/동사/형용사에만 분포하며, 어근의 품사를 바꾸는 경우가 거의 없다.

| 접두사(接頭辭) | 어근의 앞에 붙어 특정한 의미를 더하는 역할을 한다. | |
|---|---|---|
| | 역할<br>어근에 아래와 같은 의미를 더함. | 예 |
| 군- | 쓸데없는, 가외로 더한, 덧붙은 | 군말, 군살, 군침, 군불, 군사람, 군식구 |
| 날- | 익히거나 가공하지 않은, 지독한 | 날것, 날고기, 날김치, 날장작, 날강도 |
| 늦- | 늦은, 늦게 | 늦공부, 늦더위, 늦되다, 늦심다 |
| 덧- | 거듭(된), 겹쳐 신거나 입는 | 덧니, 덧대다, 덧붙이다, 덧신, 덧버선 |
| 되- | 도로, 도리어, 반대로, 다시 | 되돌아가다, 되찾다, 되살리다, 되새기다 |
| 맨- | 다른 것이 없는 | 맨눈, 맨다리, 맨땅, 맨발, 맨주먹 |
| 새-/시- | 매우 짙고 선명하게 | 새까맣다/시꺼멓다, 새빨갛다/시뻘겋다 |
| 짓- | 마구, 함부로, 몹시 | 짓누르다, 짓밟다, 짓이기다, 짓찧다 |
| 풋- | 처음 나온, 덜 익은,<br>미숙한, 깊지 않은 | 풋고추, 풋김치, 풋나물, 풋사랑, 풋잠 |
| 햇- | 그 해에 난, 얼마 되지 않은 | 햇감자, 햇과일, 햇양파, 햇병아리 |
| 헛- | 이유 없는, 보람 없는,<br>보람 없이, 잘못 | 헛걸음, 헛고생, 헛소문, 헛수고, 헛살다 |

② **접미 파생어**: 어근과 접미사가 결합하여 만들어진 단어를 말한다. 접미사는 접두사보다 그 수가 훨씬 많고 종류나 특성이 다양하며, 어근의 품사를 바꾸는 역할을 하기도 한다.

| 접미사(接尾辭) | 어근의 뒤에 붙어 의미를 더하거나, 단어의 품사를 바꾸는 등 문법적 기능을 한다. | |
|---|---|---|
| | 역할 | 예 |
| -이 | '사람, 사물'의 뜻을 더하고 명사를 만든다. | 길이, 높이, 먹이, 길잡이, 멍청이, 목걸이 |
| | 부사를 만든다. | 많이, 높이, 일찍이, 나날이, 곰곰이 |
| -(으)ㅁ | 명사를 만든다. | 믿음, 죽음, 웃음, 걸음, 젊음, 수줍음 |
| -기 | 명사를 만든다. | 굵기, 달리기, 줄넘기, 크기, 모내기 |
| -개 | '도구, 사람'의 뜻을 더하고 명사를 만든다. | 날개, 덮개, 지우개, 오줌싸개, 코흘리개 |
| -보 | '그러한 사람'의 뜻을 더하고 명사를 만든다. | 꾀보, 잠보, 털보, 먹보, 울보, 땅딸보 |
| -질 | '그 도구를 가지고 하는 일, 그 신체 부위를 이용한 행위, 어떤 직업이나 행위를 비하하는 의미' 등을 더한다. | 부채질, 가위질, 손가락질, 곁눈질, 선생질, 싸움질, 도둑질 등 |
| -째 | '차례, 등급, 동안'의 뜻을 더한다. | 둘째, 여덟 바퀴째, 사흘째, 며칠째 |
| -꾼 | '어떤 일을 전문적으로/즐겨 하는 사람' 등의 뜻을 더한다. | 사냥꾼, 소리꾼, 낚시꾼, 잔소리꾼, 노름꾼 |
| -쟁이 | '그 속성을 많이 가진 사람'의 뜻을 더한다. | 멋쟁이, 겁쟁이, 고집쟁이, 무식쟁이 |
| -장이 | '그것과 관련된 기술을 가진 사람'의 뜻을 더한다. | 양복장이, 간판장이, 땜장이, 칠장이, 옹기장이 |
| -배기 | '그 나이를 먹은 아이, 그런 물건'의 뜻을 더한다. | 두 살배기, 공짜배기, 진짜배기 |
| -거리다 | '그런 상태가 잇따라 계속됨'의 뜻을 더하고 동사를 만든다. | 까불거리다, 반짝거리다, 출렁거리다 |
| -스럽다 | '그러한 성질이 있음'의 뜻을 더하고 형용사를 만든다. | 복스럽다, 자랑스럽다, 걱정스럽다 |
| -롭다 | '그러함, 그럴 만함'의 뜻을 더하고 형용사를 만든다. | 명예롭다, 평화롭다, 신비롭다, 향기롭다 |
| -답다 | '성질, 특성이나 자격이 있음'의 뜻을 더하고 형용사를 만든다. | 꽃답다, 정답다, 어른답다 |

※ 제시된 것 외에도 많은 접두사와 접미사가 존재한다.

# 02 단어의 형성 1-기본 문제

**01** 단어의 형성에 대한 설명으로 적절한 것은?

① 단어는 단 하나의 어근으로만 이루어진 말이다.
② 단어의 실질적 의미를 나타내는 부분을 어근이라고 한다.
③ 어근과 어근이 결합하여 만들어진 말을 단일어라고 한다.
④ 어근과 접사가 결합하여 만들어진 말을 합성어라고 한다.
⑤ 접사는 같은 접사끼리만 결합하여 파생어를 만들 수 있다.

**02** 단어를 이루고 있는 형태소의 개수를 고려할 때, 유형이 다른 하나는?

① 돼지 ② 늑대 ③ 고양이
④ 코뿔소 ⑤ 원숭이

**03** 단어를 형태소 단위로 잘못 분석한 것은?

① 밤하늘 = 밤 + 하늘
② 꽃나무 = 꽃 + 나무
③ 풋사랑 = 풋 + 사랑
④ 지우개 = 지우- + -개
⑤ 덧버선 = 덧- + 버- + -선

**04** 어근과 접사가 결합하여 만들어진 단어는?

① 자전거 ② 돌다리 ③ 사냥꾼
④ 어린이 ⑤ 책가방

## 05 파생어에 대한 설명으로 적절하지 않은 것은?

① 복합어의 일종으로 어근과 접사가 결합하여 만들어진다.
② 접사는 결합하는 위치에 따라 접두사와 접미사로 나뉜다.
③ 접두사는 어근의 앞에 붙어 특정한 의미를 더해 주는 역할을 한다.
④ 접미사는 그 수가 접두사보다 많으며, 단어의 품사를 바꾸기도 한다.
⑤ 홀로 쓰일 수 없는 접사는 일정한 의미가 있으므로 의존 형태소이면서 실질 형태소다.

## 06 단어의 의미를 고려할 때, 밑줄 친 접사의 의미가 적절하지 않은 것은?

① 새빨갛다: 매우 짙고 선명하게.
② 햇과일: 햇빛을 많이 받고 자란.
③ 날고기: 익히거나 가공하지 않은
④ 겁쟁이: 그 속성을 많이 지닌 사람.
⑤ 칠장이: 그것과 관련된 기술을 지닌 사람.

## 07 〈보기〉를 참고하여, 밑줄 친 부분이 〈보기〉의 단어를 만들 때의 역할을 1문장으로 쓰시오.

보기

- 맨눈: 안경이나 망원경, 현미경 따위를 이용하지 아니하고 직접 보는 눈.
- 맨땅: 아무것도 깔지 아니한 땅바닥. 거름을 주지 않은 생땅.
- 맨주먹: 아무것도 가지지 아니한 빈주먹. 아무 준비도 갖추지 않은 상태를 비유적으로 이르는 말.

## 08 〈보기〉와 같은 방식으로 만들어진 단어는?

보기

웃음 = 어근(용언의 어간) '웃-' + 명사를 만드는 접미사 '-음'

① 짓밟다
② 헛소문
③ 달리기
④ 밤나무
⑤ 풋나물

**09** 〈보기〉에서 파생어를 1개 찾아 형태소 단위로 분석하고, 해당 파생어가 접두/접미 파생어 중 무엇인지 밝히시오.

보기

저 녀석은 맨날 도둑질이나 하니, 언제 제정신을 차리려나?

| 파생어 | 형태소 분석: 어근/접사 구분 | 파생어 종류 |
|---|---|---|
| | | |

**10** 어근과 어간의 차이에 유의하여, 〈보기〉의 빈칸에 들어갈 알맞은 말을 쓰시오.

보기

'어간'은 어미에 대응하는 개념으로, 동사나 형용사 같은 용언이 활용할 때 형태가 변하지 않는 부분을 의미합니다. 단어의 형성과 관련 있는 '어근'과 비슷하다고 생각해 헷갈리는 경우가 많은데 전혀 다른 개념이에요. '먹-, 예쁘-'처럼 어근과 어간이 일치하는 경우도 있지만 그렇지 않을 때도 있어요. '자랑스럽다'를 예로 들어 구분해 볼까요? 이 단어는 어근 ( ㉠ )와(과) 접사 ( ㉡ )의 결합으로 만들어진 파생어인데, '자랑스럽고, 자랑스럽지'처럼 활용을 하므로 어간은 ( ㉢ )(이)라고 할 수 있습니다. 즉, 어간과 어간이 일치하지 않는 것이지요.

| ㉠ | ㉡ | ㉢ |
|---|---|---|
| | | |

# 03 단어의 형성 2, 새말의 형성 원리-개념 정리

## 01 합성어

- 복합어 중 **어근과 어근의 결합으로 형성된 말**을 합성어라고 한다.
- 한자어(2글자 이상)의 경우 각 글자에 실질적 의미가 있으니 어근이 결합한 합성어로 분류한다. 다만 형태소 분석에서는 학자마다 견해의 차이가 있는데, 낱글자 단위로 하거나 국어사전에 등재된 표제어 단위로 할 수도 있다.

  예 금수강산(錦繡江山) = 금(錦) + 수(繡) + 강(江) + 산(山) 또는 금수(錦繡: 수를 놓은 비단) + 강산(江山: 강과 산) 등

① **통사적/비통사적 합성어**: '통사(統辭)'는 '문장(을 엮는 것)'을 말한다. 합성어에서 어근끼리 결합하는 방식이 국어에서 문장을 만드는 일반적인 방식과 같은지를 기준으로 구분한다.

| 유형 | 설명과 예 |
|---|---|
| 통사적 합성어 | 어간은 어미와 함께 쓰이거나, 관형사는 명사를 수식하는 것과 같이 국어의 일반적인 문장 구성 방식과 부합하는 합성어. |
| | ▪ 돌아오다 = 돌-(용언의 어간) + -아(연결 어미) + 오-(어간) + -다(어미)<br>▪ 큰집 = 크-(용언의 어간) + -ㄴ(관형사형 어미) + 집(명사)<br>▪ 첫사랑 = 첫(관형사) + 사랑(명사), 새해 = 새(관형사) + 해(명사) |
| 비통사적 합성어 | 국어의 일반적인 문장 구성 방식에 부합하지 않는 합성어 |
| | ▪ 높푸르다 = 높-(용언의 어간) + 푸르-(용언의 어간) + -다(어미), 오르내리다 = 오르-(용언의 어간) + 내리-(용언의 어간) + -다(어미)<br>⇨ 어간이 연결 어미 없이 다른 어간과 직접 결합한다.<br>▪ 덮밥 = 덮-(용언의 어간) + 밥(명사), 꺾쇠 = 꺾-(용언의 어간) + 쇠(명사)<br>⇨ 관형사형 어미 없이 어간이 명사를 직접 수식한다.<br>▪ 물렁뼈 = 물렁(부사성 어근) + 뼈(명사), 산들바람 = 산들(부사: 사늘한 바람이 가볍고 보드랍게 부는 모양) + 바람(명사)<br>⇨ 부사가 명사를 수식한다. |

※ '낯(이)설다, 힘(이)들다, 본(을)받다, 앞(에)서다' 등 조사가 생략되는 경우는 통사적 합성어로 본다.

② **대등/종속/융합 합성어**: 합성어를 이루는 어근들의 의미 관계 및 문맥에 따라 구분하며, 세 유형 중 어느 하나로 고정되어 있지 않다는 점에 유의한다.

| 유형 | 설명과 [예] |
|---|---|
| 대등 합성어 | 각각의 어근이 본래의 뜻을 대등하게 유지함. 의미가 병렬적이다. |
| | 밤+낮, 남+녀, 논+밭, 앞+뒤, 피+땀, 손+발, 오르+내리다 등 |
| 종속 합성어 | 한 어근이 다른 어근의 의미를 보충해 주는(꾸며 주는) 관계. '종속'은 주가 되는 것에 딸려 붙는다는 의미. 아래 예시에서는 밑줄 친 부분이 주가 된다. |
| | 돌+다리(돌로 된 다리), 봄+비(봄에 오는 비), 산+길(산에 나 있는 길), 눈+사람(눈으로 만든 사람), 손+수건(얇고 작은 수건), 돌아+보다(고개를 돌려 보다) 등 |
| 융합 합성어 | 두 어근이 융합되어 본래의 뜻과 다른 새로운 뜻을 나타낸다. |
| | 밤+낮(항상), 바늘+방석(앉아 있기에 불안한 자리), 춘추(春+秋: 어른의 나이), 피땀(노력이나 정성), 손발(마음대로 부리는 사람), 쥐꼬리(매우 적은 것) 등 |

③ **합성어와 구(句)의 구분**

- 합성어와 '둘 이상의 단어가 모여 절이나 문장의 일부분을 이루는 토막'인 구를 구분하기 어려운 경우가 있다. 확실한 방법은 **사전에 표제어로 등재되어 있는지 확인**하는 것이고, 표제어이면 합성어이다. 단, 현재 표제어가 아니더라도 언어 사용 현실에 따라 나중에 합성어로 등재될 수 있다.
- 합성어와 구를 구분할 때에는 **'두 어근이 쉽게 분리될 수 있는가(어근 사이에 다른 말이 들어갈 수 있는가)'**와 **'두 어근의 결합을 통해 의미 변화가 있는가'** 등을 살펴본다.

  예 '아버지의 결혼한 남동생'을 이르거나 부르는 말인 '작은아버지'는 '작은 V 아버지'처럼 분리하여 띄어 쓰는 경우, '키가 작은 아버지'를 의미하게 된다. 또한 '작은 우리 아버지(X), 작은 멋진 아버지(X)'와 같이 어근 사이에 다른 말이 들어갈 수 없으므로 합성어이다.

## <심화> '직접 구성 요소(IC)' 분석이란?

복합어의 구조가 복잡한 경우, 파생어인지 합성어인지 구분하기 어려울 수 있다. 그럴 때 단어를 '직접 구성 요소'로 분석하는데, 이것은 어떤 단어를 두 부분으로 나누었을 때 나오는 각각의 요소를 말한다. 직접 구성 요소 중 어느 하나가 접사이면 파생어로, 그렇지 않으면 둘 다 어근인 합성어로 본다. 이때 직접 구성 요소는 실제로 존재하는 말이어야 한다. 예를 들어 '코웃음'의 경우 '코웃다'라는 말이 없으므로 '코웃-'과 '-음'으로 나눌 수 없고 '코'와 '웃음'으로 분석해야 한다. 또한 직접 구성 요소의 의미가 분석 전 말의 의미와 통해야 한다. '벽돌집'은 '벽돌'과 '집'으로 나뉘는데, 이를 '벽'과 '돌집'으로 나누게 되면 '벽돌로 만든 집'이라는 의미와 통하지 않는다.

## 02 새말의 형성 원리

- 새로운 사물이나 개념을 표현하기 위해 새로 만들어 쓰는 말을 '새말(新語)'이라고 한다.
- 외국어를 그대로 빌려서 외래어로 쓰거나, 외국어를 우리말과 결합하거나, 기존 우리말 단어를 조합하여 만들 수 있다.

  예 스마트폰(Smartphone), 블록체인(Blockchain), 실버산업(Silver産業), 새집증후군(새집症候群) 등

- 국어 순화를 위해 외국어나 한자어를 같은 의미의 새말로 만들기도 한다.

  예 SNS(Social Network Service) → 누리소통망, 노견(路肩) → 갓길 등

- 새말은 기존 우리말 단어와 마찬가지로 어근과 어근 또는 어근과 접사를 결합하여 만들 수도 있지만, 각 단어의 머리글자를 따서 줄임말을 만들거나 단어의 일부끼리 자유롭게 결합할 수도 있다.

  예 비매너(非+manner), 깜놀(깜짝 놀라다), 문상(문화상품권), 갑분싸(갑자기 분위기 싸해지다), 꿀잼(꿀과 같이 달콤한 재미), 멘붕(mental+崩壞) 등

# 03 단어의 형성 2, 새말의 형성 원리-기본 문제

**01** 〈보기〉와 같이 어근과 어근이 결합하여 만들어진 말은?

보기

이슬비 = 어근 '이슬' + 어근 '비'

① 병아리
② 겁쟁이
③ 어머니
④ 소리꾼
⑤ 눈사람

**02** 복합어 중 단어의 종류가 <u>다른</u> 하나는?

① 가위질
② 감자꽃
③ 날강도
④ 모내기
⑤ 땅딸보

**[3~4] 다음 글을 읽고 물음에 답하시오.**

㉠**통사적 합성어**는 우리말에서 문장이 만들어질 때의 방식에 따라 만들어진 합성어를 말한다. 어간은 어미와 함께 결합하여 쓰이거나, 관형사는 명사를 수식하거나, 꾸며주는 말이 꾸밈을 받는 말의 앞에 오는 것 등이 일반적인 문장 구성 방식이라고 할 수 있다. 이런 방식과 어긋나게 만들어진 단어는 ㉡**비통사적 합성어**라고 한다. 우리말에서 어미는 조사와 달리 생략될 수 없는데 어간이 어미 없이 단독으로 쓰인다든지, 관형사가 아닌 부사가 명사를 수식하는 경우 등을 예로 들 수 있다.

**03** 밑줄 친 부분이 ㉠에 해당하는 단어의 예시로 적절한 것은?

① 새해
② 늦더위
③ 검붉다
④ 뛰놀다
⑤ 산들바람

**04** 〈보기〉의 밑줄 친 말이 ㉡인 이유를 한 문장으로 쓰시오.

보기

오늘 점심에는 오징어를 볶아 **덮밥**을 만들어 먹었다.

## [5~7] 다음 글을 읽고 물음에 답하시오.

합성어는 그 단어를 구성하고 있는 어근의 의미 관계에 따라 3가지로 분류할 수 있다. 먼저 두 어근이 각 어근의 본래 의미를 대등하게 유지하고 있는 단어를 ㉠**대등 합성어**라고 한다. 다음으로 어느 한쪽의 어근이 다른 한쪽의 의미를 보충해 주는 단어는 ㉡**종속 합성어**라고 한다. 이때 '종속'은 주가 되는 것에 딸려 붙는다는 의미이다. 마지막으로 두 어근이 합쳐져 원래 어근의 의미가 아닌 새로운 의미를 나타내는 경우 ㉢**융합 합성어**라고 한다. 합성어의 의미는 문맥에 따라 다르게 해석될 수 있으므로, 한 단어가 대등/종속/융합 합성어 중 어느 하나로 무조건 고정되어 있지 않다는 점에 유의한다.

### 05 ㉠을 하나 이상 포함하고 있는 문장은?

① 매일 물걸레로 방바닥을 닦는다.
② 옛날의 고무신 한 켤레가 떠오른다.
③ 우리 집 앞뒤로 맑은 개울이 흐른다.
④ 밤나무가 많아 가을이 되면 늘 바빴다.
⑤ 그는 마치 바늘방석에 앉은 기분이었다.

### 06 주어진 단어들이 ㉡의 예시일 때, 중심 의미가 되는 어근을 밝혀 쓰시오.

| 가랑잎 | |
|---|---|
| 벽돌집 | |
| 돌아보다 | |

### 07 문맥을 고려할 때, 밑줄 친 부분을 ㉢의 예로 볼 수 없는 것은?

① 요즘은 밤낮 일만 해도 먹고 살기가 힘들다.
② 아무래도 미안한 마음이 쥐꼬리만큼 있었다.
③ 아버님께 춘추가 어떻게 되시는지 여쭈었다.
④ 우리가 다 같이 피땀으로 이루어낸 성과였다.
⑤ 그는 웬일로 손발을 가지런히 모으고 있었다.

**08** **〈보기〉의 사전 풀이를 참고할 때, 단어 '손톱깎이'를 이루고 있는 2개의 직접 구성 요소를 분석하고, 이 단어가 파생어인지 합성어인지 구분하여 빈칸에 알맞은 말을 쓰시오.**

보기

- 손톱깎이: [명사] 손톱을 깎는 기구. 손톱의 끝부분처럼 반달 모양의 날이 위아래로 있어, 그 사이에 손톱을 끼워 넣고 맞물어서 잘라 내게 되어 있다.
- 손톱깎다 → 사전에 표제어가 등재되어 있지 않음.

▶ '손톱깎이'의 직접 구성 요소는 (　　　　　)와/과 (　　　　　)(이)므로, 이 단어는 (　　　　　)이다.

**09** **새말의 형성 과정과 예시에 대한 설명으로 적절하지 않은 것은?**

① 이전에 없던 사물이나 개념을 표현하기 위해 만들어진다.
② '인터넷, 블록체인'처럼 외국어 그대로 빌려서 쓸 수 있다.
③ '실버산업'처럼 외국어와 우리말의 어근을 결합하여 만들 수 있다.
④ '새집증후군'처럼 우리말의 어근과 접사를 조합하여 만들 수 있다.
⑤ '깜놀, 문상, 갑분싸'처럼 각 단어의 머리글자를 따 줄임말로 쓸 수 있다.

**10** **〈보기〉와 같은 방식으로 만들어진 새말로 가장 적절한 것은?**

보기

컴맹(컴퓨터를 다룰 줄 모르는 사람) = 컴퓨터(Computer) + 문맹(文盲)

① 멘붕　　② 갓길　　③ 꿀잼
④ 스마트폰　　⑤ 누리소통망

# 제2강
## 음운 변동

# 01 음운의 변동, 교체 1-개념 정리

## 01 음운 변동

- **개념**: 음운이 특정한 환경에서 변하는 현상이다. 자음이나 모음이 어떤 자음이나 모음과 만나, 어떻게 변하는지를 보는 것이 핵심이다.
- 각각을 자음과 관련된 것, 모음과 관련된 것, 자음 모음 모두와 관련된 것으로 나누어 공부하면 전체 틀을 기억하는 데에 도움이 된다.
- **종류**: 음운이 변화하는 양상에 따라 교체, 축약, 탈락, 첨가 4가지로 나눈다.
- **주의**: '옷이'는 [오시]로 발음하고, '연음'되었다고 말한다. 앞 음절의 받침 'ㅅ'이 다음 음절의 초성에 이어졌기 때문이다. 그러나 '연음'은 음운 변동에 해당하지 않는다. 왜냐하면 '옷이'의 음운은 'ㅗ, ㅅ, ㅣ' 이렇게 3개인데, 발음 과정에서 이 세 음운이 모두 변하지 않고 그대로 발음되기 때문이다.

## 02 교체 1(음절의 끝소리규칙, 자음동화)

- **개념**: 한 음운이 다른 음운으로 바뀌는 현상을 말한다. XaY → XbY
  자음과 관련된 것 - 음절의 끝소리규칙, 자음동화(비음화, 유음화), 된소리되기
  자음 모음 모두와 관련된 것 - 구개음화

① 음절의 끝소리 규칙

- **개념**: 음절의 끝소리 즉, 받침의 발음에는 모든 소리가 오는 것이 아니라 'ㄱ, ㄴ, ㄷ, ㄹ, ㅁ, ㅂ, ㅇ'의 7개만 올 수 있다는 규칙이다. 다른 자음이 오면 이 7개의 자음 중 하나로 교체된다.
- 음운 변동은 한 음운이 다른 음운과 만났을 때 상황에 따라 바뀐다는 의미이므로, 어떤 음운을 만났는지 어떤 상황인지를 잘 살펴야 한다. '꽃'을 예로 들어 생각해보자.
  첫째, 받침의 자음은 모음으로 시작하는 형식형태소(조사, 어미, 접사)와 연결되면 자연스럽게 다음 음절의 초성으로 이어져 원래 음운대로 발음이 된다.
  예 꽃이 피었네[꼬치], 꽃을 사왔어[꼬츨]
  둘째, 단어가 혼자 쓰인 경우 또는 자음과 만난 경우, 또는 모음으로 시작하는 실질형태소와 만난 경우에는 7개 중 하나로 바꾸어 발음한다. 이때 적용되는 것이 음절의 끝소리규칙이다.
  예 꽃[꼳], 꽃다발[꼳따발/꼬따발], 꽃 안[꼬단]
- 'ㄱ, ㄴ, ㄷ, ㄹ, ㅁ, ㅂ, ㅇ'의 7개 자음 가운데에 'ㄴ, ㄹ, ㅁ, ㅇ'으로 소리 나는 것은 이 네 가지뿐이다. 따라서 다른 자음이 'ㄱ, ㄷ, ㅂ'으로 바뀌어 소리 나는 경우만 익히면 된다.

| 받침 | 조건 | 발음 | 예시 |
|---|---|---|---|
| ㄲ, ㅋ | ① 단어의 끝(어말)<br>② 다른 자음 앞<br>③ 모음으로 시작하는 실질형태소 앞 | [ㄱ] | 닦다[닥따] 키읔[키윽] |
| ㅅ, ㅆ, ㅈ, ㅊ, ㅌ | | [ㄷ] | 옷[옫], 있다[읻따/이따]<br>젖다[젇따/저따], 꽃[꼳], 솥[솓] |
| ㅍ | | [ㅂ] | 앞[압] |

② 자음 동화

■ **개념**: 자음과 자음이 만나서 서로 닮는 현상이다. 같은 소리가 될 수도 있고 조음위치나 조음방법 중 하나만 비슷하게 닮은 소리가 될 수도 있다. 한쪽만 변하는 경우도 있고, 양쪽이 모두 다 변하는 경우도 있다. 비음화와 유음화가 있는데, 이름에서 알 수 있듯이 조음방법이 변화한 것이다. 예를 들어 'ㅂ'은 'ㄴ'을 만나면 'ㅁ'(굽는[굼는])이 되는데 이때 'ㅂ'과 'ㅁ'의 조음위치는 같고, 조음방법만 파열음에서 비음으로 변한 것을 알 수 있다.

① **비음화**: 비음이 아닌 자음이 비음을 만나서 비음이 되는 현상이다. 비음이 아닌 자음이 파열음(ㅂ, ㄷ, ㄱ)일 때와 유음(ㄹ)일 때를 나누어 볼 수 있다. 이때 주의해야 할 것은 음운은 역시 '소리'의 단위라는 점이다. 예를 들어 '앞마당'의 첫음절 종성은 'ㅍ'이 아니라 음절의 끝소리 규칙의 적용을 받은 'ㅂ'이라고 보아야 한다.

** 표의 음영 표시는 영향을 받은 음운이다.*

| 영향을 받는 자음이 앞 음절의 파열음(ㅂ, ㄷ, ㄱ)인 경우 | | | | | | | |
|---|---|---|---|---|---|---|---|
| 앞 자음 | | 뒤 자음 | | 앞자음 | | 뒤 자음 | 예 |
| ㅂ<br>ㄷ<br>ㄱ | + | ㅁ<br>ㄴ | = | ㅁ<br>ㄴ<br>ㅇ | + | ㅁ<br>ㄴ | 앞마당[압→암]<br>짓는[짇→진]<br>깎는[깍→깡] |

| 영향을 받는 자음이 뒤 음절의 유음(ㄹ)인 경우 1 | | | | | | | |
|---|---|---|---|---|---|---|---|
| 앞 자음 | | 뒤 자음 | | 앞자음 | | 뒤 자음 | 예 |
| ㅁ | + | ㄹ | = | ㅁ | + | ㄴ | 침략[략→냑] |
| ㅇ | | | | ㅇ | | | 강릉[릉→능] |

| 영향을 받는 자음이 뒤 음절의 유음(ㄹ)인 경우 2 | | | | | | | |
|---|---|---|---|---|---|---|---|
| 영향을 주고받은 앞 자음 | | 영향을 주고받은 뒤 자음 | | 영향을 주고받은 앞 자음 | | 영향을 주고받은 뒤 자음 | 예 |
| ㅂ | + | ㄹ | = | ㅁ | + | ㄴ | 협력[혐녁] |
| ㄱ | | | | ㅇ | | | 막론[망논] |

② **유음화**: 유음이 아닌 자음(ㄴ)이 유음을 만나서 유음이 되는 현상이다. 유음은 'ㄴ'을 만나면 앞이든 뒤든 모두 'ㄹ'로 만든다.

예 난로[날로], 대관령[대괄령], 줄넘기[줄럼끼], 물난리[물랄리]

예 닳는[달른], 뚫는[뚤른] (받침 'ㅀ'은 'ㅎ'이 탈락하면 'ㄹ' 소리만 남는다.)

# 01 음운의 변동, 교체 1-기본 문제

**01** 음운 변동 현상이 일어나는 이유로 적절하지 않은 것은?

① 발음을 편하게 하기 위해서
② 효율적으로 발음하기 위해서
③ 국어로 아름답게 표현하기 위해서
④ 말의 의미를 명확하게 하기 위해서
⑤ 강조와 같은 표현 효과를 높이기 위해서

**02** 〈보기〉에서 밑줄 친 '연음'의 사례로 가장 적절한 것은?

보기

국어의 중요한 발음 현상 중 하나로 '**연음**'이 있다. '연음'은 자음으로 끝나는 음절에 모음으로 시작하는 형식 형태소(조사, 어미, 접미사)가 이어질 때, 앞 음절의 끝소리를 그대로 뒤 음절 첫소리로 옮겨서 발음하는 현상을 말한다. 예를 들어 '눈' 뒤에 조사 '이, 은, 으로'가 결합하면 '눈'의 'ㄴ'을 연음하여 '[누니], [누는], [누느로]'로 발음해야 하는 것이다. 연음은 음운의 변화가 없기 때문에 음운 변동에 속하지 않는다.

① '놓아'를 [놔]로 발음한다.
② '팥을'를 [파틀]로 발음한다.
③ '꽃이'를 [꼬시]로 발음한다.
④ '여덟이'를 '[여더리]'로 발음한다.
⑤ '새벽녘에'를 '[새벽녀케]'로 발음한다.

**03** 음운 변동과 그 예가 바르게 연결되지 않은 것은?

① 교체 - 볕이[벼치]
② 교체 - 학문[항문]
③ 탈락 - 국화[구콰]
④ 축약 - 남기어[남겨]
⑤ 탈락 - 닭[닥]

## 04 ⓐ, ⓑ에 들어갈 음운 변동에 해당하는 기호로 적절한 것은?

보기

- 음운이 일정한 조건에 따라 바뀌는 현상을 음운 변동이라고 한다.
  ㉠ 교체: 한 음운이 다른 음운으로 바뀌는 음운 변동
  ㉡ 탈락: 한 음운이 없어지는 음운 변동
  ㉢ 첨가: 없던 음운이 새로 생기는 음운 변동
  ㉣ 축약: 두 음운이 합쳐져서 새로운 음운으로 바뀌는 음운 변동
- 이러한 음운 변동은 순차적으로 일어나기도 한다. 예를 들어 '맡는'을 발음할 때의 음운 변동은 다음과 같이 나타난다.

| 맡는 | → | 맏는 | → | 만는 |
|---|---|---|---|---|
| | ⓐ | | ⓑ | |

| | ⓐ | ⓑ |
|---|---|---|
| ① | ㉠ | ㉠ |
| ② | ㉠ | ㉡ |
| ③ | ㉡ | ㉠ |
| ④ | ㉢ | ㉣ |
| ⑤ | ㉡ | ㉢ |

## 05 다음 자음들 가운데 음절의 끝소리로 발음할 수 없는 것은?

① ㄱ ② ㄷ ③ ㄹ ④ ㅅ ⑤ ㅇ

## 06 다음 단어들 가운데 발음이 적절하지 않은 것은?

① 안팎 [안팍] ② 옷 위 [오뒤] ③ 밤낮 [밤낫]
④ 부엌 안 [부어간] ⑤ 웃음 [우슴]

**07** 〈보기〉의 표준발음법을 적용하여 발음해야 하는 단어의 예시로 적절한 것은?

보기

표준 발음법 제18항

받침 'ㄱ(ㄲ, ㅋ, ㄳ, ㄺ), ㄷ(ㅅ, ㅆ, ㅈ, ㅊ, ㅌ, ㅎ), ㅂ(ㅍ, ㄼ, ㄿ, ㅄ)'은 'ㄴ, ㅁ' 앞에서 'ㅇ, ㄴ, ㅁ'으로 발음한다.

① 설날 ② 침략 ③ 닦는 ④ 약밥 ⑤ 쌓아

**08** ㉠, ㉡에 적용된 공통 음운 현상을 가장 바르게 설명한 것은?

보기

㉠ 달나라, 칼날

㉡ 신림, 난로, 편리

① 유음과 만나는 'ㄴ'은 유음으로 바뀐다.
② 파열음이 비음 앞에서 비음으로 동화된다.
③ 자음으로 끝나는 말과 'ㅣ'로 시작하는 말 사이에 'ㄴ'이 첨가된다.
④ 실질형태소의 끝소리 'ㄷ, ㅌ'이 형식형태소 'ㅣ' 앞에서 'ㅈ, ㅊ'으로 바뀐다.
⑤ 음절의 끝이 겹자음이며 뒤 음절의 초성에 자음이 오면, 하나만 선택하여 발음한다.

**09** '바람이 불어서'의 최종 발음을 쓰고, 그렇게 발음하게 되는 이유를 쓰시오.

| 바람이 불어서 | |
|---|---|
| 발음 | |
| 그렇게 발음한 이유 | |

**10** 다음 단어들을 발음할 때 일어나는 공통적인 음운 변동의 구체적인 이름을 2개 적으시오.

보기

꽃망울[꼰망울], 놓는[논는], 맞나[만나]

# 02 교체 2, 축약-개념 정리

## 01 교체 2(구개음화, 된소리되기)

① 구개음화

■ **개념**: 실질형태소의 윗잇몸소리(치조음) 'ㄷ', 'ㅌ'이 형식형태소의 반모음 'ㅣ[j]' 또는 단모음 'ㅣ[i]'를 만나 센입천장소리(구개음) 'ㅈ', 'ㅊ'으로 변하는 현상이다.

*표의 음영 표시는 영향을 받은 음운이다.*

| 앞 자음 | | 뒤 모음 | | 앞 자음 | | 뒤 모음 | 예시 |
|---|---|---|---|---|---|---|---|
| ㄷ<br>ㅌ | + | ㅣ | = | ㅈ<br>ㅊ | + | ㅣ | 굳이[구지]<br>같이[가치] |

이름에서 알 수 있듯이 조음위치가 변화한 것이다. 자음동화는 자음끼리 영향을 주고 받으며 조음 방법이 변하는 것인데, 이와 달리 구개음화는 자음과 모음이 만나서 조음위치가 변한다는 특징이 있다.

| 〈심화학습〉 |
|---|
| 조음위치가 바뀌는 이유는 영향을 주는 반모음 'ㅣ[j]' 또는 단모음 'ㅣ[i]'의 조음위치가 센입천장이기 때문이다. 'ㄷ, ㅌ'이 'ㅈ, ㅊ'으로 변하면 자음의 조음위치가 윗잇몸에서 센입천장으로 옮겨가면서, 'ㅣ'와 발음 나는 위치를 맞출 수 있다. |

■ 실질형태소와 형식형태소라는 조건이 중요하다. 자음과 모음은 동일해도 '실질 형태소'와 '형식 형태소'가 만난다는 조건이 맞지 않으면 구개음화가 일어나지 않는다.

예 '밭이랑'은 실질형태소 '밭(field)'과 '이랑'의 조합으로 이루어져있다. 이때 '이랑'이 조사(형식형태소)일 때에는 [바치랑]으로 발음하지만, '이랑'을 '농사를 짓느라 땅을 다듬어놓은 것(furrow)'의 의미로 쓸 때에는 'ㄴ' 소리가 첨가되어 [반니랑]으로 발음한다.

■ 'ㄷ' 뒤에 접미사 '히'가 결합하여 '티'를 만들 때에도 구개음화가 일어나 [치]로 발음한다.

예 닫혀[다처](다텨 → 다쳐 → 다처), 묻히다[무치다](무티다 → 무치다)

② 된소리되기

■ **개념**: 특정한 환경에서 예사소리(ㄱ, ㄷ, ㅂ, ㅅ, ㅈ)가 된소리(ㄲ, ㄸ, ㅃ, ㅆ, ㅉ)로 바뀌어 발음되는 현상을 말한다. 된소리는 '경음'이라고도 부르므로, 된소리되기 현상을 '경음화'라고도 한다. 5가지 서로 다른 환경이 있으므로 알아두도록 한다.

*표의 음영 표시는 영향을 받은 음운이다.*

| ① 앞말의 받침이 'ㄱ(ㅋ, ㄲ, ㄳ, ㄺ)', 'ㄷ(ㅅ, ㅆ, ㅈ, ㅊ, ㅌ,)', 'ㅂ(ㅍ, ㄼ, ㄿ, ㅄ)'인 경우 | | | | | | | |
|---|---|---|---|---|---|---|---|
| 앞 자음 | | 뒤 자음 | | 앞자음 | | 뒤 자음 | 예 |
| ㄱ, ㄷ, ㅂ | + | ㄱ, ㄷ, ㅂ,<br>ㅅ, ㅈ | = | ㄱ, ㄷ, ㅂ | + | ㄲ, ㄸ, ㅃ,<br>ㅆ, ㅉ | 국밥[국빱] 닭장[닥짱]<br>있던[읻떤] 옆집[엽찝] |

| ② 어간의 받침 ㄴ(ㄵ), ㅁ(ㄻ) 뒤에 예사소리가 오는 경우 | | | | | | | |
|---|---|---|---|---|---|---|---|
| 앞 자음 | | 뒤 자음 | | 앞자음 | | 뒤 자음 | 예 |
| ㄴ | + | ㄱ, ㄷ, ㅅ, ㅈ | = | ㄴ | + | ㄲ, ㄸ, ㅆ, ㅉ | 신고[신꼬] 얹다[언따] |
| ㅁ | | | | ㅁ | | | 삼다[삼따] 닮고[담꼬] |

| ③ 어간의 받침이 'ㄼ', 'ㄾ'인 경우 | | | | | | | |
|---|---|---|---|---|---|---|---|
| 앞 자음 | | 뒤 자음 | | 앞자음 | | 뒤 자음 | 예 |
| ㄼ | + | ㄱ, ㄷ, ㅅ, ㅈ | = | ㄹ | + | ㄲ, ㄸ, ㅆ, ㅉ | 넓다[널따] |
| ㄾ | | | | ㄹ | | | 핥지[할찌] |

| ④ 한자어 받침 'ㄹ' 뒤인 경우 | | | | | | | |
|---|---|---|---|---|---|---|---|
| 앞 자음 | | 뒤 자음 | | 앞자음 | | 뒤 자음 | 예 |
| ㄹ | + | ㄱ, ㄷ, ㅂ, ㅅ, ㅈ | = | ㄹ | + | ㄲ, ㄸ, ㅃ, ㅆ, ㅉ | 갈등[갈뜽]<br>물질[물찔] |

| ⑤ 관형사형 전성어미 '-ㄹ' 또는 '-ㄹ'로 시작하는 어미 | | | | | | | |
|---|---|---|---|---|---|---|---|
| 앞 자음 | | 뒤 자음 | | 앞자음 | | 뒤 자음 | 예 |
| ㄹ | + | ㄱ, ㄷ, ㅂ, ㅅ, ㅈ | = | ㄹ | + | ㄲ, ㄸ, ㅃ, ㅆ, ㅉ | 갈 데가[갈떼가]<br>할 수가[할쑤가]<br>갈수록[갈쑤록]<br>그럴걸[그럴껄] |

## 02 축약(거센소리되기, 모음축약)

■ **개념**: 두 음운이 하나의 음운으로 줄어드는 현상을 말한다. 이때 새로운 음운은 원래 있던 두 음운의 성질을 모두 가지고 있어야 한다. XabY → XcY

* 자음과 관련된 것 - 거센소리되기 / * 모음과 관련된 것 - 모음 축약(이중모음화)

① **거센소리되기**: 'ㅂ', 'ㄷ', 'ㅈ', 'ㄱ'과 'ㅎ'이 만나면 'ㅍ', 'ㅌ', 'ㅊ', 'ㅋ'이 되는 현상을 말한다.

예 놓고[노코], 닭지[달치], 좁히다[조피다], 꽂히다[고치다], 낮 한 때[나탄때]

② **모음 축약**: 두 음절이 한 음절로 줄어드는 현상을 말한다.

하나의 모음은 하나의 음절을 이룰 수 있기에, 두 모음이 만난다는 것은 두 음절이 만나는 것과 같다. 이때 한쪽 단모음이 반모음이 되면서 다른 단모음과 합쳐져 이중모음이 되어 한 음절이 되는 것이다. 이때 발음을 표기에도 적용하여 새로운 단어가 만들어지기도 한다.

예 눈이 감기어 → 감겨(두 음절이 한 음절로 줄어든다.)

예 어느 사이 → 어느새(새로운 단어가 만들어진다.)

# 02 교체 2, 축약-기본 문제

**01** 다음 중 '구개음화'의 예시로 적절한 것은?

① 솥이　② 낯이　③ 덫에
④ 돛을　⑤ 빚이

**02** 다음 문장의 밑줄 친 단어 가운데 구개음화가 일어나지 않은 것은?

① 쇠붙이도 늘 닦지 않으면 빛을 잃는 법이다.
② 노안인 그를 나보다 맏이로 보는 사람이 많다.
③ 집에 오자마자 차가운 방바닥에 등을 붙이고 누웠다.
④ 가을걷이가 끝난 들판에는 찬 서리가 내리기 시작했다.
⑤ 나는 설거지를 해도 그릇에 뽀드득 소리가 나지 않는다.

**03** 다음 중 '경음화'의 예시로 적절하지 않은 것은?

① 춥소　② 꽃다발　③ 국밥
④ 어깨　⑤ 그럴 수

## 04 〈보기〉의 ㉠, ㉡에 해당하는 단어로 적절한 것은?

보기

경음화의 유형은 다음과 같다.

- 받침 'ㄱ, ㄷ, ㅂ' 뒤에 연결되는 자음 'ㄱ, ㄷ, ㅂ, ㅅ, ㅈ'을 된소리로 발음하는 유형
- 어간 받침 'ㄴ(ㄵ), ㅁ(ㄻ)' 뒤에 결합되는 어미의 첫소리 'ㄱ, ㄷ, ㅅ, ㅈ'을 된소리로 발음하는 유형
- 어간 받침 'ㄼ, ㄾ' 뒤에 결합되는 어미의 첫소리 'ㄱ, ㄷ, ㅅ, ㅈ'를 된소리로 발음하는 유형 ······ ㉠
- 한자어에서 'ㄹ' 받침 뒤에 결합되는 자음 'ㄷ, ㅅ, ㅈ'을 된소리로 발음하는 유형
- 관형사형 '-[으]ㄹ' 뒤에 연결되는 'ㄱ, ㄷ, ㅂ, ㅅ, ㅈ'를 된소리로 발음하는 유형 ······ ㉡

| | ㉠ | ㉡ | | ㉠ | ㉡ |
|---|---|---|---|---|---|
| ① | 넓게 | 할걸 | ② | 껴안다 | 갈 곳 |
| ③ | 떫다 | 할수록 | ④ | 더듬다 | 할지라도 |
| ⑤ | 훑다 | 할 수는 | | | |

## 05 〈보기〉의 음운 변동이 모두 일어나는 것은?

보기

㉠ 받침의 자음 가운데 'ㄱ, ㄴ, ㄷ, ㄹ, ㅁ, ㅂ, ㅇ'이 아닌 것들은 이 7개 중 하나로 바꾸어 발음해야 한다.

㉡ 받침 'ㄱ(ㄲ, ㅋ, ㄳ, ㄺ), ㄷ(ㅅ, ㅆ, ㅈ, ㅊ, ㅌ), ㅂ(ㅍ, ㄼ, ㄿ, ㅄ)' 뒤에 연결되는 'ㄱ, ㄷ, ㅂ, ㅅ, ㅈ'은 된소리로 발음한다.

① 닭장[닥짱] ② 낫다[낟따/나따] ③ 곱돌[곱똘]
④ 젊다[점따] ⑤ 국화[구콰]

## 06 빈칸에 공통으로 들어갈 음운으로 알맞은 것은?

보기

- ㄱ + ( ) → ㅋ
- ㄷ + ( ) → ㅌ
- ㅂ + ( ) → ㅍ
- ㅈ + ( ) → ㅊ

① ㄴ ② ㄹ ③ ㅁ ④ ㅅ ⑤ ㅎ

## 07 〈보기〉에서 학생의 질문에 대한 대답으로 적절한 것은?

보기

**학생** : 'ㄱ, ㄷ, ㅂ, ㅈ'이 'ㅎ'과 만나 거센소리인 'ㅋ, ㅌ, ㅍ, ㅊ'이 되는 현상이나, 모음 'ㅣ'나 'ㅗ/ㅜ'가 다른 모음과 결합하여 하나의 이중모음이 되는 현상을 전부 축약이라고 하잖아요. 어떤 공통점이 있는 거예요?

① 두 음운이 만나 음절이 줄어든다는 공통점이 있어.
② 두 음운이 만나 모음이 늘어난다는 공통점이 있어.
③ 두 음운이 만나 둘 중 하나만 남는다는 공통점이 있어.
④ 두 음운이 만나 새로운 자음이 생긴다는 공통점이 있어.
⑤ 두 음운이 만나 음운의 개수가 줄어든다는 공통점이 있어.

## 08 〈보기〉의 ㉠에 해당하지 않는 것은?

보기

㉠**음운 축약**의 종류는 2가지가 있다. 자음 축약은 'ㄱ, ㄷ, ㅂ, ㅈ'과 'ㅎ'이 만나면 축약되어 거센소리 'ㅋ, ㅌ, ㅍ, ㅊ'이 되는 '거센소리 되기'를 말한다. 모음 축약은 모음 'ㅣ' 나 'ㅗ/ㅜ' 가 다른 모음과 결합하여 이중 모음을 이루는 것을 말한다.

① 생일을 정말 축하해!
② 며칠 굶어서 힘이 없어.
③ 그 많던 사람들이 다 어디 갔을까?
④ 아이스크림은 나눠 먹으니까 더 맛있다.
⑤ 어깨선이 그렇게 딱 맞다니, 옷을 잘 맞췄네.

## 09 〈보기〉의 ㉠, ㉡에 들어갈 말을 쓰시오.

보기

'마음도'와 '감다가'의 음운 환경은 동일하다. 그러나 '마음도'는 체언과 조사가 결합한 반면 '감다가'는 '감-'이라는 ( ㉠ )에 '-다가'라는 ( ㉡ )가 결합했다는 단어(품사)의 차이가 있다. 이러한 차이 때문에 '감다가'를 발음할 때에만 된소리되기가 일어난다.

**10** '된소리되기(경음화)'가 일어나는 유형을 3가지 이상 적으시오.

보기

한 가지 유형을 적을 때마다,

1) 어떤 음운끼리 만나는지 적을 것

2) 어떤 상황에서 만나는지 적을 것

예 비음화 : 앞 음절의 끝소리 'ㅂ, ㄷ, ㄱ'이 뒤 음절의 첫소리 'ㅁ, ㄴ' 앞에서 'ㅁ, ㄴ, ㅇ'으로 변한다.

# 03 탈락, 첨가-개념 정리

## 01 탈락(ㄹ탈락, ㅎ탈락, ㅡ탈락)

■ **개념**: 두 음운이 만나 한 음운이 사라지는 현상을 말한다. 이때 앞에 있는 음운이 탈락할 수도 있고, 뒤에 있는 음운이 탈락할 수도 있다. XaY → XY

* 자음과 관련된 것 - ㄹ탈락, ㅎ탈락, 자음군 단순화

* 모음과 관련된 것 - 모음 'ㅡ' 탈락

① **ㄹ탈락**: 'ㄹ'이 'ㄴ', 'ㄷ', 'ㅅ', 'ㅈ' 등의 자음 앞에서 탈락한다.

예 달+달+이=다달이, 활+살=화살, 둥글+니=둥그니

② **ㅎ탈락**: 어간의 끝소리 'ㅎ'이 모음으로 시작하는 형식형태소(어미, 접미사) 앞에서 탈락한다.

예 아기를 낳았다[나아따], 거기에 놓으렴[노으렴]

③ **ㅡ탈락**: 어간의 'ㅡ'가 모음으로 시작하는 어미와 만났을 때 탈락한다.

예 쓰다의 어간 '쓰-' + '-어' = '써', 잠그다의 어간 '잠그-' + '-아' = '잠가',
치르다의 어간 '치르-' + '-어'= '치러', 담그다의 어간 '담그-' + '-아' = '담가'

## 02 첨가('ㄴ' 첨가)

■ **개념**: 새로운 음운이 생기는 현상을 말한다. XY → XaY. 모음이 첨가되는 경우는 (몇 개의 예외를 제외하고는) 대부분 표준발음으로 인정하지 않으므로, 자음(ㄴ) 첨가만 살펴보도록 한다.

① **ㄴ첨가**: 합성어나 파생어에서 자음으로 끝나는 형태소 뒤에 단모음 'ㅣ' 또는 반모음 'ㅣ'로 시작하는 형태소가 올 때(이, 야, 여, 요, 유) 'ㄴ'이 첨가되어 [니, 냐, 녀, 뇨, 뉴]로 발음하는 현상이다.

| 앞 단어 또는 접두사의 끝 | | 뒤 단어 또는 접미사의 첫음절 | | 앞 단어 또는 접두사의 끝 | | 뒤 단어 또는 접미사의 첫음절 |
|---|---|---|---|---|---|---|
| 자음 | + | 이, 야, 여, 요, 유 | = | 자음 | + | 니, 냐, 녀, 뇨, 뉴 |
| 예 맨-입[맨닙], 내복-약[내:봉냑], 직행-열차[지캥녈차]<br>눈-요기[눈뇨기], 국민-윤리[궁민뉼리] | | | | | | |

# 03 탈락, 첨가-기본 문제

**01** 음운의 '탈락'이 일어난 단어끼리 묶인 것은?

① 나니, 솔방울, 부삽
② 우짖다, 바느질, 잃다
③ 만드는, 따님, 기뻐서
④ 일으켜, 다달이, 굽히다
⑤ 색연필, 축하해, 지난해

**02** 다음 중, 음운 현상이 나머지와 <u>다른</u> 하나는?

① 마소 ② 소나무 ③ 북한산
④ 아드님 ⑤ 차지다

**03** 음운 변동의 종류가 같은 것끼리 짝지어지지 <u>않은</u> 것은?

① 볕이 - 굳이 ② 삶 - 만듦 ③ 떠(뜨어) - 꺼(끄어)
④ 고파 - 바빠 ⑤ 따라 - 불러

**04** 다음 밑줄 친 단어 중 '모음 탈락'이 일어나지 <u>않은</u> 것은?

① 그는 자물쇠로 책상 서랍을 <u>잠갔다</u>.
② 아이가 식당 한가운데서 발을 동동 <u>굴렀다</u>.
③ 소방관들을 불을 <u>꺼서</u> 숲과 동물들을 구했다.
④ 얼굴에 마스크를 <u>써서</u> 누구인지 못 알아보았어.
⑤ 집에서 김치를 <u>담가</u> 먹기보단 마트에서 사서 먹는다.

## 05 ⓐ~ⓓ에 대한 이해로 적절한 것은?

보기

ⓐ '끄다'의 활용 : '끄-' + '-고' → 끄고, '끄-' + '-어' → 꺼
ⓑ '사다'의 활용 : '사-' + '-고' → 사고, '사-' + '-아' → 사
ⓒ '살다'의 활용 : '살-' + '-고' → 살고, '살-' + '-니' → 사니
ⓓ '빻다'의 활용 : '빻-' + '-고' → 빻고, '빻-' + '-아' → 빻아

① ⓐ를 보니 어간의 모음 'ㅡ'가 자음으로 시작하는 어미 앞에서 탈락되는군.
② ⓑ를 보니 어간과 어미에 같은 음운이 연결되면 두 음운이 모두 탈락되는군.
③ ⓒ를 보니 어간의 종성 'ㄹ'이 'ㄴ'으로 시작하는 어미 앞에서 'ㄴ'으로 바뀌는군.
④ ⓓ에서는 '빻아'를 [빠아]로 발음하므로 음운의 탈락이 표기에는 반영되지 않는군.
⑤ ⓐ~ⓓ를 보니, 음운의 탈락은 모음에서만 일어나는군.

## 06 음운의 '첨가'가 일어난 단어끼리 묶인 것은?

① 맨입, 독약
② 식용유, 서울역
③ 콩엿, 불일치
④ 눈요기, 의기양양
⑤ 담요, 눈인사

## 07 〈보기〉와 동일한 과정을 거쳐 발음되는 단어는?

보기

꽃잎 - [꼳입] - [꼳닙] - [꼰닙]

① 낮일[난닐]
② 부엌문[부엉문]
③ 색연필[생년필]
④ 옷맵시[온맵씨]
⑤ 못난이[몬나니]

## 03 탈락, 첨가

**08** 〈보기〉의 ㉠~㉣에서 일어나는 음운 변동을 '축약'과 '첨가'로 구분할 때 적절한 것은?

> 보기
>
> ㉠ **집안일**[지반닐]　　㉡ **묻히다**[무치다]
>
> ㉢ **쌓지**[싸치]　　㉣ **깻잎**[깬닙]

| | 축약 | 첨가 |
|---|---|---|
| ① | ㉡, ㉢, ㉣ | ㉠ |
| ② | ㉠, ㉢, ㉣ | ㉡ |
| ③ | ㉠, ㉣ | ㉡, ㉢ |
| ④ | ㉡, ㉢ | ㉠, ㉣ |
| ⑤ | ㉡ | ㉠, ㉢, ㉣ |

**09** 〈보기〉의 밑줄 친 부분에 들어갈 '가'의 대답을 쓰시오.

> 보기
>
> 가: 내가 전에 마음에 든다고 했던 애, SNS하다가 실망했어.
>
> 나: 왜? 말실수했어?
>
> 가: 아니, 이거 봐. 내가 아프다고 했더니 '얼른 낳았으면 좋겠다.'고 보냈어.
>
> 나: 정말 실망이다. **근데 왜 이렇게 '나았으면'을 '낳았으면'이라고 쓰는 사람이 많은 걸까?**
>
> 가: 그건＿＿＿＿＿＿＿＿＿＿＿＿＿＿＿ 때문일 거야.

**10** 〈보기〉를 바탕으로 'ㄴ첨가' 현상이 일어나는 환경을 분석하여 서술하시오.(단, 단어의 종류, 앞뒤 음운의 종류를 반드시 언급할 것)

> 보기
>
> 맨-입[맨닙]　　알-약[알냑→알략]　　밤-엿[밤녇]
>
> 담-요[담뇨]　　밤-윷[밤뉻]

# 제3강

## 문장 표현 Ⅰ

**01** 종결 표현
-개념정리
-기본 문제

**02** 높임 표현
-개념정리
-기본 문제

**03** 시간 표현
-개념정리
-기본 문제

# 01 종결 표현-개념 정리

- **개념**: 문장을 끝맺는 표현이다.
- 실현 방법

주로 서술어의 종결 어미로 실현이 되며 표현하고자 하는 내용에 적합한 종결 어미를 선택함으로써 말하는 이가 자신의 생각이나 느낌을 효과적으로 표현할 수 있다.

## 01 평서문

- **개념**: 말하는 이가 문장의 내용을 평범하고 단순하게 서술하는 문장으로 사건의 내용을 객관적으로 표현한다.
- 실현 방법

주로 종결어미 '-다'의 형태로 실현된다.

예 나는 공부를 한다.

## 02 의문문

- **개념**: 말하는 이가 듣는 이에게 묻는 형식을 취하는 문장으로 듣는 이에게 질문을 하여 반응을 요구하는 문장이다.
- 실현 방법

주로 '-(느)냐, -(이)니, -ㄹ까' 등의 종결어미로 실현된다.

| | | |
|---|---|---|
| 의문문의 종류 | 설명의문문 | 설명을 요구하는 의문문으로 '누구', '왜', '어찌', '무엇' 등과 같은 의문사가 문장에 포함된다.<br>예 너는 누구냐? |
| | 판정의문문 | 긍정이나 부정의 대답을 요구하는 의문문이다.<br>예 너는 수지니? |
| | 수사의문문 | 대답을 요구하지 않고 서술이나 명령, 요청, 감탄 등과 같은 수사적인 표현 효과를 내는 의문문이다.<br>예 내가 이런 문제도 못 풀겠니? |

## 03 명령문

- **개념**: 말하는 이가 듣는 이에게 어떤 행동을 요구하거나 무엇을 시키는 문장이다.
- 실현 방법

  주로 '-(아/어)라' 등의 종결어미로 실현된다.

| 명령문의 종류 | 직접명령문 | 청자에게 직접 명령하는 명령문이다.<br>'-아라, -어라, -거라, -너라' 등의 형태로 실현된다.<br>예 어서 빨리 먹어라. |
|---|---|---|
| | 간접명령문 | 신문, 구호 등 매체를 통해 불특정 다수에게 명령하는 명령문이다.<br>'-(으)라'의 형태로 실현된다.<br>예 00대학으로 오라! |

## 04 청유문

- **개념**: 말하는 이가 듣는 이에게 같이 행동할 것을 요청하는 문장이다.
- 실현 방법

  '-자', '-(으)ㅂ시다', '-세' 등의 종결어미로 실현된다.

  예 우리 모두 청소를 합시다.

## 05 감탄문

- **개념**: 말하는 이가 듣는 이를 의식하지 않고 자신의 느낌을 감탄조로 표현하는 문장이다.
- 실현 방법

  '-(는)구나', '-(는)군', '-로구나', '-(아/어)라' 등의 종결어미로 실현된다.

  예 인생은 아름다워라!

# 01 종결 표현-기본 문제

**01** 〈보기〉의 빈칸에 들어갈 적절한 문법 용어를 쓰시오.

보기

문장을 끝내는 표현을 종결 표현이라고 하는데, 종결 표현의 종류는 (　　　)에 따라 결정된다.

**02** 〈보기〉의 설명에 해당하는 의문문의 종류를 쓰시오.

보기

의문사가 포함되어 물음에 대한 설명을 요구하는 의문문

**03** 〈보기〉의 문장에서 사용된 종결 표현의 종류를 쓰시오.

보기

내일 함께 운동을 하러 가자.

**04** 다음 중 종결 표현의 종류가 다른 하나를 고르면?

① 인천에 공항이 있다.
② 오늘부터 매일 채소를 먹자.
③ 저 사람이 이 가게의 주인이다.
④ 우리나라의 기후가 변하고 있다.
⑤ 선생님께서 과제를 해오라고 하셨다.

## 05 ㉠~㉢의 종결 표현을 바르게 나열한 것은?

보기

㉠ 출제 위원을 소개하겠습니다.
㉡ 이곳의 경치가 매우 아름답구나!
㉢ 건강을 위해 음식을 골고루 먹어라.

| | ㉠ | ㉡ | ㉢ |
|---|---|---|---|
| ① | 의문문 | 평서문 | 청유문 |
| ② | 명령문 | 의문문 | 감탄문 |
| ③ | 평서문 | 감탄문 | 명령문 |
| ④ | 감탄문 | 청유문 | 의문문 |
| ⑤ | 명령문 | 감탄문 | 청유문 |

## 06 〈보기〉의 ㉠~㉤을 분석한 내용으로 적절한 것은?

보기

㉠ 황사 때문에 공기가 탁하다.
㉡ 1등이 아닌 사람도 얼마나 많은가!
㉢ 나는 택배가 도착하기를 기다렸다.
㉣ 우리 힘으로 어려움을 해결합시다.
㉤ 너에게 제일 소중한 것은 무엇이니?

① ㉠: 말하는 이가 듣는 이에게 사실을 전달하는 문장이다.
② ㉡: 말하는 이가 듣는 이의 답을 요구하는 문장이다.
③ ㉢: 말하는 이가 자신의 감정을 감탄조로 표현한 문장이다.
④ ㉣: 말하는 이가 듣는 이의 행동 변화를 요구하는 문장이다.
⑤ ㉤: 말하는 이가 듣는 이에게 행동을 함께 할 것을 요구한 문장이다.

## 07 다음 중 평서문이 아닌 것은?

① 우리는 기후 변화에 대비해야 한다.
② 오늘은 비가 온다는 예보가 있었다.
③ 그 사람은 비 내리는 날을 좋아한다.
④ 일기 예보를 확인하는 습관을 들이자.
⑤ 일상화된 이상 기후가 지구를 위협한다.

**08** 〈보기〉의 밑줄 친 문장과 가장 관련이 깊은 것은?

보기

말하는 이가 듣는 이에게 질문을 하는 종결 표현을 의문문이라고 한다. 의문문에는 **긍정이나 부정의 대답을 요구하는 의문문**, 듣는 이에게 설명을 요구하는 의문문, 서술, 명령, 감탄 등의 효과를 나타내는 의문문 등이 있다.

① 내일 회의가 열리니?
② 회의가 언제 열리니?
③ 회의의 안건이 뭘까?
④ 회의가 몇 시에 끝날까?
⑤ 회의 준비를 누구인들 못할까?

**09** 문장의 종결 표현에 대한 설명으로 적절하지 <u>않은</u> 것은?

① 종결 표현은 문장을 끝내는 것과 관련이 있다.
② 우리말에서 문장의 종결 표현은 다섯 종류가 있다.
③ 말하는 이가 듣는 이에게 묻는 형식의 문장은 반드시 답으로 설명을 요구한다.
④ 청유문은 말하는 이가 듣는 이에게 같은 행동을 할 것을 기대하는 문장 형식이다.
⑤ 감탄문은 말하는 이가 듣는 이를 의식하지 않고 자신의 느낌을 표현하는 것이다.

**10** ㉠의 예시로 적절하지 <u>않은</u> 것은?

보기

말하는 이가 듣는 이에게 어떤 행동을 요구하는 문장 형식에는 ㉠**직접적으로 요구하는 경우**와 간접적으로 요구하는 경우의 두 종류가 있다.

① 푸른 하늘을 보아라.
② 음식을 골고루 먹어라.
③ 마음에 드는 옷을 골라라.
④ 내일 아침에 일찍 씻어라.
⑤ 빈칸에 알맞은 말을 고르라.

# 02 높임 표현-개념 정리

■ **개념**: 말하는 이가 어떤 대상에 대해 높고 낮은 정도에 따라 언어적으로 구별하는 표현 방식을 말한다.

## 01 주체 높임법

■ **개념**: 문장에서 서술의 주체를 높이는 방법을 주체 높임법이라고 한다. 말하는 이보다 서술의 주체가 나이가 많거나 사회적 지위 등이 높을 때에 사용한다. 서술의 주체는 보통 문장의 주어로 나타난다.

■ 실현 방법

- 선어말 어미 '-(으)시-'를 붙인다.

  예 삼촌이 여행을 가신다.(← 간다).

- 주체를 높이는 특수한 어휘('계시다, 주무시다, 편찮다, 돌아가시다' 등)를 쓰기도 한다.

  예 계시다(← 있다), 주무시다(← 자다)

- 조사 '이/가' 대신 '께서'를 사용하기도 한다.

  예 아주머니께서(← 아주머니가) 나에게 선물을 주셨다.

<심화학습>

**직접 높임**: 문장의 주체가 높임의 대상이 될 때 그것을 직접 높이는 방법

예 할아버지께서 웃으신다.

**간접 높임**: 높여야 할 대상의 신체, 소유물, 생각 등과 관련된 말을 주체 높임 선어말 어미 '-(으)시'를 이용하여 높이는 방법

예 선생님의 말씀이 타당하시다.

## 02 상대 높임법

■ **개념**: 말하는 이가 듣는 이를 높이거나 낮추어서 말하는 방법을 상대 높임법이라고 하는데 우리말 높임법 중 가장 발달한 높임법이다.

■ 실현 방법

종결 어미를 사용하여 듣는 이를 높이거나 낮추어 말할 수 있으며 크게 격식체와 비격식체로 나뉜다.

| | | 평서문 | 의문문 | 명령문 | 청유문 | 감탄문 |
|---|---|---|---|---|---|---|
| 격식체 | 하십시오체 | 갑니다 | 갑니까 | 가십시오 | (가시지요) | - |
| | 하오체 | 가오 | 가오 | 가(시)오, 가구려 | 갑시다 | 가는구려 |
| | 하게체 | 가네, 감세 | 가느냐, 가나 | 가게 | 가세 | 가는구먼 |
| | 해라체 | 간다 | 가냐, 가니 | 가(거)라, 가렴, 가려무나 | 가자 | 가는구나 |
| 비격식체 | 해요체 | 가요 | 가요 | 가(세/셔)요 | 가(세/셔)요 | 가(세/셔)요 |
| | 해체[반말] | 가 | 가 | 가 | 가 | 가 |

**※ 격식체와 비격식체**

격식체는 공적인 자리나 격식을 차려야 하는 상황에서 사용하는 표현으로서 말하는 이와 듣는 이 사이의 거리감을 나타낼 수 있으며, '하십시오체, 하오체, 하게체, 해라체' 등이 해당한다.

비격식체는 격식을 덜 차리는 표현으로서 주로 사적인 자리에서 사용되며 듣는 이에게 친근감을 줄 수 있으며, '해요체, 해체' 등이 해당한다.

## 03 객체 높임법

- **개념**: 문장에서 서술의 객체를 높이는 방법을 객체 높임법이라고 하는데, 서술의 객체는 보통 문장의 목적어나 부사어로 나타난다.
- 실현 방법
  - 객체에 대한 높임을 표현하는 특수한 어휘('여쭙다, 모시다, 뵙다, 드리다' 등)를 사용한다.

    예 드리다(← 주다), 모시다(← 데리다)
  - 조사 '에게' 대신 '께'를 사용하기도 한다.

    예 진수가 큰어머니께(← 큰어머니에게) 목도리를 드렸다.

# 02 높임 표현-기본 문제

**01** **〈보기〉의 빈칸에 들어갈 적절한 말을 쓰시오.**

> 보기
>
> 말하는 이가 어떤 대상에 대해 (          )의 정도에 따라 언어적으로 구별하는 표현을 높임법이라고 한다.

**02** **〈보기〉의 빈칸에 들어갈 문장 성분의 종류를 쓰시오.**

> 보기
>
> 문장에서 서술의 주체를 높이는 것을 주체 높임법이라고 하는데 주체 높임법을 실현하는 문법 요소에는 (          ,          ,          ) 등이 있다.

**03** **〈보기〉를 참고하여 문장의 객체에 해당하는 문장 성분 두 개를 쓰시오.**

> 보기
>
> 객체 높임은 문장의 객체를 높이는 것으로 특수한 어휘를 사용하는 것이 일반적이다.

**04** **다음 중 높임 표현의 종류가 다른 하나를 고르면?**

① 아버지께서 일이 많으시다.
② 삼촌이 늦은 점심을 드신다.
③ 업무 담당자에게 제출하십시오.
④ 어디가 아프신지 말씀하십시오.
⑤ 어머니께서 지금 주무시는 중이다.

## 05 〈보기〉의 밑줄 친 부분과 문장의 높임 표현이 동일한 것은?

보기

시험 범위는 선생님께 **여쭈어** 보아라.

① 할머니께서 시장에 가셨다.
② 큰아버지는 돈이 많으시다.
③ 할아버지께서 떡을 잡수신다.
④ 아버지께서 체온을 측정하셨다.
⑤ 이모님께 이 책을 전해 드려라.

## 06 높임 표현에 대한 설명으로 적절하지 않은 것은?

① 조사를 사용하여 높이는 방법에는 주체 높임법, 상대 높임법 등이 있다.
② 말 듣는 상대를 높이는 방법이 우리말 높임법 중 가장 발달한 높임법이다.
③ 주체 높임법과 객체 높임법은 특수한 어휘를 사용하여 높임을 표현할 수 있다.
④ 문장의 주어가 말하는 이보다 나이가 많거나 사회적 지위가 높을 때는 주체 높임법을 사용한다.
⑤ 공적인 자리나 격식을 차리는 상황과 관련이 있는 상대 높임법의 격식체는 비격식체에 비해 종류가 더 많다.

## 07 ㉠~㉢의 높임 표현을 바르게 나열한 것은?

보기

㉠ 사장님은 능력이 뛰어나시다.
㉡ 여러분이 미래의 주역입니다.
㉢ 할머니께 선물을 드렸다.

| | ㉠ | ㉡ | ㉢ |
|---|---|---|---|
| ① | 주체 높임 | 객체 높임 | 상대 높임 |
| ② | 주체 높임 | 상대 높임 | 객체 높임 |
| ③ | 객체 높임 | 주체 높임 | 상대 높임 |
| ④ | 상대 높임 | 객체 높임 | 주체 높임 |
| ⑤ | 상대 높임 | 주체 높임 | 객체 높임 |

## 08 〈보기〉의 예시로 적절하지 않은 것은?

보기

문장에서 높임 대상의 신체 일부분이나 소유물, 가족 등을 간접적으로 높이는 표현 방법

① 선생님, 혹시 우산 있으세요?
② 선생님의 말씀이 계시겠습니다.
③ 할아버지께서는 귀가 어두우시다
④ 우리 할머니는 휴대 전화가 없으셔.
⑤ 선생님, 아드님이 아주 멋지십니다.

## 09 ㉠~㉢의 예시로 적절하지 않은 것은?

보기

국어의 높임 표현은 높임의 대상에 따라 주체 높임, 상대 높임, 객체 높임이 있다. ㉠**주체 높임**은 문장의 주체인 주어를 높이는 것이고, ㉡**상대 높임**은 말을 듣는 상대, 즉 청자를 높이거나 낮추는 것이다. 마지막으로 ㉢**객체 높임**은 문장의 객체, 즉 목적어나 부사어를 높이는 것이다.

① ㉠: 아버지 친구 분이 우리 집에 오셨다.
② ㉠: 그 작가의 따님이 아주 예쁘시다.
③ ㉡: 내가 줄 것이 있으니 여기로 와봐.
④ ㉢: 언니는 첫 월급을 부모님께 드렸다.
⑤ ㉢: 아버지께서 할머니 댁에 다녀오셨다.

## 10 다음 중 객체 높임이 드러나는 문장으로 적절한 것은?

① 아버지께서 어제 출장을 가셨다.
② 어제 할머니를 모시고 시장에 갔어요.
③ 할머니께서 뭘 하시는지 방에 가 볼래?
④ 숙제를 내주신 분은 우리 국어 선생님이셔.
⑤ 아버지께서는 양식보다 한식을 좋아하십니다.

# 03 시간 표현-개념 정리

■ **개념**: 시간을 나타내는 언어 표현을 '시제'라고 하는데, 시제는 말하는 시점을 기준으로 사건이 언제 일어나느냐에 따라 과거 시제, 현재 시제, 미래 시제 등으로 나눌 수 있다. 이때, 말하는 이가 말하는 시점을 발화시(發話時)라고 하고, 동작이나 상태가 일어나는 시점을 사건시(事件時)라고 한다.

■ 실현 방법

주로 시제 선어말 어미나 관형사형 어미, 시간을 나타내는 부사어를 통해 실현된다.

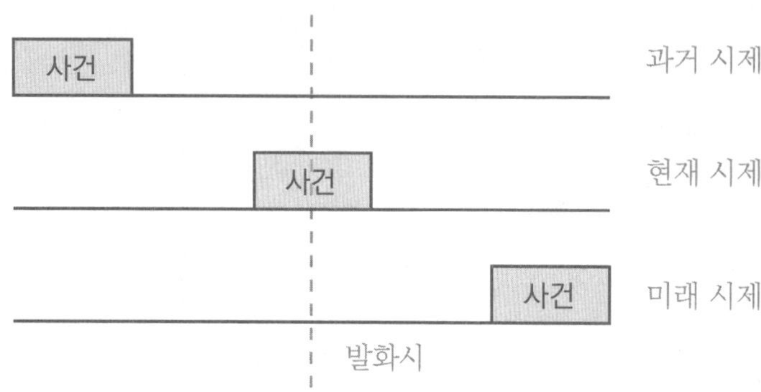


## 01 과거시제

■ **개념**: 말하는 시점(발화시)보다 사건이 일어나는 시점(사건시)이 앞서 있는 시제이다.

■ 실현 방법

- 과거 시제 선어말 어미 '-았-/-었-'을 사용한다.
  예 우리는 그 영화를 보았다.
- 관형사형 어미 '-(으)ㄴ'을 사용한다.
  예 지금까지 읽은 책이 몇 권이니?
- 과거의 시간을 나타내는 부사어('어제, 옛날' 등)를 사용한다.
  예 어제 시험을 보았다.
- 과거의 일을 회상할 때는 '-더-'를 사용하기도 한다.
  예 어제 저녁에 그가 편의점에 가더라.
- 관형사형 어미 '-던'으로 과거 시제를 나타낼 수 있다.
  예 푸르던 하늘이 그립다.

〈참고〉

■ 선어말 어미 '-았었-/-었었-'은 말하는 시점보다 이전에 일어난 사건이 현재와 단절되었을 때 사용한다.

예 나는 예전에 그 집에 살았었다.(지금은 그 집에 더 이상 살지 않음)

## 02 현재 시제

- **개념**: 말하는 시점(발화시)과 사건이 일어나는 시점(사건시)이 일치하는 시제이다.
- 실현 방법
  - 현재 시제 선어말 어미 '-는-/-ㄴ-'을 사용한다.
    - 예 학생들이 책을 읽는다. 그가 운동장에서 달린다.
  - 관형사형 어미 '-는', '-(으)ㄴ'을 사용한다.
    - 예 지금 축구를 하는 친구들이 있다. 모두 착한 친구들이다.
  - 용언의 기본형으로 현재 의미를 나타내기도 한다.
    - 예 최선을 다하는 삶은 멋지다.
  - 현재 시간을 나타내는 부사어('오늘, 지금' 등)를 사용한다.
    - 예 지금 배가 고프다.

〈참고〉

- 동사가 서술어일 때는 현재 시제 선어말 어미 '-는-/-ㄴ-'과 관형사형 어미 '-는'을 사용하여 현재 의미를 나타낸다.
  - 예 사람들이 활짝 웃는다.(웃다 – 동사), 지금 영화를 본다.(보다 – 동사)
    운동장에서 춤을 추는 아이들이 있다.(추다 – 동사)
- 형용사가 서술어일 때는 '-(으)ㄴ'을 쓰거나 선어말 어미 없이 현재 의미를 나타낸다.
  - 예 그는 매우 성실한 학생이다.(성실하다 – 형용사), 그녀는 예쁘다.(예쁘다 – 형용사),

## 03 미래 시제

- **개념**: 말하는 시점(발화시)보다 사건이 일어나는 시점(사건시)이 나중인 시제이다.
- 실현 방법
  - 미래 시제 선어말 어미 '-겠-'을 사용한다.
    - 예 다음 주에 여기로 오겠습니다.
  - 관형사형 어미 '-(으)ㄹ'을 사용한다.
    - 예 그는 곧 공부할 예정이다.
  - 미래를 나타내는 시간 부사어('내일', '모레' 등)를 사용한다.
    - 예 모레 방학이 시작된다.

〈참고〉

- 미래 시제 선어말 어미 '-겠-'이 추측, 의지, 가능성, 완곡한 태도 등을 표현하기도 한다.
  - 예 하늘을 보니 내일도 비가 오겠다.(추측), 내 힘으로 숙제를 하겠다.(의지)
    나도 그 정도는 하겠다.(가능성), 잠시만 쉬었다 해도 되겠습니까?(완곡한 태도)

## <심화학습> 동작상

말하는 시점(발화시)을 기준으로 그 동작이 완결된 것인지 진행되고 있는지 표현하는 것을 동작상이라고 하며 동작상에는 진행상과 완료상이 있다.

- **진행상**: 발화시를 기준으로 동작이 계속 이어지고 있는 경우이며, '-고 있다, -아/-어 가다(보조 용언)', '-(으)면서(연결어미)' 등을 통해 실현된다.

  예 철수가 노래를 부르고 있다.

- **완료상**: 발화시를 기준으로 동작이 완결되었음을 나타내는 경우이며, '-아/-어 버리다, -아/-어 있다(보조 용언)', '-고서(연결 어미)' 등을 통해 실현된다.

  예 철수가 밥을 다 먹어 버렸다.

# 03 시간 표현-기본 문제

**01** **〈보기〉의 빈칸에 들어갈 적절한 말을 쓰시오.**

보기

국어의 시간 표현인 과거 시제, 현재 시제, 미래 시제는 (　　)와/과 (　　)의 관계에 따라 나뉜다.

**02** **〈보기〉의 빈칸에 들어갈 적절한 말을 쓰시오.**

보기

동작상은 시간의 흐름 속에서 사건의 (　　)(이)나 (　　)을/를 나타낸다.

**03** **〈보기〉에서 설명하는 문장의 종류를 쓰시오.**

보기

(　　)은/는 사건이 일어난 시간이고, (　　)은/는 말하는 시간을 뜻한다.

**04** **㉠~㉢의 시간 표현을 분석하여 순서대로 나열한 것은?**

보기

㉠ 언덕에는 꽃이 무더기로 피어 있었다.
㉡ 이번 주말에 예방 접종을 할 것이다.
㉢ 동생은 항상 자기 전에 책을 읽는다.

| | ㉠ | ㉡ | ㉢ |
|---|---|---|---|
| ① | 과거 시제 | 현재 시제 | 미래 시제 |
| ② | 과거 시제 | 미래 시제 | 현재 시제 |
| ③ | 미래 시제 | 과거 시제 | 현재 시제 |
| ④ | 현재 시제 | 과거 시제 | 미래 시제 |
| ⑤ | 현재 시제 | 미래 시제 | 과거 시제 |

## 05 〈보기〉에서 시제가 같은 것끼리 묶으면?

보기

㉠ 밤새 내린 비에 도로가 젖었다.
㉡ 가을이 되자 나뭇잎이 떨어진다.
㉢ 개는 낯선 이가 나타나면 짖는다.
㉣ 시험이 끝난 뒤 친구들과 놀았다.
㉤ 올 겨울에 해외로 여행을 갈 것이다.

① ㉠ / ㉡, ㉢ / ㉣, ㉤
② ㉠ / ㉡, ㉢, ㉣ / ㉤
③ ㉠, ㉡ / ㉢ / ㉣, ㉤
④ ㉠, ㉢ / ㉡, ㉣ / ㉤
⑤ ㉠, ㉣ / ㉡, ㉢ / ㉤

## 06 〈보기〉와 문장의 높임 표현이 동일한 것은?

보기

미세 먼지가 없어서 기분이 좋다.

① 지구는 태양 주위를 돈다.
② 친구가 간식을 나눠 주었다.
③ 작년 크리스마스엔 비가 내렸어.
④ 주말에 밀린 과제를 몽땅 끝내겠다.
⑤ 내일은 내일의 태양이 떠오를 것이다.

## 07 시간 표현에 대한 설명으로 적절하지 <u>않은</u> 것은?

① 시간 부사어를 달리하여 시제를 나타낼 수 있다.
② 형용사는 현재 시제 선어말 어미를 사용하지 않는다.
③ 시제는 발화시를 기준으로 사건시의 양식에 따라 결정된다.
④ 사건시가 발화시보다 나중인 시제를 표현하는 문법 요소는 하나뿐이다.
⑤ 관형사형 어미가 의존 명사를 수식하는 형태로 시제를 표현할 수 있다.

## 08 〈보기〉의 빈칸에 들어갈 말을 순서대로 나열한 것은?

> **보기**
>
> ㉠'나는 학교에 가다가 집으로 돌아 왔다'와 ㉡'나는 학교에 갔다가 집으로 돌아 왔다'에서 ㉠은 목적지에 (          )에 새로운 동작이 나타난 것이고 ㉡은 목적지에 (          ) 새로운 동작이 나타난 것을 보여준다.

① 도착 후, 가는 중
② 가는 중, 도착 후
③ 도착 후, 도착 후
④ 가기 전, 가는 중
⑤ 가기 전, 도착 전

## 09 다음 문장 중 시간 표현을 실현하는 방법이 나머지 넷과 다른 하나는?

① 책상 위에 간식이 있다.
② 이모가 집에 잠깐 들렀다.
③ 작년에는 이곳의 꽃이 예뻤다.
④ 이 시간이면 밥을 다 먹었겠군.
⑤ 엄마가 여행을 가겠다고 선언하셨다.

## 10 다음 문장이 동작상과 관련이 있다고 할 때 사건의 완료에 해당하는 것은?

① 빨래가 다 말라 간다.
② 눈이 펑펑 내리고 있다.
③ 그는 벽에 못을 박고 있다.
④ 나는 밥을 거의 다 먹어 간다.
⑤ 어제 밤에 과제를 마무리해 버렸다.

# 제4강
## 문장 표현 II

# 01 피동 표현-개념 정리

## 01 개념

- 주어가 다른 대상에 의해 동작이나 행위를 당하는 것을 나타내는 표현을 의미한다.
- 문장은 동작이나 행위를 누가 하느냐에 따라 능동문과 피동문으로 나뉜다.
- **능동**: 주어가 어떤 동작이나 행위를 제힘으로 하는 것을 뜻한다.
- **피동**: 주어가 남에게 어떤 동작이나 행위를 당하게 되는 것을 뜻한다.

## 02 특징

- 피동 표현은 동작의 대상을 강조하고 싶을 때, 동작의 주체가 분명하지 않거나 밝힐 필요가 없을 때, 또는 동작의 주체를 밝히지 않으려 할 때 사용한다.
- 국어에서는 피동사가 있는 능동사보다 피동사가 없는 능동사가 훨씬 많다.
- 피동사는 하나의 단어로 인정하여 사전에 등재한다.

## 03 피동 표현을 만드는 방법

① **파생적 피동문**: 능동을 나타내는 동사의 어근에 '-이-, -히-, -리-, -기-' 등의 피동 접미사를 붙여서 만든다.

예 '꺾다-꺾이다', '잡다-잡히다', '풀다-풀리다', '안다-안기다'

- 능동문: 사냥꾼이 너구리를 잡았다.
- 피동문: 너구리가 사냥꾼에게 잡혔다.

☞ 능동문이 피동문으로 바뀔 때

- 능동문의 주어('사냥꾼이')는 피동문의 부사어('사냥꾼에게')가 되고, 능동문의 목적어('너구리를')는 피동문의 주어('너구리가')가 된다.
- 능동사 '잡다'에 피동 접미사 '-히-'가 붙어 피동사 '잡히다'가 만들어진다.
- 피동문의 부사어는 '에게, 한테, 에, -에 의해서'가 붙어서 만들어진다.

② **통사적 피동문**: 용언의 어간에 '-어지다', '-게 되다' 등을 붙여서 만든다.
예 '끊다-끊어지다', '드러나다-드러나게 되다'

③ **기타**: 접사 '-되다'를 활용하여 만든다.
예 사용되다.

**<심화학습> 능동문과 피동문의 의미 차이**

ⓐ 사냥꾼 열 명이 (모두) 꿩 한 마리를 잡았다.
ⓑ 꿩 한 마리가 사냥꾼 열 명에게 잡혔다.
ⓒ 현아는 그 문제를 풀 수 없다.
ⓓ 그 문제는 현아에게 풀릴 수 없다.

➜ 위 예문은 수량사 표현과 부정 표현이 왔을 때, 능동문과 피동문의 의미 차이가 있다는 것을 보여 주는 예시이다. ⓐ는 사냥꾼 열 명이 꿩 한 마리씩 잡거나 모두 합해서 한 마리만 잡은 것으로 해석되는 데 비해, ⓑ는 사냥꾼 열 명에게 꿩 한 마리만 잡힌 것으로 해석된다. 그리고 ⓒ는 능력 부정을 나타내지만, ⓓ는 가능성 부정으로 해석되어 차이가 있다.

# 01 피동 표현-기본 문제

**01** '피동 표현'에 대한 설명으로 가장 적절한 것은?

① 주어가 어떤 동작이나 행위를 직접 하는 것을 뜻한다.
② 주어가 어떤 동작이나 행위를 제힘으로 하는 것을 뜻한다.
③ 주어가 다른 대상에 의해 동작이나 행위를 당하는 것을 뜻한다.
④ 피동사는 능동사와 달리 하나의 단어로 인정하여 사전에 등재된다.
⑤ 주어가 다른 대상에게 어떤 동작이나 행위를 하도록 시키는 것을 뜻한다.

**02** 〈보기〉에서 '피동 표현'이 주로 사용될 때에 해당하는 것만으로 묶어 놓은 것은?

보기

㉠ 동작의 대상을 강조하고 싶을 때
㉡ 동작의 주체를 밝히지 않으려 할 때
㉢ 동작의 주체가 분명하지 않거나 밝힐 필요가 없을 때
㉣ 사건의 결과가 외적인 원인에 의해 발생한 것임을 나타내고 싶을 때

① ㉠, ㉡, ㉢
② ㉠, ㉡, ㉣
③ ㉠, ㉢, ㉣
④ ㉡, ㉢, ㉣
⑤ ㉠, ㉡, ㉢, ㉣

**03** 〈보기〉의 문장 ㉠을 ㉡과 같이 바꾸었다. 이에 대한 설명으로 적절하지 <u>않은</u> 것은?

보기

㉠ 개가 도둑을 물었다.
→ ㉡ 도둑이 개에게 물렸다.

① ㉠의 주어인 '개가'는 ㉡에서 부사어인 '개에게'가 된다.
② ㉠의 목적어인 '도둑을'은 ㉡에서 주어인 '도둑이'가 되었다.
③ ㉠과 ㉡에 사용된 문장 성분은 모두 주성분만으로 이루어져 있다.
④ ㉡의 '물렸다'는 ㉠의 '물었다'에 피동 접미사 '-히-'가 붙어서 만들어졌다.
⑤ ㉡의 부사어인 '개에게'에서 '에게' 대신에 '한테'를 사용해도 의미상 변화는 없다.

**04** **밑줄 친 단어 중, 〈보기〉와 같이 '피동 표현'을 만드는 방법에 해당하지 <u>않는</u> 것은?**

보기

파생적 피동문은 능동을 나타내는 동사의 어근에 피동 접미사 '-이-, -히-, -리-, -기-'를 붙여서 만든다.

① 정원에는 잔디가 곱게 <u>깔려</u> 있었다.
② 할머니에게 <u>잡혀서</u> 이틀을 더 묵었다.
③ 그 정치인은 판사에게 뇌물을 <u>먹였다</u>.
④ 어머니 품에 <u>안긴</u> 아이는 깊이 잠이 들었다.
⑤ 버스 안에서 웬 여자의 구두 굽에 발이 <u>밟혔다</u>.

**05** **〈보기〉의 문장을 피동문으로 바꿔 보시오.**

보기

친구들은 나를 끌고 오락실에 갔다.

**06** **〈보기〉의 ㉠~㉣에 대한 설명으로 적절하지 <u>않은</u> 것은?**

보기

- 어머니는 감 위에 반으로 ㉠<u>**접은**</u> 종이 한 장을 ㉡<u>**얹으셨다**</u>.
- 감 위에 반으로 ㉢<u>**접힌**</u> 종이 한 장이 ㉣<u>**얹혀**</u> 있었다.

① ㉠과 ㉡의 행동의 주체는 '어머니'이다.
② ㉡과 ㉣이 문장 속에서 반드시 필요로 하는 문장 성분은 모두 나타나 있다.
③ ㉢의 주어는 '종이 한 장이'고 ㉣의 주어는 '감'이다.
④ ㉢은 ㉠의 어간에 접미사 '-히-'가 붙어서 만들어진 피동사이다.
⑤ ㉣은 ㉡의 어간에 접미사 '-히-'가 붙어서 만들어진 피동사이다.

**07** 〈보기〉의 문장을 피동 표현으로 바꾼다고 할 때 적절한 것은?

보기

동생이 거실에 물을 쏟았다.

① 부사어인 '거실에'는 주어인 '거실이'로 바뀐다.
② 주어인 '동생이'는 부사어인 '동생에게'로 바뀐다.
③ 목적어인 '물을'은 바뀌지 않고 그대로 목적어로 쓰인다.
④ '쏟았다'는 어간 '쏟-'에 '-어지다'가 붙어서 '쏟아졌다'로 바뀐다.
⑤ '쏟았다'는 어간 '쏟-'에 접미사 '-히-'가 붙어서 '쏟혔다'로 바뀐다.

**08** 〈보기〉에서 ㉠과 ㉡에 들어갈 피동사를 만드는 데 쓰이는 접미사가 바르게 짝지어진 것은?

보기

- 노란색 물감과 빨간색 물감을 <u>섞었다</u>.
  → 노란색 물감과 빨간색 물감이 ___㉠___.
- 민수가 1등이라는 소문을 <u>들었다</u>.
  → 민수가 1등이라는 소문이 ___㉡___.

① ㉠: '-이-', ㉡: '-기-'
② ㉠: '-이-', ㉡: '-리-'
③ ㉠: '-히-', ㉡: '-리-'
④ ㉠: '-기-', ㉡: '-히-'
⑤ ㉠: '-히-', ㉡: '-이-'

**09** **〈보기〉의 문장을 피동 표현으로 바꿀 때, 〈보기〉의 빈칸에 들어갈 말을 쓰시오.**

보기

- 아름이는 칠판의 낙서를 지웠다.
  ➜ 칠판의 낙서가 아름이에 의해 (　　　　　).

**10** **〈보기〉의 문장에서 밑줄 친 부분의 문제점이 무엇인지 쓰고, 이를 적절하게 고쳐 쓰시오.**

보기

- 내가 학교 다닐 때에는 수학의 신이라 **불리우는** 선생님이 계셨었다.

# 02 사동 표현-개념 정리

## 01 개념

- 주어가 남에게 동작을 하도록 시키는 것을 나타내는 표현을 의미한다.
- 문장은 주어가 동작이나 행위를 직접 하느냐, 아니면 다른 사람에게 하도록 하느냐에 따라 주동문과 사동문으로 나뉜다.
- **주동**: 주어가 어떤 동작이나 행위를 직접 하는 것을 뜻한다.
- **사동**: 주어가 다른 대상에게 어떤 동작이나 행위를 하도록 시키는 것을 뜻한다.

## 02 특징

- 행동을 시키는 주체를 강조하고 싶을 때, 사건의 결과가 외적인 원인에 의해 발생한 것임을 나타내고 싶을 때 사용한다.
- 피동사와 마찬가지로 주동사에 대응하는 사동사도 아주 제한적으로 존재한다.
- 사동사도 피동사와 마찬가지로 하나의 단어로 인정하여 사전에 등재한다.
- 일부 자동사는 두 개의 사동 접미사가 붙어서 사동사가 되기도 한다.

  예 차다: 차-+-이-+-우-+-다 → 채우다

## 03 사동 표현을 만드는 방법

① **파생적 사동문**: 주동을 나타내는 동사, 또는 일부 형용사의 어근에 '-이-, -히-, -리-, -기-, -우-, -구-, -추-' 등의 사동 접미사를 붙여서 만든다.

예 보다-보이다, 입다-입히다, 날다-날리다, 웃다-웃기다, 비다-비우다, 달다-달구다, 낮다-낮추다

- 주동문: 토끼가 풀을 먹었다.
- 사동문: (내가) 토끼에게 풀을 먹였다.

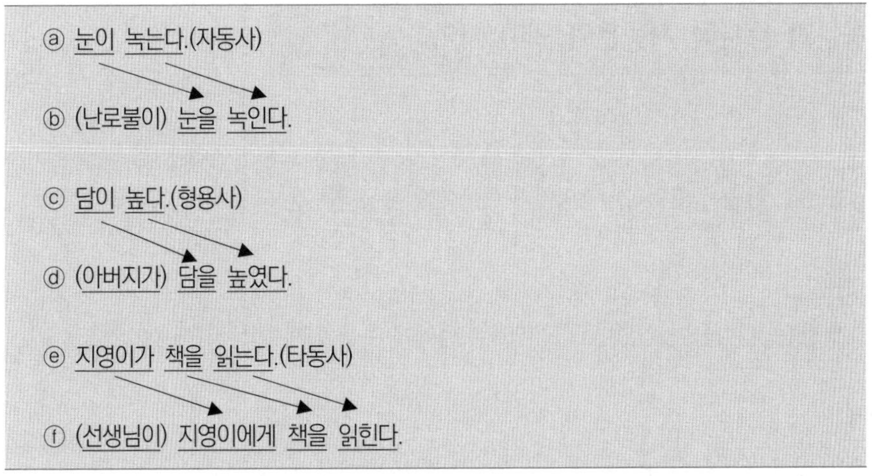


☞ 주동문이 사동문으로 바뀔 때

- 주동문이 사동문으로 바뀌는 방법은 ⓐ~ⓕ에서처럼 여러 가지로 나뉜다.
- ⓑ, ⓓ, ⓕ에서처럼 주동문에 없던 새로운 주어가 사동문에 등장한다.(난로불이, 아버지가, 선생님이) ⇨ 이 현상은 주동문의 용언 종류에 관계 없이 모두 동일하다.
- ⓐ, ⓒ와 같이 **주동문의 용언이 자동사(녹는다)나 형용사(높다)이면** 주동문의 주어는 ⓑ와 ⓓ에서처럼 사동문의 목적어가 된다.(눈을, 담을)
- ⓔ와 같이 **주동문의 용언이 타동사(읽는다)이면** 주동문의 주어가 사동문에서는 '에게'가 붙은 부사어로 변한다.(지영이에게) 물론 '에게'는 '한테, -로 하여금' 등으로 바뀔 수가 있다.
- 주동사 '녹다, 높다, 읽다'에 사동 접미사 '-이-'나 '-히-'가 붙어 사동사 '녹이다, 높이다, 읽히다'가 만들어진다.

② **통사적 사동문**: 용언의 어간에 '-게 하다' 등을 붙여서 만든다.

예 먹다-먹게 하다(-게: 연결 어미, 하다: 보조 용언)

- 주동문: 토끼가 풀을 먹었다.
- 사동문: (내가) 토끼에게 풀을 먹게 하였다.

③ **기타**: 접사 '-시키다'를 활용하여 만든다.

예 화해시키다.

## <심화학습1> 파생적 사동문과 통사적 사동문의 의미 차이

㉮ 딸이 옷을 입었다.

㉯ 엄마가 아들에게 옷을 입혔다.

➜ 엄마가 아들에게 옷을 입혔는데, 아들이 입었다. / *엄마가 아들에게 옷을 입혔는데, 아들은 입지 않았다.

㉰ 엄마가 아들에게 옷을 입게 하였다.

➜ 엄마가 아들에게 옷을 입게 했는데, 아들이 입었다. / 엄마가 아들에게 옷을 입게 했는데, 아들은 입지 않았다.

㉱ 누나가 동생에게 옷을 입혔다.

➜ 누나가 동생에게 직접 옷을 입혔다. / 누나가 동생에게 옷을 입으라고 말해서 동생이 직접 옷을 입었다.

㉲ 누나가 동생에게 옷을 입게 하였다.

➜ *누나가 직접 동생에게 옷을 입혔다. / 누나가 동생에게 옷을 입으라고 시켜서 동생이 직접 옷을 입었다.

㉳ 선생님께서 단아에게 책을 읽히셨다.

➜ *선생님께서 단아에게 직접 책을 읽어 주셨다. / 선생님께서 단아로 하여금 책을 읽으라고 말해서 단아가 직접 책을 읽었다.

㉴ 선생님께서 단아에게 책을 읽게 하셨다.

➜ *선생님께서 단아에게 직접 책을 읽어 주셨다. / 선생님께서 단아로 하여금 책을 읽으라고 말해서 단아가 직접 책을 읽었다.

*- '*'은 비문이다.*

➜ 파생적 사동문과 통사적 사동문이 반드시 똑같은 의미를 지니고 있지는 않다. 대개 파생적 사동문은 주어가 객체에게 직접적인 행위를 한 것이고, 통사적 사동문은 간접적인 행위를 한 것으로 알려져 있다. 파생적 사동문과 통사적 사동문의 의미는 현재로서는 용언과 그와 함께 나타나는 다른 문장 성분들과의 의미 관계 속에서 파악될 수밖에 없다.

## <심화학습2> 사동사와 피동사의 형태가 같을 경우

㉮ 아기가 아빠에게 안겼다.

㉯ 아빠는 엄마에게 아기를 안겼다.

➜ ㉮와 ㉯에서 '안기다'는 피동사로도 쓰였고, 사동사로도 쓰였다. 이렇게 형태가 같을 경우 처리하는 방법은 보통 세 가지이다. 둘을 동음이의어로 보는 견해, 둘 중 하나를 기본형으로 삼고 다른 하나는 여기서 파생된 것으로 보는 견해, 그냥 하나로 보면서 상황에 따라 이렇게 저렇게 쓰인다고 보는 견해 등이 바로 그 예들이다. 이중에 첫 번째 견해로 보는 것이 가장 무난한데, 그 이유는 둘째와 셋째 견해로 보는 방법은 인위적인 새로운 문법 범주(영파생 접사, 중립 동사)를 만들어내야 하는데, 첫째 견해는 그럴 필요가 없기 때문이다. '안기다'처럼 동음이의어로 쓰이는 단어들로는 '보이다, 잡히다, 업히다, 끌리다, 뜯기다' 등이 있다.

# 02 사동 표현-기본 문제

**01** '사동 표현'에 대한 설명으로 가장 적절한 것은?

① 주어가 남에게 동작이나 행동을 하게 하는 표현을 뜻한다.
② 사동사는 피동사와 달리 하나의 단어로 인정하여 사전에 등재된다.
③ 주어가 남의 행동에 의해서 행해지는 것을 나타내는 표현을 뜻한다.
④ 주어가 어떤 동작이나 행위를 직접 하는 것을 나타내는 표현을 뜻한다.
⑤ 주어가 어떤 동작이나 행위를 제힘으로 하는 것을 나타내는 표현을 뜻한다.

**02** 〈보기〉에서 '사동 표현'이 주로 사용될 때에 해당하는 것을 모두 고른 것은?

보기

㉠ 동작의 대상을 강조하고 싶을 때
㉡ 행동을 시키는 주체를 강조하고 싶을 때
㉢ 사건의 결과가 외적인 원인에 의해 발생한 것임을 나타내고 싶을 때

① ㉠　② ㉡　③ ㉠, ㉡　④ ㉠, ㉢　⑤ ㉡, ㉢

**[3-5] 다음 문장들을 읽고 물음에 답하시오.**

㉠ 눈이 녹는다.
㉡ 난로불이 눈을 녹인다.
㉢ 담이 높다.
㉣ 아버지가 담을 높였다.
㉤ 지영이가 책을 읽는다.
㉥ 선생님이 지영이에게 책을 읽혔다.

**03** ㉠~㉥에 대한 설명으로 적절하지 않은 것은?

① ㉡, ㉣, ㉥에는 ㉠, ㉢, ㉤에 없던 새로운 주어가 등장한다.
② ㉠에서와 같이 용언이 자동사이면 ㉠의 주어는 ㉡에서 목적어가 된다.
③ ㉢에서와 같이 용언이 형용사이면 ㉢의 주어는 ㉣에서 목적어가 된다.
④ ㉤에서와 같이 용언이 타동사이면 ㉤의 주어는 ㉥에서 부사어가 된다.
⑤ ㉡, ㉣, ㉥에 쓰인 용언은 모두 접미사 '-이-'가 붙어서 만들어진 사동사이다.

## 04 〈보기〉의 예들 중, 문장의 변화 과정이 ⓒ에서 ⓓ로 바뀌는 것과 유사한 것만을 고른 것은?

보기

ⓐ 길이 넓다. ➜ 사람들이 길을 넓혔다.
ⓑ 민철이가 휴지를 주웠다. ➜ 선생님이 민철이에게 휴지를 줍게 했다.
ⓒ 그릇이 비었다. ➜ 수지는 그릇을 비웠다.
ⓓ 동생은 종이학을 접었다. ➜ 언니는 동생에게 종이학을 접게 했다.

① ⓐ, ⓑ ② ⓐ, ⓒ ③ ⓐ, ⓓ ④ ⓑ, ⓒ ⑤ ⓑ, ⓓ

## 05 ㉤, ㉥과 〈보기〉의 문장(㉮)을 비교하여 설명한 것으로 적절하지 않은 것은?

보기

㉮ 선생님이 지영이에게 책을 읽게 하였다.

① ㉮는 ㉤의 용언의 어간에 '-게 하다'를 붙여서 만든 사동문이다.
② ㉥은 직접적인 의미가 있고, ㉮는 간접적인 의미가 있다.
③ ㉤의 목적어는 ㉮와 ㉥의 문장에서도 변하지 않고 동일하게 나타난다.
④ ㉤의 서술어가 필요로 하는 문장 성분의 개수와 ㉮의 서술어가 필요로 하는 문장 성분의 개수는 다르다.
⑤ ㉥과 ㉮의 서술어가 필요로 하는 문장 성분의 개수는 모두 같다.

## 06 〈보기〉의 ㉠~㉣에 대한 설명으로 적절하지 않은 것은?

보기

㉠ 물이 유리잔에 찼다.
㉡ 나는 물을 유리잔에 채웠다.
㉢ 민수가 문 뒤에 숨었다.
㉣ 선생님이 민수를 문 뒤에 숨겼다.

① ㉠과 ㉢의 주어는 ㉡과 ㉣에서 모두 목적어가 되었다.
② ㉠과 ㉢의 부사어는 ㉡과 ㉣에서도 모두 부사어로 변하지 않았다.
③ ㉡과 ㉣에는 ㉠과 ㉢에 없던 새로운 주어가 나타난다.
④ ㉡과 ㉣의 서술어가 필요로 하는 개수는 모두 3개로 같다.
⑤ ㉡과 ㉣의 사동사는 모두 주동사의 어간에 접미사 한 개가 붙어서 만들어진 것이다.

## 02 사동 표현

**[7-8] 다음 문장들을 읽고 물음에 답하시오.**

㉠ 동생이 옷을 입었다.

㉡ 어머니께서 동생에게 옷을 입히셨다.

㉢ 어머니께서 동생에게 옷을 입게 하셨다.

**07 ㉠~㉢에 대한 설명으로 적절하지 않은 것은?**

① ㉠은 주어가 행위를 직접 하는 것이다.
② ㉡과 ㉢은 주어가 다른 사람에게 행위를 하도록 시키는 것이다.
③ ㉡은 ㉢과 달리 '동생'이 옷을 입지 않는 상황은 성립하지 않는다.
④ ㉡의 용언은 ㉠의 용언의 어간에 접미사 '-히-'를 붙여서 만든 것이다.
⑤ ㉡은 주어가 객체에게 간접적인 행위를 한 것이고, ㉢은 직접적인 행위를 한 것이다.

**08 〈보기〉는 ㉡과 ㉢의 의미를 써 본 것이다. 적절한 것을 모두 묶어 놓은 것은?**

보기

- ㉡의 의미
  ⓐ 어머니가 동생에게 직접 옷을 입혔다.
  ⓑ 어머니가 동생에게 옷을 입으라고 말해서 동생이 직접 옷을 입었다.
- ㉢의 의미
  ⓒ 어머니가 직접 동생에게 옷을 입혔다.
  ⓓ 어머니가 동생에게 옷을 입으라고 시켜서 동생이 직접 옷을 입었다.

① ⓐ, ⓓ
② ⓑ, ⓒ
③ ⓐ, ⓑ, ⓒ
④ ⓐ, ⓑ, ⓓ
⑤ ⓑ, ⓒ, ⓓ

**09** 〈보기〉의 문장을 사동 접미사를 활용하여 사동문으로 만들어 보시오.

보기
- 동생이 신발을 신었다.
  ➜ 형이 (                                        )

**10** 〈보기〉의 문장에서 ㉠이 ㉡으로 변할 때 나타나는 문법적인 변화를 모두 쓰시오.

보기
㉠ 강아지가 먹이를 먹는다.
㉡ 언니가 강아지에게 먹이를 먹인다.

# 03 부정 표현-개념 정리

## 01 개념

- 부정의 뜻을 나타내는 표현을 의미한다.
- '안'이나 '못'이 결합되어 문장의 내용, 의미를 부정하는 것을 뜻한다.
- 긍정문에 부정을 나타내는 말을 써서 내용 전체 또는 일부를 부정하는 문장을 부정문이라고 한다.

## 02 특징

- 부정문은 종결 표현에 따라 그리고 서술어의 종류에 따라 일정한 제약을 받는 경우가 있다.
- 능력 부정이든 의지 부정이든 간에 형용사와 서술격 조사문에서는 사용되지 않는다.

  예 영희는 미인이다.
  영희는 *안/*못 미인이다.
  영희는 미인이지 *않다/*못하다.
  미인이지 *마라/*말자.
  영희는 미인이 아니다.(상태 부정)

  예 영희는 예쁘다.
  영희는 안/*못 예쁘다.(상태 부정)
  영희는 예쁘지 않다/*못하다.(상태 부정)
  예쁘지 *마라/*말자.

- 부정 표현이지만 실제 의미로는 부정을 나타내지 않는 경우도 있다. 상위 서술어가 '걱정되다, 두렵다, 의심스럽다, 무섭다' 등과 같은 경우는 부정 표현이 쓰였다고 하더라도 결국 수사 의문문으로 사용된 것이기 때문에 부정의 의미가 없다. 또한 '않다'가 수사 의문문으로 쓰인 것도 부정의 의미가 없다.

  예 철수가 가지 않았을까 걱정된다.(수사 의문문)
  철수가 갔지 않을까 걱정된다.(수사 의문문)
  영희가 갔지 않니?(수사 의문문)
  영희가 가지 않았니?(부정 의문문)

## 03 부정 표현을 만드는 방법

① 형태에 따른 분류

- 부정문은 '안'과 '못'을 사용해서 짧게 표현할 수도 있고, '아니하다'와 '못하다'를 사용해서 길게 표현할 수도 있다.
- '안', '못'을 사용하여 표현한 부정문을 짧은 부정문이라고 말한다.
- '아니하다', '못하다'를 사용하여 표현한 부정문을 긴 부정문이라고 말한다.

| 종류 | 짧은 부정(문) | 긴 부정(문) |
|---|---|---|
| 방식 | 부정 부사 '안'과 '못'을 사용 | 부정 용언 '아니하다'와 '못하다'를 사용<br>※ 명령문, 청유문에서는 '마/마라, 말자'를 사용 |
| 예 | • 나는 어제 잠을 안 잤다.<br>• 나는 어제 잠을 못 잤다. | • 나는 어제 잠을 자지 않았다.<br>• 나는 어제 잠을 자지 못했다.<br>• 잠을 자지 마라./*못해라/*아니해라(명령문)<br>• 잠을 자지 말자./*못하자/*아니하자(청유문) |

② 의미에 따른 분류

- 부정문은 '의지 부정', '능력 부정' 등의 의미로 해석될 수 있다.
- 의지 부정은 주체의 의지로 행위가 일어나지 않는 것을 말한다. 부정의 뜻을 나타내는 '안', '아니하다'가 쓰인다.
- 능력 부정은 주체의 능력이 부족하거나 외부의 원인 때문에 그 행위가 일어나지 못하는 것을 말한다. 부정의 뜻을 나타내는 '못', '못하다'가 쓰인다.

| 의지 부정 | | 능력 부정 | |
|---|---|---|---|
| 부정 부사 | 안, 아니 | 부정 부사 | 못 |
| 부정 용언 | -지 아니하다,<br>않다, 안하다 | 부정 용언 | -지 못하다 |
| 예 나는 숙제를 하려고 농구를 (안 했다/하지 않았다). | | 예 나는 팔을 다쳐서 농구를 (못 했다/하지 못했다). | |

※ 위의 예와 달리 '의지 부정', '능력 부정'의 의미가 아니라 단순히 사실을 부정하는 의미로 해석되는 상태 부정도 있다.

예 그 과일은 아직 (안 익었다/익지 않았다).

# 03 부정 표현-기본 문제

**01** '부정 표현'에 대한 설명으로 적절하지 않은 것은?

① 부정의 뜻을 나타내는 표현을 의미한다.
② 의미에 따라 의지 부정과 능력 부정으로 나뉜다.
③ 형태에 따라 짧은 부정문과 긴 부정문으로 나뉜다.
④ 서술어가 형용사인 경우를 제외하고는 제약 받는 경우가 없다.
⑤ '안'이나 '못'이 결합되어 문장의 내용이나 의미를 부정하는 것이다.

**02** 〈보기〉의 ㉠~㉢에 대한 설명으로 적절하지 않은 것은?

보기

㉠ 형이 짐을 든다.
㉡ 형이 짐을 안 든다.
㉢ 형이 짐을 못 든다.

① ㉡과 ㉢은 ㉠의 내용 일부를 부정하는 부정문이다.
② ㉡과 달리 ㉢은 긴 부정문으로 바꾸면 의미가 달라진다.
③ ㉢은 할 만한 능력이 되지 않아 행위를 하지 못하고 있음을 나타낸다.
④ ㉡은 어떤 행위를 할 능력이 있는데도 하지 않고 있는 상태를 나타낸다.
⑤ ㉠은 '말다'를 활용하여 어떤 행위가 이루어지지 않도록 명하는 뜻을 담은 명령문을 만들 수 있다.

**[3-5] 다음 문장들을 읽고 물음에 답하시오.**

㉠ 나를 버리고 떠나는 임은 십 리도 못 가서 발병 난다.

㉡ 일을 시작한 지 얼마 되지 않았는데 벌써 힘이 든다.

㉢ 영희가 밥을 안 먹었다.

**03** ㉠~㉢에 대한 설명으로 적절하지 않은 것은?

① ㉠에서 문장 전체의 주어는 '임은'이다.
② ㉠과 ㉡은 모두 ㉢과 달리 겹문장에 해당한다.
③ ㉠은 능력에 의한 부정을 나타내는 부정문이다.
④ ㉡과 ㉢은 모두 의지에 의한 부정을 나타내는 부정문이다.
⑤ ㉠을 긴 부정문으로 바꾸면 '못 가서'가 '가지 못해서'로 된다.

## 04 〈보기〉의 설명을 참고하여 ㉡을 짧은 부정문으로 바꿔 보시오.

보기

부정을 나타내는 부사 '안'과 '못'을 사용하여 표현한 부정문을 짧은 부정문이라 하고, 부정 용언 '아니하다'와 '못하다'를 사용하여 표현한 부정문을 긴 부정문이라고 한다.

## 05 ㉢에서 부정하는 대상 세 가지를 모두 쓰시오.

| | |
|---|---|
| 1 | |
| 2 | |
| 3 | |

## [6-8] 다음 글을 읽고 물음에 답하시오.

㉠**나는 어제 다은이를 만났다**. 그런데 대뜸 이렇게 말해서 당황스러웠다.

"고은아, 너는 아직 결혼도 못 하고 뭐 했니?"

"못 한 게 아니라, 안 한 거라고!"

"그게 그거지. 뭐가 다르냐?"

그렇다. 내가 결혼을 못 했든 안 했든 독신이라는 사실은 변하지 않는다. 그래도, '못'과 '안' 한 마디 차이일 뿐이지만 '아' 다르고 '어' 다른 것인데. 한 마디 바꿔서 말하는 데 돈이 드나, 시간이 드나? 나 원 참. 상대방의 기분을 생각해서 말하면 좋지 않겠나.

## 06 윗글의 글쓴이가 불쾌하게 생각하는 이유로 가장 적절한 것은?

① 결혼을 왜 안 하냐고 물었기 때문에
② 문법에 맞지 않는 표현을 했기 때문에
③ 독신주의자인 자신한테 비아냥거렸기 때문에
④ 시간이 없다는 이유로 말을 짧게 했기 때문에
⑤ 자신의 기분을 고려하여 말하지 않았기 때문에

## 07 윗글에 사용된 부정 표현의 개수로 적절한 것은?

① 4개 ② 5개 ③ 6개 ④ 7개 ⑤ 8개

## 08 ㉠을 아래의 〈조건〉에 따라 부정 표현을 나타내는 문장으로 바꾸어 써 보시오.

조건
- 짧은 부정문과 긴 부정문으로 모두 바꿀 것.
- 각각의 부정문은 의지 부정의 의미로 해석되도록 할 것.

| 짧은 부정문 | |
|---|---|
| 긴 부정문 | |

## 09 〈보기〉의 ㉠~㉥에 대한 설명으로 적절하지 <u>않은</u> 것은?

보기
㉠ 나는 어제 잠을 **안** 잤다.
㉡ 나는 어제 잠을 **못** 잤다.
㉢ 나는 어제 잠을 자지 **않았다**.
㉣ 나는 어제 잠을 자지 **못했다**.
㉤ 잠을 자지 마라./*못해라/*아니해라
㉥ 잠을 자지 말자./*못하자/*아니하자

① ㉠의 '안'에는 주체의 의지가 반영되어 있다.
② ㉡의 '못'에는 주체의 능력 부족이 반영되어 있다.
③ ㉠과 ㉢은 형태는 다르지만 의미는 동일하다.
④ ㉤과 ㉥에서 알 수 있듯이 '안'과 '못'은 명령문과 청유문에서 사용할 수 없다.
⑤ ㉤과 ㉥처럼 '말다'가 사용될 수 있는 문장은 서술어가 동사일 때 가능하다.

**10** <보기>의 대화에서 부정 표현이 어색한 것은?

보기

**아롱**: 날씨도 더운데 수영장 갈래?
**다롱**: 나는 ㉠**안** 갈래.
**아롱**: 왜? 너 수영 ㉡**안** 좋아하니?
**다롱**: 아니, 사실은 나도 가고 싶지만 난 수영을 ㉢**안** 해.
**아롱**: 내가 가르쳐 줄게. 같이 가지 ㉣**않을래**?
**다롱**: 아니, 이번에는 가지 ㉤**말자**. 나 수영 배운 다음에 가자.

① ㉠ ② ㉡ ③ ㉢ ④ ㉣ ⑤ ㉤

# 제5강

## 어문 규정과 어휘 유형

# 01 한글 맞춤법과 표준어 규정-개념 정리

## 1 한글 맞춤법

### 01 개념

한글로써 우리말을 표기하는 규칙의 전반을 이르는 말이다. 효시는 훈민정음이라고 할 수 있고, 현재의 맞춤법은 1933년의 '한글 맞춤법 통일안'을 기본으로 하여, 1988년 1월 문교부가 확정 · 고시한 것이다.

### 02 주요 내용

| | |
|---|---|
| 제1장 | 총칙 |
| 제2장 | 자모 |
| 제3장 | 소리에 관한 것 |
| 제4장 | 형태에 관한 것 |
| 제5장 | 띄어쓰기 |
| 제6장 | 그 밖의 것 |
| 부록 | 문장 부호 |

① 제1장 총칙

| | |
|---|---|
| 제1항 | **한글 맞춤법은 표준어를 소리대로 적되, 어법에 맞도록 함을 원칙으로 한다.**<br>↳ '어법에 맞도록 함'은 뜻을 파악하기 쉽도록 각 형태소의 본모양을 밝혀 적는다는 말이다. '꽃'은 [꼬ㅊ], [꼳], [꼰]의 세 가지로 소리 나는 형태소이지만 그 본모양에 따라 '꽃' 한 가지로 적고, [꼬치], [꼰만], [꼳꽈]도 '꽃이, 꽃만, 꽃과'로 적게 된다. |
| 제2항 | **문장의 각 단어는 띄어 씀을 원칙으로 한다.**<br>↳ 국어에서 단어를 단위로 띄어쓰기를 하는 것은 단어가 독립적으로 쓰이는 말의 최소 단위이기 때문이다. '동생 밥 먹는다'에서 '동생', '밥', '먹는다'는 각각이 단어이므로 띄어쓰기의 단위가 되어 '동생 밥 먹는다'로 띄어 쓴다. 그런데 단어 가운데 조사는 독립성이 없어서 다른 단어와는 달리 앞말에 붙여 쓴다. '동생이 밥을 먹는다'에서 '이', '을'은 조사이므로 '동생이', '밥을'과 같이 언제나 앞말에 붙여 쓴다. |

<table>
<tr><td rowspan="2">제3항</td><td>외래어는 '외래어 표기법'에 따라 적는다.</td></tr>
<tr><td>↳ 외래어는 다른 언어에서 들어온 말이므로 원어의 언어적인 특징을 고려해서 적어야 한다. 따라서 '외래어 표기법'을 따로 정하여 그에 따라 적는 것이 원칙이다. 외래어는 고유어, 한자어와 함께 국어의 어휘 체계에 정착한 어휘라고 할 수 있다.</td></tr>
</table>

② 제2장 자모

<table>
<tr><td rowspan="3">제4항</td><td>한글 자모의 수는 스물넉 자로 하고, 그 순서와 이름은 다음과 같이 정한다.</td></tr>
<tr><td>ㄱ(기역), ㄴ(니은), ㄷ(디귿), ㄹ(리을), ㅁ(미음), ㅂ(비읍), ㅅ(시옷),<br>ㅇ(이응), ㅈ(지읒), ㅊ(치읓), ㅋ(키읔), ㅌ(티읕), ㅍ(피읖), ㅎ(히읗),<br>ㅏ(아), ㅑ(야), ㅓ(어), ㅕ(여), ㅗ(오), ㅛ(요), ㅜ(우), ㅠ(유), ㅡ(으), ㅣ(이)</td></tr>
<tr><td>↳ 한글 자모 스물넉 자만으로 적을 수 없는 소리들을 적기 위하여, 자모 두 개를 어우른 글자인 'ㄲ, ㄸ, ㅃ, ㅆ, ㅉ', 'ㅐ, ㅒ, ㅔ, ㅖ, ㅘ, ㅚ, ㅝ, ㅟ, ㅢ'와 자모 세 개를 어우른 글자인 'ㅙ, ㅞ'는 따로 정하고 있다.</td></tr>
</table>

③ 제3장 소리에 관한 것

<table>
<tr><td rowspan="2">제10항</td><td>한자음 '녀, 뇨, 뉴, 니'가 단어 첫머리에 올 적에는,<br>두음 법칙에 따라 '여, 요, 유, 이'로 적는다.</td></tr>
<tr><td>↳ 여자(女[계집 녀]子), 요소(尿[오줌 뇨]素), 유대(紐[끈 뉴]帶), 익명(匿[숨다 닉]名)<br>↳ '두음 법칙(頭音法則)'이란, 일부 소리가 단어의 첫머리에 발음되는 것을 꺼려 나타나지 않거나 다른 소리로 발음되는 일이다. 단어의 첫머리가 아닌 경우에는 두음 법칙이 적용되지 않으므로 본음대로 적는 것이 원칙이다.</td></tr>
<tr><td rowspan="2">제11항</td><td>한자음 '랴, 려, 례, 료, 류, 리'가 단어의 첫머리에 올 적에는,<br>두음 법칙에 따라 '야, 여, 예, 요, 유, 이'로 적는다.</td></tr>
<tr><td>↳ 양심(良[어질다 량]心), 역사(歷[지내다 력]史), 예의(禮[예절 례]儀), 용궁(龍[용 룡]宮), 유행(流[흐르다 류]行), 이발(理[다스리다 리]髮)<br>↳ 모음이나 'ㄴ' 받침 뒤에 이어지는 '렬, 률'은 '열, 율'로 적는다.<br>⇨ 나열(羅列), 분열(分裂), 실패율(失敗率), 백분율(百分率)</td></tr>
<tr><td rowspan="2">제12항</td><td>한자음 '라, 래, 로, 뢰, 루, 르'가 단어의 첫머리에 올 적에는,<br>두음 법칙에 따라 '나, 내, 노, 뇌, 누, 느'로 적는다.</td></tr>
<tr><td>↳ 낙원(樂[즐기다 락]園), 내일(來[오다 래]日), 노인(老[늙다 로]人), 뇌성(雷[우레 뢰]聲), 누각(樓[다락 루]閣), 능묘(陵[언덕 릉]墓)</td></tr>
</table>

④ 제4장 형태에 관한 것

<table>
<tr><td rowspan="2">제16항</td><td>어간의 끝음절 모음이 'ㅏ, ㅗ'일 때에는<br>어미를 '-아'로 적고, 그 밖의 모음일 때에는 '-어'로 적는다.</td></tr>
<tr><td>↳ 막다-막아/막았다, 보다-보아/보았다, 먹다-먹어/먹었다, 주다-주어/주었다<br>↳ 국어에서는 어간 끝음절의 모음이 'ㅏ, ㅑ, ㅗ'일 때는 '-아' 계열의 어미가 결합하고, 'ㅐ, ㅓ, ㅔ, ㅕ, ㅚ, ㅜ, ㅟ, ㅡ, ㅢ, ㅣ' 등일 때는 '-어' 계열의 어미가 결합한다. 이를 '모음 조화(母音調和)'라고 하는데, 두 음절 이상의 단어에서 뒤의 모음이 앞 모음의 영향으로 그와 가깝거나 같은 소리로 되는 언어 현상이다. 'ㅏ', 'ㅗ' 따위의 양성 모음은 양성 모음끼리, 'ㅓ', 'ㅜ' 따위의 음성 모음은 음성 모음끼리 어울린다.</td></tr>
<tr><td rowspan="2">제18항</td><td>다음과 같은 용언들은 어미가 바뀔 경우,<br>그 어간이나 어미가 원칙에 벗어나면 벗어나는 대로 적는다.</td></tr>
<tr><td>↳ 1. 어간의 끝 'ㄹ'이 줄어질 적<br>⇨ 갈다-가니/간/갑니다<br>2. 어간의 끝 'ㅅ'이 줄어질 적<br>⇨ 긋다-그어/그으니/그었다<br>3. 어간의 끝 'ㅎ'이 줄어질 적<br>⇨ 그렇다-그러니/그럴/그러면<br>4. 어간의 끝 'ㅜ, ㅡ'가 줄어질 적<br>⇨ 푸다-퍼/펐다, 뜨다-떠/떴다<br>5. 어간의 끝 'ㄷ'이 'ㄹ'로 바뀔 적<br>⇨ 걷다[步]-걸어/걸으니/걸었다<br>6. 어간의 끝 'ㅂ'이 'ㅜ'로 바뀔 적<br>⇨ 깁다-기워/기우니/기웠다<br>7. '하다'의 활용에서 어미 '-아'가 '-여'로 바뀔 적<br>⇨ 하다-하여/하여서/하였다<br>8. 어간의 끝음절 '르' 뒤에 오는 어미 '-어'가 '-러'로 바뀔 적<br>⇨ 이르다[至]-이르러/이르렀다<br>9. 어간의 끝음절 '르'의 'ㅡ'가 줄고, 그 뒤에 오는 어미 '-아/-어'가 '-라/-러'로 바뀔 적<br>⇨ 가르다-갈라/갈랐다</td></tr>
<tr><td rowspan="2">제19항</td><td>어간에 '-이'나 '-음/-ㅁ'이 붙어서 명사로 된 것과<br>'-이'나 '-히'가 붙어서 부사로 된 것은 그 어간의 원형을 밝히어 적는다.</td></tr>
<tr><td>↳ 1. '-이'가 붙어서 명사로 된 것<br>⇨ 높이/미닫이/살림살이<br>2. '-음/-ㅁ'이 붙어서 명사로 된 것<br>⇨ 걸음/얼음/앎<br>3. '-이'가 붙어서 부사로 된 것<br>⇨ 같이/실없이/좋이<br>4. '-히'가 붙어서 부사로 된 것<br>⇨ 밝히/익히</td></tr>
</table>

| | |
|---|---|
| 第20항 | **명사 뒤에 '-이'가 붙어서 된 말은 그 명사의 원형을 밝히어 적는다.** |
| | ↳ 1. 부사로 된 것<br>⇨ 곳곳이/낱낱이/샅샅이<br>2. 명사로 된 것<br>⇨ 바둑이/애꾸눈이/절뚝발이/절름발이 |
| 第25항 | **'-하다'가 붙는 어근에 '-히'나 '-이'가 붙어서 부사가 되거나, 부사에 '-이'가 붙어서 뜻을 더하는 경우에는 그 어근이나 부사의 원형을 밝히어 적는다.** |
| | ↳ 1. '-하다'가 붙는 어근에 '-히'나 '-이'가 붙는 경우(꾸준히/어렴풋이/깨끗이)<br>2. 부사에 '-이'가 붙어서 역시 부사가 되는 경우(곰곰이/더욱이/오뚝이/일찍이) |
| 第28항 | **끝소리가 'ㄹ'인 말과 딴 말이 어울릴 적에 'ㄹ' 소리가 나지 아니하는 것은 아니 나는 대로 적는다.** |
| | ↳ 다달이(달-달-이), 따님(딸-님), 마소(말-소), 바느질(바늘-질), 싸전(쌀-전), 여닫이(열-닫이), 우짖다(울-짖다), 화살(활-살) |
| 第29항 | **끝소리가 'ㄹ'인 말과 딴 말이 어울릴 적에 'ㄹ' 소리가 'ㄷ' 소리로 나는 것은 'ㄷ'으로 적는다.** |
| | ↳ 반짇고리(바느질~), 사흗날(사흘~), 섣달(설~), 숟가락(술~), 이튿날(이틀~), 섣부르다(설~) |
| 第30항 | **사이시옷은 다음과 같은 경우에 받치어 적는다.** |
| | ↳ 1. 순우리말로 된 합성어로서 앞말이 모음으로 끝난 경우<br>⇨ 나룻배/혓바늘/아랫니/빗물/깻잎<br>2. 순우리말과 한자어로 된 합성어로서 앞말이 모음으로 끝난 경우<br>⇨ 귓병/햇수/훗날/양칫물/예삿일<br>3. 두 음절로 된 다음 한자어<br>⇨ 곳간(庫間)/셋방(貰房)/숫자(數字)/찻간(車間)/툇간(退間)/횟수(回數)<br>↳ 사이시옷을 받쳐 적으려면 아래와 같은 조건을 만족시켜야 한다. 첫째, 사이시옷은 합성어에서 나타나는 현상이므로 합성어가 아닌 단일어나 파생어에서는 사이시옷이 나타나지 않는다. 둘째, 합성어이면서 다음과 같은 음운론적 현상이 나타나야 한다. 뒷말의 첫소리가 된소리로 나거나(바다+가→[바다까]→바닷가), 뒷말의 첫소리 'ㄴ, ㅁ' 앞에서 'ㄴ' 소리가 덧나거나(코+날→[콘날]→콧날/비+물→[빈물]→빗물), 뒷말의 첫소리 모음 앞에서 'ㄴㄴ' 소리가 덧나야(예사+일→[예:산닐]→예삿일) 한다. 셋째, 이 두 가지 요건과 더불어 합성어를 이루는 구성 요소 중에서 적어도 하나는 고유어이어야 하고 구성 요소 중에 외래어도 없어야 한다는 조건이 덧붙는다. |
| 第35항 | **모음 'ㅗ, ㅜ'로 끝난 어간에 '-아/-어, -았-/-었-'이 어울려 'ㅘ/ㅝ, ㅘㅆ/ㅝㅆ'으로 될 적에는 준 대로 적는다.** |
| | ↳ 꼬다-꼬아(꽈)/꼬았다(꽜다), 주다-주어(줘)/주었다(줬다), 되다-되어(돼)/되었다(됐다), 뵈다-뵈어(봬)/뵈었다(뵀다) |

<table>
<tr><td rowspan="2">제39항</td><td>어미 '-지' 뒤에 '않 -'이 어울려 '-잖-'이 될 적과 '-하지' 뒤에 '않 -'이 어울려 '-찮-'이 될 적에는 준 대로 적는다.</td></tr>
<tr><td>↬ 그렇지 않은(그렇잖은), 만만하지 않다(만만찮다), 적지 않은(적잖은), 변변하지 않다(변변찮다)<br>↬ 다음 단어들은 국어사전에서 한 단어로 다루는 것들로 이 조항이 적용된다.<br>⇨ 달갑잖다(← 달갑지 않다), 마뜩잖다(← 마뜩하지 않다), 시답잖다(← 시답지 않다), 오죽잖다(← 오죽하지 않다), 올곧잖다(← 올곧지 않다), 당찮다(← 당하지 않다), 편찮다(← 편하지 않다)</td></tr>
<tr><td rowspan="2">제40항</td><td>어간의 끝음절 '하'의 'ㅏ'가 줄고 'ㅎ'이 다음 음절의 첫소리와 어울려 거센소리로 될 적에는 거센소리로 적는다.</td></tr>
<tr><td>↬ 간편하게(간편케), 다정하다(다정타), 연구하도록(연구토록), 정결하다(정결타), 가하다(가타), 흔하다(흔타)<br>↬ 어간의 끝음절 '하'가 아주 줄 적에는 준 대로 적는다.<br>⇨ 거북하지(거북지), 넉넉하지 않다(넉넉지 않다), 생각하건대(생각건대), 섭섭하지 않다(섭섭지 않다), 깨끗하지 않다(깨끗지 않다), 익숙하지 않다(익숙지 않다)</td></tr>
</table>

⑤ 제5장 띄어쓰기

<table>
<tr><td rowspan="2">제42항</td><td>의존 명사는 띄어 쓴다.</td></tr>
<tr><td>↬ 아는 <u>것</u>이 힘이다./나도 할 <u>수</u> 있다./먹을 <u>만큼</u> 먹어라./아는 <u>이</u>를 만났다./네가 뜻한 <u>바</u>를 알겠다./그가 떠난 <u>지</u>가 오래다.</td></tr>
<tr><td rowspan="2">제43항</td><td>단위를 나타내는 명사는 띄어 쓴다.</td></tr>
<tr><td>↬ 한 개, 차 한 대, 소 한 마리, 옷 한 벌, 열 살, 연필 한 자루, 집 한 채, 신 두 켤레<br>↬ 다만 순서를 나타내는 경우나 숫자와 어울리어 쓰이는 경우에는 붙여 쓸 수 있다.<br>⇨ 두시 삼십분 오초, 제일과, 삼학년, 육층, 1446년 10월 9일, 16동 502호, 제1실습실, 80원, 10개, 7미터</td></tr>
<tr><td rowspan="2">제44항</td><td>수를 적을 적에는 '만(萬)' 단위로 띄어 쓴다.</td></tr>
<tr><td>↬ 십이억 삼천사백오십육만 칠천팔백구십팔, 12억 3456만 7898</td></tr>
<tr><td rowspan="2">제45항</td><td>두 말을 이어 주거나 열거할 적에 쓰이는 다음의 말들은 띄어 쓴다.</td></tr>
<tr><td>↬ 국장 겸 과장, 열 내지 스물, 청군 대 백군, 책상, 걸상 등이 있다, 이사장 및 이사들</td></tr>
</table>

<table>
<tr><td rowspan="2">제47항</td><td>보조 용언은 띄어 씀을 원칙으로 하되, 경우에 따라 붙여 씀도 허용한다.</td></tr>
<tr><td>↳ 불이 꺼져 간다.(꺼져간다), 내 힘으로 막아 낸다(막아낸다), 그릇을 깨뜨려 버렸다(깨뜨려버렸다), 비가 올 듯하다.(올듯하다), 그 일은 할 만하다.(할만하다), 비가 올 성싶다.(올성싶다), 잘 아는 척한다(아는척한다)<br>↳ 다만 앞말에 조사가 붙거나 앞말이 합성 용언인 경우, 그리고 중간에 조사가 들어갈 적에는 그 뒤에 오는 보조 용언은 띄어 쓴다.<br>⇨ 잘도 놀아만 나는구나!, 책을 읽어도 보고……./네가 덤벼들어 보아라./이런 기회는 다시없을 듯하다./그가 올 듯도 하다./잘난 체를 한다.</td></tr>
<tr><td rowspan="2">제48항</td><td>성과 이름, 성과 호 등은 붙여 쓰고,<br>이에 덧붙는 호칭어, 관직명 등은 띄어 쓴다.</td></tr>
<tr><td>↳ 김양수(金良洙), 서화담(徐花潭), 채영신 씨, 최치원 선생, 박동식 박사, 충무공 이순신 장군</td></tr>
</table>

⑥ 제6장 그 밖의 것

<table>
<tr><td rowspan="2">제51항</td><td>부사의 끝음절이 분명히 '이'로만 나는 것은 '-이'로 적고,<br>'히'로만 나거나 '이'나 '히'로 나는 것은 '-히'로 적는다.</td></tr>
<tr><td>↳ 1. '이'로만 나는 것<br>⇨ 깨끗이/느긋이/반듯이/가까이/고이/헛되이/번번이/일일이/틈틈이<br>2. '히'로만 나는 것<br>⇨ 속히/특히/엄격히/정확히<br>3. '이, 히'로 나는 것<br>⇨ 솔직히/무단히/꼼꼼히/열심히/상당히/도저히</td></tr>
<tr><td rowspan="2">제53항</td><td>다음과 같은 어미는 예사소리로 적는다.</td></tr>
<tr><td>↳ -(으)ㄹ거나, -(으)ㄹ걸, -(으)ㄹ게, -(으)ㄹ수록, -(으)ㄹ지</td></tr>
<tr><td rowspan="2">제56항</td><td>'-더라, -던'과 '-든지'는 다음과 같이 적는다.</td></tr>
<tr><td>↳ 1. 지난 일을 나타내는 어미는 '-더라, -던'으로 적는다.<br>⇨ 지난겨울은 몹시 춥더라./깊던 물이 얕아졌다.<br>2. 물건이나 일의 내용을 가리지 아니하는 뜻을 나타내는 조사와 어미는 '(-)든지'로 적는다.<br>⇨ 가든지 오든지 마음대로 해라.</td></tr>
</table>

| 제57항 | 다음 말들은 각각 구별하여 적는다. |
|---|---|
| | ↳ 1. 그러므로/그럼으로(써)<br>⇨ 그는 부지런하다. 그러므로 잘 산다./그는 열심히 공부한다. 그럼으로(써) 은혜에 보답한다.<br>2. 느리다/늘이다/늘리다<br>⇨ 진도가 너무 느리다./고무줄을 늘인다./수출량을 더 늘린다.<br>3. 다리다/달이다<br>⇨ 옷을 다린다./약을 달인다.<br>4. 반드시/반듯이<br>⇨ 약속은 반드시 지켜라./고개를 반듯이 들어라.<br>5. 안치다/앉히다<br>⇨ 밥을 안친다./윗자리에 앉힌다.<br>6. 이따가/있다가<br>⇨ 이따가 오너라./돈은 있다가도 없다.<br>7. -(으)러[목적]/-(으)려[의도]<br>⇨ 공부하러 간다./서울 가려 한다.<br>8. (으)로서[자격]/(으)로써[수단]<br>⇨ 사람으로서 그럴 수는 없다./닭으로써 꿩을 대신했다.<br>9. -(으)므로[어미]/(-ㅁ, -음)으로(써)[조사]<br>⇨ 그가 나를 믿으므로 나도 그를 믿는다./그는 믿음으로(써) 산 보람을 느꼈다. |

⑦ 부록-문장부호

| 마침표 ( . ) | 주로 서술, 명령, 청유 등을 나타내는 문장의 끝에 쓴다.<br>'온점'이라는 용어를 쓸 수 있다. |
|---|---|
| 물음표 ( ? ) | 주로 의문문이나 의문을 나타내는 어구의 끝에 쓴다. |
| 느낌표 ( ! ) | 주로 감탄문이나 감탄사의 끝에 쓴다. |
| 쉼표 ( , ) | 주로 같은 자격의 어구를 열거할 때 그 사이에 쓴다.<br>'반점'이라는 용어를 쓸 수 있다. |
| 가운뎃점 ( · ) | 주로 열거할 어구들을 일정한 기준으로 묶어서 나타낼 때 쓴다. |
| 그 밖의 것들 | 쌍점(:), 빗금(/), 큰따옴표(“ ”), 작은따옴표(‘ ’), 줄표(―), 물결표(~),<br>줄임표(……) 등 |

# 2 표준어 규정

## 01 개념

표준어 사정의 원칙과 표준 발음법을 체계화한 규정을 가리킨다. 1936년에 조선어 학회에서 사정하여 공표한 〈조선어 표준말 모음〉을 크게 보완하고 합리화하여 1988년 1월에 문교부가 고시하였다.

## 02 주요 내용

| 제1부 표준어 사정 원칙 | |
|---|---|
| 제1장 | 총칙 |
| 제2장 | 발음 변화에 따른 표준어 규정 |
| 제3장 | 어휘 선택의 변화에 따른 표준어 규정 |
| **제2부 표준어 발음법** | |
| 제1장 | 총칙 |
| 제2장 | 자음과 모음 |
| 제3장 | 음의 길이 |
| 제4장 | 받침의 발음 |
| 제5장 | 음의 동화 |
| 제6장 | 경음화 |
| 제7장 | 음의 첨가 |

## 01 한글 맞춤법과 표준어 규정

① 제1부 1장 총칙

| 제1항 | 표준어는 교양 있는 사람들이 두루 쓰는 현대 서울말로 정함을 원칙으로 한다. |
|---|---|
| | ↳ 한 나라 안에서 지역적으로나 사회적으로 여러 형태로 쓰이는 말을 단수 혹은 복수의 표준형으로 제시하는 것은 그 나라 국민들의 효율적이고 통일된 의사소통을 위한 것이다. 한글 맞춤법은 그러한 표준형을 문자로 적을 때 올바르게 표기하는 방법을 규정한 것이므로, 표준어 규정은 한글 맞춤법의 전제가 되는 규정이라고 할 수 있다. |

② 제1부 제2장 발음 변화에 따른 표준어 규정

| 항 | 내용 |
|---|---|
| 제6항 | **다음 단어들은 의미를 구별함이 없이, 한 가지 형태만을 표준어로 삼는다.** |
| | ↳ 돌(생일, 주기)/돐(×), 둘-째('제2, 두 개째'의 뜻)/두-째(×), 셋-째('제3, 세 개째'의 뜻)/세-째(×), 빌리다(빌려주다, 빌려 오다)/빌다(×) |
| 제7항 | **수컷을 이르는 접두사는 '수-'로 통일한다.** |
| | ↳ 수-꿩, 수-나사, 수-놈, 수-소, 수-은행나무('수'의 발음은 [수]이다.)<br>↳ 다음 단어에서는 접두사 다음에서 나는 거센소리를 인정한다. 접두사 '암-'이 결합되는 경우에도 이에 준한다.<br>⇨ 수-캐, 수-탉, 수-퇘지, 수-평아리<br>↳ 다음 단어의 접두사는 '숫-'으로 한다.<br>⇨ 숫-양, 숫-염소, 숫-쥐 |
| 제9항 | **'ㅣ' 역행 동화 현상에 의한 발음은 원칙적으로 표준 발음으로 인정하지 아니하되, 다만 다음 단어들은 그러한 동화가 적용된 형태를 표준어로 삼는다.** |
| | ↳ -내기(서울-, 시골-, 신출-, 풋-), 냄비<br>↳ 기술자에게는 '-장이', 그 외에는 '-쟁이'가 붙는 형태를 표준어로 삼는다.<br>⇨ 미장이, 유기장이, 멋쟁이, 심술쟁이 |
| 제11항 | **다음 단어에서는 모음의 발음 변화를 인정하여, 발음이 바뀌어 굳어진 형태를 표준어로 삼는다.** |
| | ↳ 나무라다, 미숫-가루, 바라다[所望], 상추, 주책(~망나니/~없다), 지루-하다, 허드레(허드렛-물/허드렛-일) |
| 제12항 | **'웃-' 및 '윗-'은 명사 '위'에 맞추어 '윗-'으로 통일한다.** |
| | ↳ 윗-넓이, 윗-눈썹, 윗-도리, 윗-몸, 윗-입술<br>↳ 된소리나 거센소리 앞에서는 '위-'로 한다.<br>⇨ 위-쪽, 위-층, 위-팔<br>↳ '아래, 위'의 대립이 없는 단어는 '웃-'으로 발음되는 형태를 표준어로 삼는다.<br>⇨ 웃-돈, 웃-어른, 웃-옷 |

| 항 | 내용 |
|---|---|
| 제17항 | **비슷한 발음의 몇 형태가 쓰일 경우, 그 의미에 아무런 차이가 없고, 그중 하나가 더 널리 쓰이면, 그 한 형태만을 표준어로 삼는다.** |
| | ↳ 귀-고리, 귀-지, 꼭두-각시, -(으)려고, -(으)려야, 본새, 봉숭아('봉선화'도 표준어이다), -습니다(모음 뒤에는 '-ㅂ니다'임), 천장(天障) |
| 제18항 | **다음 단어는 ㄱ을 원칙으로 하고, ㄴ도 허용한다.** |
| | ↳ 네[ㄱ]/예[ㄴ], 쇠-[ㄱ]/소-[ㄴ](-가죽, -고기, -기름, -머리, -뼈), 괴다[ㄱ]/고이다[ㄴ](물이 ~, 밑을 ~), 꾀다[ㄱ]/꼬이다[ㄴ](어린애를 ~, 벌레가 ~), 쐬다[ㄱ]/쏘이다[ㄴ](바람을 ~), 죄다[ㄱ]/조이다[ㄴ](나사를 ~), 쬐다[ㄱ]/쪼이다[ㄴ](볕을 ~)<br>↳ 복수 표준어(한 가지 의미를 나타내는 형태 몇 가지가 널리 쓰일 때, 이들 중 하나만을 표준으로 인정하는 것이 아니라 규범에 맞는 것은 모두 표준으로 인정하는 것. '소고기'와 '쇠고기', '우레'와 '천둥' 따위가 이에 해당한다.) |

③ 제1부 제3장 어휘 선택의 변화에 따른 표준어 규정

| 항 | 내용 |
|---|---|
| 제25항 | **의미가 똑같은 형태가 몇 가지 있을 경우, 그중 어느 하나가 압도적으로 널리 쓰이면, 그 단어만을 표준어로 삼는다.** |
| | ↳ 담배-꽁초/담배-꽁치(×)/담배-꽁추(×), 부각/다시마-자반(×), 빠-뜨리다/빠-치다(×), 샛-별/새벽-별(×), 쌍동-밤/쪽-밤(×), 아주/영판(×), 안절부절-못하다/안절부절-하다(×), 알-사탕/구슬-사탕(×), 암-내/곁땀-내(×) |
| 제26항 | **한 가지 의미를 나타내는 형태 몇 가지가 널리 쓰이며 표준어 규정에 맞으면, 그 모두를 표준어로 삼는다.** |
| | ↳ 가뭄/가물, 가엾다/가엽다, 감감-무소식/감감-소식, -거리다/-대다(가물-, 출렁-), 것/해(내 ~, 네 ~, 뉘 ~), 게을러-빠지다/게을러-터지다, 곰곰/곰곰-이, 관계-없다/상관-없다, 극성-떨다/극성-부리다, 꼬까/때때/고까(~신, ~옷), 넝쿨/덩굴('덩쿨'은 비표준어임), 녘/쪽(동~, 서~), 눈-대중/눈-어림/눈-짐작, 느리-광이/느림-보/늘-보, 다달-이/매-달, 되우/된통/되게, 들락-날락/들랑-날랑, 딴-전/딴-청, -뜨리다/-트리다(깨-, 떨어-, 쏟-), 만큼/만치, 멀찌감치/멀찌가니/멀찍-이, 민둥-산/벌거숭이-산, 바른/오른[右](~손, ~쪽, ~편), 벌레/버러지, 보-조개/볼-우물, 보통-내기/여간-내기/예사-내기, 볼-따구니/볼-퉁이/볼-때기('볼'의 비속어임), 부침개-질/부침-질/지짐-질, 서럽다/섧다, 성글다/성기다, -(으)세요/-(으)셔요, -스레하다/-스름하다(거무-, 발그-), 아무튼/어떻든/어쨌든/하여튼/여하튼, 어저께/어제, 여쭈다/여쭙다, 옥수수/강냉이, 우레/천둥, 책-씻이/책-거리, 척/체(모르는 ~, 잘난 ~), 철-따구니/철-딱서니/철-딱지 |

④ 제2부 제1장 총칙

| | 표준 발음법은 표준어의 실제 발음을 따르되,<br>국어의 전통성과 합리성을 고려하여 정함을 원칙으로 한다. |
|---|---|
| 제1항 | ↳ 표준어의 실제 발음을 따른다는 것은 말 그대로 현대 서울말의 현실 발음을 기반으로 표준 발음을 정한다는 뜻이다. 그렇다고 해서 표준어의 모든 실제 발음을 표준으로 인정하는 것은 아니다. 여기서 표준 발음과 현실 발음의 차이가 나타나게 된다. 전통성과 합리성에 위배된다면 실제 나타나는 발음이라도 표준으로 인정하지 않는 것이다. 전통성을 고려한다는 것은 이전부터 내려오던 발음상의 관습을 감안한다는 의미이다. 전통성 이외에 합리성도 실제 발음을 표준 발음으로 인정할지를 결정하는 데에 중요한 역할을 한다. |

⑤ 제2부 제2장 자음과 모음

| | 표준어의 자음은 다음 19개로 한다. |
|---|---|
| 제2항 | ↳ ㄱ, ㄲ, ㄴ, ㄷ, ㄸ, ㄹ, ㅁ, ㅂ, ㅃ, ㅅ, ㅆ, ㅇ, ㅈ, ㅉ, ㅊ, ㅋ, ㅌ, ㅍ, ㅎ<br>↳ 국어에는 19개의 자음이 있으며 이러한 자음의 개수는 방언에 따른 차이가 거의 없다. 일부 지역에 'ㅆ'이 없는 경우를 제외하면 대체로 동일한 모습을 보인다. |
| | 표준어의 모음은 다음 21개로 한다. |
| 제3항 | ↳ ㅏ, ㅐ, ㅑ, ㅒ, ㅓ, ㅔ, ㅕ, ㅖ, ㅗ, ㅘ, ㅙ, ㅚ, ㅛ, ㅜ, ㅝ, ㅞ, ㅟ, ㅠ, ㅡ, ㅢ, ㅣ<br>↳ 국어에는 총 21개의 모음이 있다. 이러한 모음은 크게 단모음(單母音)과 이중 모음으로 구분할 수 있다. 단모음은 발음할 때 입의 모양이나 혀의 위치가 일정하게 유지되는 모음이다. 반면 이중 모음은 발음할 때 입의 모양이나 혀의 위치가 바뀌는 모음이다. |

⑥ 제2부 제3장 음의 길이

| | 모음의 장단을 구별하여 발음하되,<br>단어의 첫음절에서만 긴소리가 나타나는 것을 원칙으로 한다. |
|---|---|
| 제6항 | ↳ 눈보라[눈ː보라], 말씨[말ː씨], 밤나무[밤ː나무], 많다[만ː타], 멀리[멀ː리], 벌리다[벌ː리다]<br>↳ 첫눈[천눈], 참말[참말], 쌍동밤[쌍동밤], 수많이[수ː마니], 눈멀다[눈멀다], 떠벌리다[떠벌리다] |

⑦ 제2부 제4장 받침의 발음

| | **받침소리로는 'ㄱ, ㄴ, ㄷ, ㄹ, ㅁ, ㅂ, ㅇ'의 7개 자음만 발음한다.** |
|---|---|
| 제8항 | ☞ 현대 국어의 표기법상으로는 일부 쌍자음을 제외한 대부분의 자음을 종성에 표기할 수 있지만 실제로 발음할 수 있는 것은 'ㄱ, ㄴ, ㄷ, ㄹ, ㅁ, ㅂ, ㅇ'의 7개 자음밖에 없다. 그래서 여기에 속하지 않는 자음이 종성에 놓일 때에는 이 7개 자음 중 하나로 바뀐다. 가령 'ㅋ, ㅌ, ㅍ'과 같은 홑받침이나 'ㄲ, ㅆ'과 같은 쌍받침은 각각 'ㄱ, ㄷ, ㅂ', 'ㄱ, ㄷ'으로 바뀐다. 또한 겹받침의 경우에는 기본적으로 겹받침 중 하나가 탈락하게 되며, 탈락 후 남은 자음도 7개 자음에 속하지 않으면 그중 하나로 바뀌게 된다. |

⑧ 제2부 제5장 음의 동화

| | **받침 'ㄷ, ㅌ(ㄾ)'이 조사나 접미사의 모음 'ㅣ'와 결합되는 경우에는, [ㅈ, ㅊ]으로 바꾸어서 뒤 음절 첫소리로 옮겨 발음한다.** |
|---|---|
| 제17항 | ☞ 곧이듣다[고지듣따], 굳이[구지], 미닫이[미ː다지], 땀받이[땀바지], 밭이[바치], 벼훑이[벼훌치]<br>☞ 구개음화 현상에 대해 규정하고 있다. 'ㄷ, ㅌ(ㄾ)'으로 끝나는 말 뒤에 'ㅣ'로 시작하는 형식 형태소가 결합할 때 'ㄷ, ㅌ'이 [ㅈ, ㅊ]으로 발음된다. 이 현상은 치조음인 'ㄷ, ㅌ'이 모음 'ㅣ'의 조음 위치에 가까워져 경구개음 'ㅈ, ㅊ'으로 바뀐 것이기 때문에 자음의 조음 위치가 모음의 조음 위치에 동화된 것으로 해석할 수 있다. 이 현상은 주격 조사 '이' 앞에서도 일어나고 접미사 '-이' 앞에서도 일어난다. |
| | **받침 'ㄱ(ㄲ, ㅋ, ㄳ, ㄺ), ㄷ(ㅅ, ㅆ, ㅈ, ㅊ, ㅌ, ㅎ), ㅂ(ㅍ, ㄼ, ㄿ, ㅄ)'은 'ㄴ, ㅁ' 앞에서 [ㅇ, ㄴ, ㅁ]으로 발음한다.** |
| 제18항 | ☞ 먹는[멍는], 깎는[깡는], 키읔만[키응만], 몫몫이[몽목씨], 흙만[흥만], 닫는[단는], 옷맵시[온맵씨], 있는[인는], 맞는[만는], 꽂망울[꼰망울], 붙는[분는], 놓는[논는], 밥물[밤물], 앞마당[암마당], 밟는[밤ː는], 읊는[음는], 없는[엄ː는]<br>☞ 비음화 현상에 대해 규정하고 있다. 국어에는 'ㄱ, ㄷ, ㅂ' 뒤에 비음인 'ㄴ, ㅁ'이 올 때 앞선 자음인 'ㄱ, ㄷ, ㅂ'이 뒤에 오는 비음의 조음 방식에 동화되어 동일한 조음 위치의 'ㅇ, ㄴ, ㅁ'으로 바뀌는 음운 변동이 있다. 이 변동은 예외 없이 적용되며 서로 다른 단어 사이에서도 적용될 만큼 강력하다. |

⑨ 제2부 제6장 경음화

| | 받침 'ㄱ(ㄲ, ㅋ, ㄳ, ㄺ), ㄷ(ㅅ, ㅆ, ㅈ, ㅊ, ㅌ), ㅂ(ㅍ, ㄼ, ㄿ, ㅄ)' 뒤에 연결되는 'ㄱ, ㄷ, ㅂ, ㅅ, ㅈ'은 된소리로 발음한다. |
|---|---|
| 제23항 | ↳ 국밥[국빱], 깎다[깍따], 삯돈[삭돈], 닭장[닥짱], 벋대다[벋때다], 옷고름[옫꼬름], 꽂고[꼳꼬], 꽃다발[꼳따발], 밭갈이[받까리], 곱돌[곱똘], 덮개[덥깨], 넓죽하다[넙쭈카다], 읊조리다[읍쪼리다], 값지다[갑찌다]<br>↳ 'ㄱ, ㄷ, ㅂ'과 같이 종성으로 발음되는 파열음 뒤에서의 경음화를 규정하고 있다. 'ㄱ, ㄷ, ㅂ'으로 끝나는 말 뒤에서는 물론이고 'ㄲ, ㅋ, ㄳ, ㄺ', 'ㅅ, ㅆ, ㅈ, ㅊ, ㅌ', 'ㅍ, ㄼ, ㄿ, ㅄ'과 같이 표면적으로는 'ㄱ, ㄷ, ㅂ'으로 끝나지 않아도 종성에서 대표음 [ㄱ, ㄷ, ㅂ]으로 발음되는 경우 동일한 성격의 경음화가 적용된다. 이러한 경음화는 어떠한 예외도 없이 반드시 적용되는 국어의 대표적인 현상이다. |

⑩ 제2부 제7장 음의 첨가

| | 합성어 및 파생어에서, 앞 단어나 접두사의 끝이 자음이고 뒤 단어나 접미사의 첫음절이 '이, 야, 여, 요, 유'인 경우에는, 'ㄴ' 음을 첨가하여 [니, 냐, 녀, 뇨, 뉴]로 발음한다. |
|---|---|
| 제29항 | ↳ 솜-이불[솜:니불], 막-일[망닐], 맨-입[맨닙], 꽃-잎[꼰닙], 늑막-염[능망념], 담-요[담:뇨], 식용-유[시공뉴], 백분-율[백뿐뉼]<br>↳ 'ㄴ'이 첨가되는 현상에 대해 규정하고 있다. 이 조항에 따르면 'ㄴ'이 첨가되는 조건은 두 가지이다. 우선 문법적 측면에서 보면 뒷말이 어휘적인 의미를 나타내는 경우가 대부분이다. '영업용'과 같이 접미사 '-용'이 결합된 경우에도 'ㄴ'이 첨가되지만 이때의 '-용'은 어휘적인 의미를 강하게 지닌다. 다음으로 소리의 측면에서 보면 앞말은 자음으로 끝나고 뒷말은 단모음 '이' 또는 이중 모음 '야, 여, 요, 유'로 시작해야 한다. 이때 첨가되는 'ㄴ'은 뒷말의 첫소리에 놓인다. |
| | 사이시옷이 붙은 단어는 다음과 같이 발음한다. |
| 제30항 | ↳ 1. 'ㄱ, ㄷ, ㅂ, ㅅ, ㅈ'으로 시작하는 단어 앞에 사이시옷이 올 때는 이들 자음만을 된소리로 발음하는 것을 원칙으로 하되, 사이시옷을 [ㄷ]으로 발음하는 것도 허용한다.<br>⇨ 냇가[내:까/낻:까], 콧등[코뜽/콛뜽], 깃발[기빨/긷빨], 햇살[해쌀/핻쌀], 고갯짓[고개찓/고갣찓]<br>2. 사이시옷 뒤에 'ㄴ, ㅁ'이 결합되는 경우에는 [ㄴ]으로 발음한다.<br>⇨ 콧날[콛날→콘날], 뱃머리[밷머리→밴머리]<br>3. 사이시옷 뒤에 '이' 음이 결합되는 경우에는 [ㄴㄴ]으로 발음한다.<br>⇨ 베갯잇[베갣닏→베갠닏], 깻잎[깯닙→깬닙], 나뭇잎[나묻닙→나문닙] |

# 01 한글 맞춤법과 표준어 규정-기본 문제

**01** 한글 맞춤법에 대한 설명으로 적절하지 않은 것은?

① 문장의 각 단어는 띄어 씀을 원칙으로 한다.
② 한글로써 우리말을 표기하는 전반적인 규칙을 가리킨다.
③ 표준어를 소리대로 적되 어법에 맞도록 함을 원칙으로 한다.
④ 외래어도 우리말이기 때문에 한글 맞춤법에 그 표기법이 구체적으로 제시되어 있다.
⑤ 한글 맞춤법의 기본은 훈민정음에 규정되어 있는데 시간의 흐름에 따라 조금씩 바뀌고 있다.

**02** 다음은 우리말 자음자의 이름이다. 빈칸을 차례대로 채우시오.

보기

ㄱ(　　), ㄴ(니은), ㄷ(　　), ㄹ(리을), ㅁ(미음), ㅂ(비읍), ㅅ(　　), ㅇ(이응),
ㅈ(지읒), ㅊ(치읓), ㅋ(　　), ㅌ(티읕), ㅍ(피읖), ㅎ(　　)

**03** 다음 밑줄 친 말의 맞춤법이 바른 것은?

① 너무 많이 먹었는지 자꾸 트름이 나온다.
② 맛있는 것을 먹을 기회를 번번히 놓친다.
③ 상 위에 올라와 있는 젓가락의 갯수가 홀수이다.
④ 오늘 급식이 환상이라는 넉명의 제보가 들어왔다.
⑤ 저녁을 먹고 싶으면 5시까지 정하여진 곳에 모두 줄을 그어라.

**04** 다음 밑줄 친 부분의 띄어쓰기가 잘못된 것은?

① 맞춤법과 관련하여 아는것이 많아졌다.
② 책을 많이 읽으면 맞춤법 문제는 문제없다.
③ 한글 맞춤법의 달인이 될 날이 곧 올 듯하다.
④ 두 말을 이어 주거나 열거할 때에는 띄어 쓴다.
⑤ 문재인 대통령의 맞춤법 실력은 어느 정도나 될까?

**05** 다음 가운데에서 문장 부호의 쓰임이 어색한 것은?

① 말실수로 곤란했던 적이 있으세요?
② 말을 조리있게 잘 하는 모습을 보니 부럽구나!
③ 어머니는 늘 '말이 씨가 된다.'라고 말씀하신다.
④ 평소의 생각이나 마음이 말에 담기기 마련이다.
⑤ 듣기 싫은 말에는 비난하는 말, 무시하는 말, 비꼬는 말 등이 있다.

**06** 표준어 사정 원칙에 따른 현재 우리나라의 표준어 규정을 계층, 시대, 지역을 기준으로 쓰시오.

**07** 다음 밑줄 친 단어가 표준어가 아닌 것은?

① 변화를 두려워하는 겁쟁이가 되지 말자.
② 수탉과 함께 키우면 암탉은 유정란을 낳게 돼.
③ 우리가 사는 지구는 후손에게서 잠깐 빌려 쓰는 거야.
④ 지금은 시골내기라고 하여 놀림을 받던 옛날과는 다르지.
⑤ 유리 천정을 깨뜨리기 위한 여성들의 노력이 계속되고 있어.

**08** 다음 괄호 안 두 단어 가운데 표준어가 아닌 것이 있는 것은?

① (네/예), 저는 가을을 싫어합니다.
② 사람을 겨울 바다에 (빠뜨리는/빠치는) 것은 매우 위험해요.
③ 친구들의 (꾐/꼬임)에 넘어가 여름옷을 지나치게 많이 샀습니다.
④ 봄이 되자 여행객이 늘면서 (쇠고기/소고기) 값이 오르고 있어요.
⑤ 길어지는 (가뭄/가물)에 수확을 앞둔 농부들의 걱정이 커져만 갑니다.

**09** **다음 가운데에서 표준어를 정확히 사용한 문장은?**

① 희안하게도 그녀를 보면 기분이 좋아진다.
② 그가 얼만큼 똑똑한지 모르는 사람이 없다.
③ 철딱서니 없는 말과 행동이 그녀의 매력이다.
④ 그는 그녀를 위해 식당 전체를 통채로 빌렸다.
⑤ 귀띔한 대로 그녀는 엉뚱하면서도 생기발랄하였다.

**10** **다음은 표준 발음법의 원칙을 제시한 것이다. 괄호 ㉠, ㉡에 들어갈 알맞은 말을 쓰시오.**

보기

표준 발음법은 (　　㉠　　)의 실제 발음을 따르되, 국어의 (　　㉡　　)과 합리성을 고려하여 정함을 원칙으로 한다.

# 외래어 표기법과 국어의 로마자 표기법-개념 정리

## 1 외래어 표기법

### 01 개념

외래어(외국에서 들어온 말로 국어에서 널리 쓰이는 단어)를 한글로 표기하는 방법이다. 현행 표기법은 1986년 1월에 문교부에서 고시한 것이다.

### 02 주요 내용

| 제1장 | 표기의 기본 원칙 |
|---|---|
| 제2장 | 표기 일람표 |
| 제3장 | 표기 세칙 |
| 제4장 | 인명, 지명 표기의 원칙 |
| 부칙 | |

① 제1장 표기의 기본 원칙

| | |
|---|---|
| 제1항 | **외래어는 국어의 현용 24 자모만으로 적는다.**<br>↳ 24 자모란 자음 14개('ㄱ, ㄴ, ㄷ, ㄹ, ㅁ, ㅂ, ㅅ, ㅇ, ㅈ, ㅊ, ㅋ, ㅌ, ㅍ, ㅎ')와 모음 10개('ㅏ, ㅑ, ㅓ, ㅕ, ㅗ, ㅛ, ㅜ, ㅠ, ㅡ, ㅣ')를 가리킨다. [f, v, ʃ, ʧ, ɔ, θ]와 같이 국어에 없는 외국어 소리를 적기 위해 별도의 문자를 만들면 외래어를 표기할 때 무척 복잡해질 수 있어 이와 같이 정하고 있다. 그런데 24 자모를 기본으로 하되 이 자모로 적을 수 없는 소리는 두 개 이상의 자모를 어울러서 적을 수도 있다. 한글 맞춤법 제4항에 "한글 자모의 수는 스물넉 자로 하고"라는 규정을 보면 기본 자모는 24이나 붙임 규정에 따르면 24 자모로써 적을 수 없는 소리는 두 개 이상의 자모를 어울러서 적는다고 밝히고 있다. |
| 제2항 | **외래어의 1 음운은 원칙적으로 1 기호로 적는다.**<br>↳ 'fighting'을 어떤 사람은 '파이팅'으로, 어떤 사람은 '화이팅'으로, 또 어떤 사람은 '퐈이팅'으로 쓴다면 혼란스러울 것이다. 또 'fighting'은 '파이팅'으로, 'file'은 '화일'로 쓴다면 영어 [f]를 어떻게 표기할지 혼란스러울 것이다. 그래서 1 음운을 1 기호로 적어 혼란을 막고 있다. |

| | |
|---|---|
| 제3항 | **받침에는 'ㄱ, ㄴ, ㄹ, ㅁ, ㅂ, ㅅ, ㅇ'만을 쓴다.** |
| | ↬ 국어의 받침소리로는 'ㄱ, ㄴ, ㄷ, ㄹ, ㅁ, ㅂ, ㅇ'의 7개 자음만 발음한다. 그런데 'robot'의 받침소리는 [t]로 'ㄷ'이다. 하지만 '로봇이'는 [로보시]로, '로봇을'은 [로보슬]로 발음된다는 점을 고려하여 외래어 표기에서는 'ㄷ' 대신 'ㅅ'을 쓰고 있다. |
| 제4항 | **파열음 표기에는 된소리를 쓰지 않는 것을 원칙으로 한다.** |
| | ↬ 무성 파열음 [p, t, k]는 영어와 독일어에서는 'ㅍ, ㅌ, ㅋ'에 가깝게 들리고, 프랑스어나 러시아어에서는 'ㅃ, ㄸ, ㄲ'에 가깝게 들린다. 그래서 어떤 경우에는 된소리로, 어떤 경우에는 거센소리로 적으면 혼란스러울 수 있어 파열음 표기에 'bus-버스'처럼 된소리를 쓰지 않는 것을 원칙으로 한다. |
| 제5항 | **이미 굳어진 외래어는 관용을 존중하되, 그 범위와 용례는 따로 정한다.** |
| | ↬ 외래어는 원어에 가깝게 쓰면 좋지만 그렇지 못한 경우도 있을 수 있다. 특히 오래전에 들어와 널리 쓰이고 있는 외래어를 규정에 따라 바꿀 경우(gum-껌→검, radio-라디오→레이디오) 혼란스러울 수 있다. 그래서 이미 굳어진 외래어 표기는 현실을 반영하였다. |

② 제2장 표기 일람표(외국어별로 표로 정리되어 있다)

| 국제 음성 기호와 한글 대조표 | | | | | | |
|---|---|---|---|---|---|---|
| 자음 | | | 반모음 | | 모음 | |
| 국제 음성 기호 | 한글 | | 국제 음성 기호 | 한글 | 국제 음성 기호 | 한글 |
| | 모음 앞 | 자음 앞 또는 어말 | | | | |
| p | ㅍ | ㅂ, 프 | j | 이* | i | 이 |
| b | ㅂ | 브 | ɥ | 위 | y | 위 |
| t | ㅌ | ㅅ, 트 | w | 오, 우* | e | 에 |
| d | ㄷ | 드 | | | φ | 외 |
| k | ㅋ | ㄱ, 크 | | | ɛ | 에 |
| g | ㄱ | 그 | | | ɛ̃ | 앵 |
| f | ㅍ | 프 | | | œ | 외 |
| v | ㅂ | 브 | | | œ̃ | 욍 |
| θ | ㅅ | 스 | | | æ | 애 |
| ð | ㄷ | 드 | | | a | 아 |
| s | ㅅ | 스 | | | ɑ | 아 |
| z | ㅈ | 즈 | | | ɑ̃ | 앙 |
| ʃ | 시 | 슈, 시 | | | ʌ | 어 |
| ʒ | ㅈ | 지 | | | ɔ | 오 |
| ʦ | ㅊ | 츠 | | | ɔ̃ | 옹 |
| ʣ | ㅈ | 즈 | | | o | 오 |
| ʧ | ㅊ | 치 | | | u | 우 |
| ʤ | ㅈ | 지 | | | ə** | 어 |
| m | ㅁ | ㅁ | | | ɚ | 어 |
| n | ㄴ | ㄴ | | | | |
| ɲ | 니* | 뉴 | | | | |
| ŋ | ㅇ | ㅇ | | | | |
| l | ㄹ, ㄹㄹ | ㄹ | | | | |
| r | ㄹ | 르 | | | | |
| h | ㅎ | 흐 | | | | |
| ç | ㅎ | 히 | | | | |
| x | ㅎ | 흐 | | | | |

주 : * [j], [w]의 '이'와 '오,우' 그리고 [ɲ]의 '니'는 모음과 결합할 때 표기 세칙에 따른다.
** 독일어의 경우에는 '에', 프랑스어의 경우에는 '으'로 적는다.

③ 제3장 표기 세칙(외국어별로 제2장의 표기 일람표를 기준으로 자세히 설명하고 있다)

④ 제4장 인명, 지명 표기의 원칙(제1절 표기 원칙)

| 항 | 내용 |
|---|---|
| 제1항 | 외국의 인명, 지명의 표기는 제1장, 제2장, 제3장의 규정을 따르는 것을 원칙으로 한다. |
| 제2항 | 제3장에 포함되어 있지 않은 언어권의 인명, 지명은 원지음을 따르는 것을 원칙으로 한다. |
| | ↳ Ankara-앙카라, Gandhi-간디 |
| 제3항 | 원지음이 아닌 제3국의 발음으로 통용되고 있는 것은 관용을 따른다. |
| | ↳ Hague-헤이그, Caesar-시저 |
| 제4항 | 고유 명사의 번역명이 통용되는 경우 관용을 따른다. |
| | ↳ Pacific Ocean-태평양, Black Sea-흑해 |

# 2 국어의 로마자 표기법

## 01 개념

외국인이 우리말을 읽을 수 있도록 우리말을 로마자(영어를 표기하는 데 쓰는 문자)로 표기하는 방법이다. 현행 표기법은 2000년 7월에 문화 관광부에서 고시한 것이다.

## 02 주요 내용

| | |
|---|---|
| 제1장 | 표기의 기본 원칙 |
| 제2장 | 표기 일람 |
| 제3장 | 표기상의 유의점 |
| 부칙 | |

## 02 외래어 표기법과 국어의 로마자 표기법

① 제1장 표기의 기본 원칙

<table>
<tr><td rowspan="2">제1항</td><td>국어의 로마자 표기는 국어의 표준 발음법에 따라 적는 것을 원칙으로 한다.</td></tr>
<tr><td>↳ 기본적으로 국어의 발음대로 로마자로 옮겨 적는다. 하지만 경음화는 국어의 로마자 표기법에 반영하지 않는다.</td></tr>
<tr><td rowspan="2">제2항</td><td>로마자 이외의 부호는 되도록 사용하지 않는다.</td></tr>
<tr><td>↳ 표기를 쉽게 하기 위한 것이며 아울러 1 음운 1 기호의 대응을 원칙으로 한다.</td></tr>
</table>

② 제2장 표기 일람

**제1항** 모음은 다음 각호와 같이 적는다.

| ㅏ | ㅑ | ㅓ | ㅕ | ㅗ | ㅛ | ㅜ | ㅠ | ㅡ | ㅣ | ㅐ |
|---|---|---|---|---|---|---|---|---|---|---|
| a | ya | eo | yeo | o | yo | u | yu | eu | i | ae |
| ㅒ | ㅔ | ㅖ | ㅚ | ㅟ | ㅢ | ㅘ | ㅝ | ㅙ | ㅞ | |
| yae | e | ye | oe | wi | ui | wa | wo | wae | we | |

↳ 'ㅢ'는 'ㅣ'로 소리 나더라도 'ui'로 적는다.(광희문-Gwanghuimun), 장모음의 표기는 따로 하지 않는다.

**제2항** 자음은 다음 각호와 같이 적는다.

| ㄱ | ㄴ | ㄷ | ㄹ | ㅁ | ㅂ | ㅅ | ㅇ | ㅈ | ㅊ |
|---|---|---|---|---|---|---|---|---|---|
| g/k | n | d/t | r/l | m | b/p | s | ng | j | ch |
| ㅋ | ㅌ | ㅍ | ㅎ | ㄲ | ㄸ | ㅃ | ㅆ | ㅉ | |
| k | t | p | h | kk | tt | pp | ss | jj | |

↳ 'ㄱ, ㄷ, ㅂ'은 모음 앞에서는 'g, d, b'로, 자음 앞이나 어말에서는 'k, t, p'로 적는다.

⇨ 구미-Gumi, 영동-Yeongdong, 백암-Baegam, 옥천-Okcheon, 합덕-Hapdeok, 호법-Hobeop

'ㄹ'은 모음 앞에서는 'r'로, 자음 앞이나 어말에서는 'l'로 적는다. 단, 'ㄹㄹ'은 'll'로 적는다.

⇨ 구리-Guri, 설악-Seorak, 칠곡-Chilgok, 임실-Imsil, 울릉-Ulleung, 대관령[대괄령]-Daegwallyeong)

③ 제3장 표기상의 유의점

<table>
<tr><td rowspan="2">제1항</td><td>음운 변화가 일어날 때에는 변화의 결과에 따라 다음 각호와 같이 적는다.</td></tr>
<tr><td>↳ 1. 자음 사이에서 동화 작용이 일어나는 경우<br>⇨ 백마[뱅마]-Baengma, 신문로[신문노]-Sinmunno, 종로[종노]-Jongno<br>2. 'ㄴ, ㄹ'이 덧나는 경우<br>⇨ 학여울[항녀울]-Hangnyeoul, 알약[알략]-allyak<br>3. 구개음화가 되는 경우<br>⇨ 해돋이[해도지]-haedoji, 같이[가치]-gachi, 굳히다[구치다]-guchida<br>4. 'ㄱ, ㄷ, ㅂ, ㅈ'이 'ㅎ'과 합하여 거센소리로 소리 나는 경우<br>⇨ 좋고[조코]-joko, 놓다[노타]-nota, 잡혀[자펴]-japyeo, 낳지[나치]-nachi<br>다만, 체언에서 'ㄱ, ㄷ, ㅂ' 뒤에 'ㅎ'이 따를 때에는 'ㅎ'을 밝혀 적는다.<br>⇨ 묵호-Mukho, 집현전-Jiphyeon eon<br>↳ 된소리되기는 표기에 반영하지 않는다.<br>⇨ 압구정-Apgujeong, 낙동강-Nakdong gang, 울산-Ulsan)</td></tr>
<tr><td rowspan="2">제2항</td><td>발음상 혼동의 우려가 있을 때에는 음절 사이에 붙임표(-)를 쓸 수 있다.</td></tr>
<tr><td>↳ 중앙(Jung-ang), 반구대(Ban-gudae), 세운(Se-un), 해운대(Hae-undae)</td></tr>
<tr><td rowspan="2">제3항</td><td>고유 명사는 첫 글자를 대문자로 적는다.</td></tr>
<tr><td>↳ 부산-Busan, 세종-Sejong</td></tr>
<tr><td rowspan="2">제4항</td><td>인명은 성과 이름의 순서로 띄어 쓴다. 이름은 붙여 쓰는 것을 원칙으로 하되 음절 사이에 붙임표(-)를 쓰는 것을 허용한다.</td></tr>
<tr><td>↳ 민용하(Min Yongha, Min Yong-ha), 송나리 Song Nari (Song Na-ri)<br>↳ 1. 이름에서 일어나는 음운 변화는 표기에 반영하지 않는다.<br>⇨ 한복남(Han Bok nam, Han Bok-nam), 홍빛나(Hong Bitna, Hong Bit-na)<br>2. 성의 표기는 따로 정한다.</td></tr>
<tr><td>제7항</td><td>인명, 회사명, 단체명 등은 그동안 써 온 표기를 쓸 수 있다.</td></tr>
</table>

# 외래어 표기법과 국어의 로마자 표기법-기본 문제

**01** 다음 이야기에서 외래어 표기법과 관련하여 잘못 알고 있는 사실은 무엇인지 찾아 바로잡으시오.

보기

외래어 표기법이 무엇인지는 알겠어. 외래어를 한글로 표기하는 방법을 한글 맞춤법처럼 정해 놓은 거잖아. 그런데 굳이 왜 그래야 하는지 모르겠어. 어차피 외국에서 온 말이라 발음이 제각각이고 다르잖아. 그냥 각자가 알아서 자유롭게 쓰면 될 것을 우리말도 아닌데 뭐하러 이렇게까지 신경쓰는지 모르겠어.

**02** 다음 내용과 관련하여 외래어 표기의 기본 원칙을 바르게 이해한 것은?

보기

외래어는 국어의 현용 24 자모만으로 적는다.

① 외래어 표기라서 한글 맞춤법의 자모 규정과는 달라.
② 모음을 쓸 때에는 10개의 단모음으로만 표기해야 해.
③ 국어에 없는 소리를 적기 위해 별도의 문자를 만들어 표기할 필요는 없군.
④ 모음은 10개('ㅏ, ㅑ, ㅓ, ㅕ, ㅗ, ㅛ, ㅜ, ㅠ, ㅡ, ㅣ') 이외에는 쓸 수 없어.
⑤ 자음은 14개('ㄱ, ㄴ, ㄷ, ㄹ, ㅁ, ㅂ, ㅅ, ㅇ, ㅈ, ㅊ, ㅋ, ㅌ, ㅍ, ㅎ')만으로 표기해야 하지.

**03** 다음 내용에 맞게 'file'과 'film'의 외래어 표기가 바르게 된 것은?

보기

외래어의 1 음운은 원칙적으로 1 기호로 적는다.

① 파일, 필름
② 화일, 필름
③ 파일, 필림
④ 화일, 힐름
⑤ 퐈일, 필름

**04** 외래어 표기에서 받침에 쓸 수 있는 자음을 모두 쓰시오.

**05** 다음 밑줄 친 단어 가운데 〈보기〉의 외래어 표기 원칙과 관련이 없는 것은?

보기

파열음 표기에는 된소리를 쓰지 않는 것을 원칙으로 한다.

① 가스가 폭발하여 많은 사람들이 다쳤다.
② 며칠째 계속되는 폭우로 댐이 붕괴 위기에 처하였다.
③ 타고 가던 버스가 교통사고가 나서 지각하고야 말았다.
④ 게임에 너무 빠져 헤어 나오지 못하는 아이들이 많아지고 있다.
⑤ 텔레비전 뉴스에서 주말 동안에 있었던 사건과 사고를 정리해 주고 있다.

**06** 다음 단어들의 공통점을 바르게 설명한 것은?

보기

껌, 라디오, 카메라

① 외래어가 아니라 외국어이다.
② 이미 굳어진 표기를 받아들인 것이다.
③ 본래의 발음과는 전혀 다른 형태의 표기이다.
④ 원어에 가깝게 쓴다는 기본 원칙에 충실한 단어이다.
⑤ 2가지 이상의 표기가 쓰여 그 모두를 바른 표기로 인정하고 있다.

**07** 다음은 국어의 로마자 표기법과 관련한 설명이다. 적절하지 않은 것은?

① 예외 없이 표준 발음법을 그대로 따라 적어.
② 국어의 발음대로 옮겨 적는 것이 기본 원칙이지.
③ 표기를 쉽게 하기 위하여 특수 부호는 사용하지 않아.
④ 외국인이 이해하기 쉽게 1 음운 1 기호를 원칙으로 해.
⑤ 우리말을 로마자로 표현할 때에 어떻게 표기할지 그 방법을 정하여 놓은 것이야.

**08** 〈보기〉는 로마자 표기의 모음 일람이다. 다음 표기 가운데 로마자 표기법이 잘못된 것은?

보기

| ㅏ | ㅑ | ㅓ | ㅕ | ㅗ | ㅛ | ㅜ | ㅠ | ㅡ | ㅣ | ㅐ |
|---|---|---|---|---|---|---|---|---|---|---|
| a | ya | eo | yeo | o | yo | u | yu | eu | i | ae |
| ㅒ | ㅔ | ㅖ | ㅚ | ㅟ | ㅢ | ㅘ | ㅝ | ㅙ | ㅞ | |
| yae | e | ye | oe | wi | ui | wa | wo | wae | we | |

① 괴산 - Goesan
② 대전 - Daejeon
③ 김제 - Gimje
④ 보령 - Boreong
⑤ 광주 - Gwangju

**09** 〈보기〉의 일람으로 볼 때, 다음 로마자 표기 가운데 잘못된 것은?

보기

| ㄱ | ㄴ | ㄷ | ㄹ | ㅁ | ㅂ | ㅅ | ㅇ | ㅈ | ㅊ |
|---|---|---|---|---|---|---|---|---|---|
| g/k | n | d/t | r/l | m | b/p | s | ng | j | ch |
| ㅋ | ㅌ | ㅍ | ㅎ | ㄲ | ㄸ | ㅃ | ㅆ | ㅉ | |
| k | t | p | h | kk | tt | pp | ss | jj | |

① 동해 - Donghae
② 평택 - Pyeongtaek
③ 문경 - Mungyeong
④ 부산 - Pusan
⑤ 충주 - Chungju

**10** 다음 표지판의 밑줄 아래에 들어갈 알맞은 로마자 표기를 쓰시오.

보기

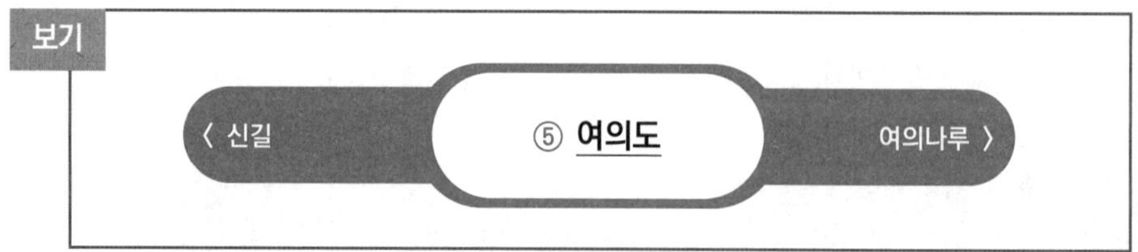

# 03 어휘의 유형-개념 정리

## 01 어휘의 개념

단어가 모여서 이루어진 집합을 가리킨다. 단어가 개별적인 단위라면, 어휘는 이 단어들이 모인 총체를 가리킨다.

## 02 어휘의 유형

어휘는 일정한 범위 안에 들어 있는 단어의 집합이다. 그러므로 일정한 기준에 따라 다양하게 분류할 수 있다.

| 어원에 따라 | 고유어, 한자어, 외래어 |
|---|---|
| 사용 양상에 따라 | 방언, 은어, 전문어, 새말, 유행어, 관용 표현, 공대어, 하대어, 비속어, 금기어, 완곡어 등 |
| 의미 관계에 따라 | 유의어, 반의어, 상의어, 하의어, 다의어, 동음이의어 등 |

## 03 관용 표현

둘 이상의 단어가 고정적으로 결합하여 새로운 의미를 만들어 낸 경우, 그 단어 구성을 이르는 말이다. 원래의 뜻과는 다른 새로운 뜻으로 굳어져 쓰는 표현이다.

| 구 분 | 관용어(慣버릇 用쓰다 語말씀) | 속담(俗풍속 談말씀) |
|---|---|---|
| 개 념 | 두 개 이상의 단어로 이루어져 있으면서 그 단어들의 의미만으로는 전체의 의미를 알 수 없는, 특수한 의미를 나타내는 어구(語句). | 예로부터 민간에 전하여 오는 쉬운 격언(오랜 역사적 생활 체험을 통하여 이루어진 인생에 대한 교훈이나 경계 따위를 간결하게 표현한 짧은 글)이나 잠언(가르쳐서 훈계하는 말). |
| 예 | 눈(이) 높다: 정도 이상의 좋은 것만 찾는 버릇이 있다./눈(을) 붙이다: 잠을 자다./눈(이) 맞다: 두 사람의 마음이나 눈치가 서로 통하다 | 눈 뜨고 도둑맞는다: 번번이 알면서도 속거나 손해를 본다는 말./눈에는 눈(을) 이에는 이(를): 해를 입은 만큼 앙갚음하는 것을 비유적으로 이르는 말. |
| 특 징 | - 비유적으로 쓰이는 경우가 많다.<br>- 전달하려고 하는 내용을 재미있고 생동감 있게 표현하는 데 효과적이다.<br>- 단어의 순서를 바꾸거나 있던 말을 빼거나 다른 말을 덧붙이면 의미가 달라진다.<br>- 그 언어를 사용하는 사람들의 문화가 담긴다. | |

## 04 금기어와 완곡어

| 구 분 | 금기어(禁금하다忌꺼리다語말씀) | 완곡어(婉순하다曲굽다語말씀) |
|---|---|---|
| 개 념 | 마음에 꺼려서 하지 않거나 피하는 말.(관습, 신앙, 질병, 배설 따위와 관련되는 경우가 많다) | 금기어를 피하여 불쾌함이나 두려움을 덜 하도록 부드러운 말로 바꾼 말. |
| 예 | 죽다 ⇨ 돌아가다/잠들다/떠나다<br>천연두 ⇨ 마마/손님, 똥 ⇨ 대변 | |
| 특 징 | - 금기어와 완곡어는 기본적으로 같은 대상을 가리킨다.<br>- 금기어와 완곡어를 상황을 고려하여 적절하게 사용해야 한다. | |

## 05 다의어와 동음이의어

| 구 분 | 다의어(多많다義뜻語말씀) | 동음이의어(同같다音소리異다르다義뜻語말씀) |
|---|---|---|
| 개 념 | 다의 관계(둘 이상의 뜻을 가진 단어의 관계)에 놓여 있는 단어. | 동음이의 관계(소리는 같지만 뜻이 서로 다른 단어의 관계)에 놓여 있는 단어. |
| 예 | 눈1:<br>1. 빛의 자극을 받아 물체를 볼 수 있는 감각 기관.<br>2. 물체의 존재나 형상을 인식하는 눈의 능력.<br>3. 사물을 보고 판단하는 힘.<br>4. (('눈으로' 꼴로 쓰여)) 무엇을 보는 표정이나 태도.<br>5. 사람들의 눈길.<br>6. 태풍에서, 중심을 이루는 부분. | 눈[1]: 빛의 자극을 받아 물체를 볼 수 있는 감각 기관.<br>눈[2]: 자 · 저울 · 온도계 따위에 표시하여 길이 · 양(量) · 도수(度數) 따위를 나타내는 금.<br>눈[3]: 그물 따위에서 코와 코를 이어 이룬 구멍.<br>눈[4]: 대기 중의 수증기가 찬 기운을 만나 얼어서 땅 위로 떨어지는 얼음의 결정체.<br>눈[5]: 새로 막 터져 돋아나려는 초목의 싹. |
| 특 징 | - 한 단어의 여러 의미 가운데 가장 기본적이고 핵심적인 의미를 '중심적 의미'라고 부른다.(사전의 뜻풀이에서 1번 자리를 차지함)<br>- 중심적 의미가 확장하여 달라진 의미를 '주변적 의미'라고 부른다.(하나 이상의 주변적 의미를 가지며 사전에서 2번부터가 주변적 의미임)<br>- 맥락을 고려하여 의미를 파악해야 한다. | - 중심적 의미가 서로 달라 단어의 의미들 사이에 관련성이 없다.<br>- 사전에서 독립된 표제어로 각각 다룬다.<br>- 맥락에 따라 의미를 파악할 수 있다.(경우에 따라서는 말소리의 길고 짧음이 다르기도 한다) |

# 03 어휘의 유형-기본 문제

**01** 어휘에 대한 설명 가운데 적절하지 <u>않은</u> 것은?

① 하나의 단어는 하나의 어휘 유형에만 속한다.
② 어원에 따라 고유어, 한자어, 외래어로 나눌 수 있다.
③ 일정한 범위 안에 들어 있는 단어의 집합을 가리킨다.
④ 어휘의 유형을 잘 알고 있으면 언어생활에 도움이 된다.
⑤ 사용 양상이나 의미 관계에 따라 다양한 유형이 존재한다.

**02** 관용 표현에 대한 설명으로 적절한 것은?

① 전달하려는 내용을 직접적으로 제시하는 경우가 많다.
② 그 언어를 사용하는 사람들의 다양한 문화가 담겨 있다.
③ 단어의 순서를 바꾸거나 표현을 고쳐도 의미가 달라지지 않는다.
④ 예로부터 민간에 전하여 오는, 삶의 깨달음을 주는 말을 관용어라고 한다.
⑤ 두 개 이상의 단어로 이루어져 본래 뜻과는 전혀 관계없는 특수한 의미를 나타내는 어구를 속담이라고 한다.

**03** 다음 밑줄 친 말의 의미로 적절하지 <u>않은</u> 것은?

① <u>눈이 많아서인지</u> 이성과의 만남을 특히 조심하고 있다. → 보는 사람이 많다
② <u>눈을 씻고 봐도</u> 마음에 드는 이성이 없다. → 정신을 바짝 차리고 집중하여 보다
③ 결국은 <u>눈이 맞아</u> 잘 먹고 잘 살고 있다. → 두 사람의 마음이나 눈치가 서로 통하다
④ 얼마나 <u>눈이 높은지</u> 좋다고 달려드는 그 많은 이성을 거들떠 보지도 않는다. → 잘난 체하다
⑤ 자신이 좋아하는 이성을 빼앗기자 <u>눈이 뒤집힌</u> 듯하다. → 충격적인 일을 당하거나 어떤 일에 집착하여 이성을 잃다

**04** 다음 속담이 쓰일 수 있는 상황으로 적절한 것은?

보기

귀에 걸면 귀걸이 코에 걸면 코걸이

① 무엇을 해도 잘 어울리는 상황
② 말도 안 되는 일을 무리하게 밀어붙이는 상황
③ 장신구를 여기저기 많이 하는 사치가 심한 상황
④ 문제를 해결할 수 있는 방법을 찾지 못해 답답해하는 상황
⑤ 어떤 원칙이 정해져 있는 것이 아니라 둘러대기에 따라 달라지는 상황

**05** 다음 문장의 괄호 안에 공통으로 들어갈 알맞은 말을 쓰시오.

보기

미안하다를 (　　)에 달고 다니는군.
(　　)만 살았지 막상 만나면 아무것도 못하네.
(　　)에 쓴 약이 병에는 좋다고 했으니 좀만 참아라.

**06** 다음은 금기어와 완곡어에 대한 설명이다. 적절하지 <u>않은</u> 것은?

① 금기어는 절대 쓰면 안 된다.
② 완곡어는 금기어를 부드럽게 대체한 말이다.
③ 완곡어는 상황을 잘 파악하여 사용해야 한다.
④ 금기어와 완곡어는 기본적으로 같은 뜻을 지닌다.
⑤ 금기어는 두렵거나 불쾌한 느낌을 주어 꺼리는 말이다.

## 07 다음 밑줄 친 표현의 의미가 다른 하나는?

① 아주 큰 교통사고가 나 죽을 뻔하였다.
② 결국 오랜 투병 끝에 지난 밤 눈을 감았다.
③ 각팍한 도시 생활을 마치고 고향으로 돌아가셨다.
④ 나라를 위해 희생한 그대, 이곳 국립묘지에 편안히 잠들다.
⑤ 그렇게 열심히 살았는데 갑자기 세상을 뜨다니 안타까운 일이다.

## 08 다음 설명에서 괄호 ㉠, ㉡에 들어갈 알맞은 말을 쓰시오.

보기

어휘는 의미 관계에 따라 다양한 유형이 있어. 이 가운데 둘 이상의 뜻을 가진 단어의 관계에 놓여 있는 단어를 ( ㉠ )라 하고, 소리는 같지만 의미가 서로 다른 단어의 관계에 놓여 있는 단어를 ( ㉡ )라고 해.

## 09 다음 밑줄 친 말 가운데 의미 관계가 다른 하나는?

① 백반 상차림이 정말 다리가 부러질 정도로 가득하다.
② 구운 오징어를 먹을 때 얄밉게도 다리만 빼고 먹는다.
③ 저 다리만 건너면 제육볶음으로 유명한 그 집이 나온다.
④ 고기를 먹으러 갈 때에는 다리가 보이지 않을 정도로 빠르다.
⑤ 다리가 부러진 안경을 낀 채 불편하지만 세발낙지를 맛있게 먹고 있다.

## 10 다음 대화를 읽고 밑줄 친 ㉠~㉢이 서로 어떤 의미 관계에 놓여 있는지 각각 쓰시오.

보기

**설화**: 나는 ㉠눈이 좋아.
**동자** : 나는 싫던데. 이제 ㉡눈이든 겨울이든 지긋지긋해.
**설화**: 아니, 시력이 좋다고. 너는 사람 보는 ㉢눈만 없는 줄 알았는데 말귀도 제대로 못 알아듣는구나.
**동자**: 말에도 귀가 있어?
**설화**: 허걱!

패턴국어

# 중학문법

## 심화편

- 연습 문제+모의고사 -

패턴국어

# 중학문법

## 심화편

- 연습 문제+모의고사 -

# 목차

## 제1강 단어의 짜임과 형성



## 제2강 음운 변동



## 제3강 문장 표현 I



## 제4강 문장 표현 II



## 제5강 어문 규정과 어휘 유형

# 제1강

## 단어의 짜임과 형성

# 01 형태소

## 01

**형태소와 단어에 대한 설명으로 적절하지 않은 것은?**

① 형태소는 뜻을 가진 가장 작은 말이다.

② 형태소가 하나 이상 모여 단어가 될 수 있다.

③ 문법적 관계를 나타내는 말은 형태소가 아니다.

④ 홀로 쓰일 수 있는 가장 작은 말은 단어로 정의한다.

⑤ 자립성이 없지만 분리 가능성이 있는 조사는 단어로 인정한다.

## 02

**주어진 문장을 이루고 있는 단어의 개수가 다른 하나는?**

① 가을 하늘이 높고 푸르다.

② 가수가 노래를 잘 부른다.

③ 너마저도 나를 배신하다니!

④ 내일까지 비가 오면 어쩌지?

⑤ 오늘 하루는 참 길게 느껴졌다.

## 03

**〈보기〉의 밑줄 친 말 중 하나의 형태소로 이루어진 단어는?**

보기

타고 남은 재가 다시 기름이 됩니다. 그칠 줄을 모르고 타는 나의 가슴은 누구의 밤을 지키는 약한 등불입니까.

— 한용운, 「알 수 없어요」 중

① 기름　② 그칠

③ 모르고　④ 지키는

⑤ 등불

## 04

**분석되는 형태소의 개수가 가장 많은 문장은?**

① 낫 놓고 기역 자도 모른다.

② 지렁이도 밟으면 꿈틀한다.

③ 거미는 작아도 줄만 잘 친다.

④ 고래 싸움에 새우 등 터진다.

⑤ 개구리 올챙이 적 생각 못 한다.

## 05

**〈보기〉에 대한 설명으로 적절하지 않은 것은?**

보기

발 없는 말이 천 리 간다.

① 형식 형태소는 '-는, 이, -ㄴ다' 3개이다.

② 자립 형태소와 실질 형태소의 개수가 같다.

③ '리'는 의존 명사이므로 자립 형태소로 본다.

④ 문장을 이루고 있는 단어는 모두 단일어이다.

⑤ '없는'과 '간다'는 의존 형태소로만 구성되었다.

## 06

〈보기〉에서 형태소의 종류에 대한 설명 중 바르지 못한 것을 2개 찾아 기호를 쓰고, 바르게 고치시오.

보기

㉠ 자립 형태소는 모두 실질 형태소이다.
㉡ 용언의 어간과 어미는 의존 형태소이면서 실질 형태소이다.
㉢ 감탄사는 '놀람, 부름, 응답' 등의 의미가 있으므로 실질 형태소이다.
㉣ 조사는 홀로 쓰이지 못하지만 단어로 인정되므로 자립 형태소이다.

| 기호 | 바르게 고친 내용 |
|---|---|
| | |
| | |

## 07

〈보기〉에서 주어진 시 구절에서 분석할 수 있는 실질 형태소의 총 개수는?

보기

내를 건너서 숲으로
고개를 넘어서 마을로

—윤동주, 「새로운 길」 중

① 3개 ② 4개 ③ 5개
④ 6개 ⑤ 7개

## 08

〈보기〉를 형태소 단위로 분석할 때, 홀로 쓰일 수 없고 문법적 기능을 나타내는 형태소를 모두 찾아 바르게 나열한 것은?

보기

아이는 맨발로 잔디밭에서 돌아다녔다.

① 는, 로, 에서
② 는, 로, 에서, -아
③ 는, 로, 에서, -었-, -다
④ 는, 로, 에서, -아, -었-, -다
⑤ 는, 맨, 로, 에서, -아, -었-, -다

## 09

〈보기〉를 형태소 단위로 나누고, 종류에 따라 구분하시오.

보기

우리나라의 구석구석을 돌아보고 싶다.

| 1) 형태소 분석 | |
|---|---|
| | |
| **2) 형태소 분류** | |
| 자립 | |
| 의존 | |
| 실질 | |
| 형식 | |

## 10

〈보기〉를 참고할 때, 밑줄 친 '걷-'과 '걸-'을 음운론적 이형태로 볼 수 있는 이유 2가지를, 주어진 단어를 포함하여 쓰시오.

**보기**

- 의사의 길을 걷다.
- 소가 느릿느릿 걷는다.
- 잠시 쉬었다가 다시 걸으니 힘이 났다.
- 그는 거리를 걷고 또 걸었다.

| ▶ 이유 1) 의미 |
|---|
| |

| ▶ 이유 2) 상보적 분포 |
|---|
| |

# 02 단어의 형성 1

## 01

**주어진 말의 형태소를 분석할 때, 어근의 개수가 다른 하나는?**

① 까맣다　② 되찾다　③ 예쁘다
④ 헛살다　⑤ 힘쓰다

## 02

**〈보기〉에 제시된 단어들의 공통점은?**

보기

하늘, 사랑, 갑자기, 야호

① 접두사와 결합한 상태이다.
② 접미사로 인해 품사가 바뀌었다.
③ 단독으로 쓰이지 못하는 말이다.
④ 하나의 어근이자 자립 형태소로 만들어졌다.
⑤ 두 개 이상의 형태소가 결합하여 만들어졌다.

## 03

**〈보기〉에 모두 해당하는 단어로 적절한 것은?**

보기

- 2개의 형태소로 이루어진 단어
- 형식 형태소를 1개 포함하고 있는 단어

① 감나무　② 도시락　③ 목소리
④ 아침밥　⑤ 지우개

## 04

**접사에 대한 설명으로 적절하지 않은 것은?**

① 어근에 뜻을 더해 주는 역할을 한다.
② 홀로 쓰일 수 없는 의존 형태소이다.
③ 앞말과 쉽게 분리되어 단어로 인정된다.
④ 접미사는 접두사와 달리 품사를 바꾸기도 한다.
⑤ 접두사는 그 수가 접미사보다 적고, 제한적으로 쓰인다.

## 05

**밑줄 친 단어가 파생어가 아닌 것은?**

① 어제부터 죽음을 각오하고 싸웠다.
② 나보다는 네가 진짜배기 군인이다.
③ 손가락질을 당할까 봐 두려운 것이다.
④ 엄마가 새벽에 둘째를 급하게 깨웠다.
⑤ 그의 첫사랑은 아쉽게도 실패로 끝났다.

## 06

**〈보기〉의 밑줄 친 부분을 형태소 단위로 분석하고, 해당 단어의 어근과 어간이 무엇인지 밝히시오.**

보기

걱정이 그 사람을 짓누르고 있었다.

| 1) 형태소 분석 |
| --- |
| |
| 2) 어근 |
| |
| 3) 어간 |
| |

## 07

〈보기〉의 단어들과 공통적으로 결합할 수 있는 접두사로 가장 적절한 것은?

**보기**

말, 살, 침, 불, 식구

① 군- ② 날- ③ 덧-
④ 풋- ⑤ 햇-

## 08

밑줄 친 접미사가 결합하여 품사가 변한 파생어의 예로 적절하지 않은 것은?

① 길이 ② 부채질 ③ 수줍음
④ 복스럽다 ⑤ 평화롭다

## 09

〈보기〉에 제시된 뜻풀이의 차이를 고려할 때, 접사를 형식 형태소로 분류하는 이유를 한 문장으로 쓰시오.

**보기**

- 꾸러기 [명사] 장난이 심한 아이. 또는 장난기가 많은 아이.
- -꾸러기 [접사] '그것이 심하거나 많은 사람'의 뜻을 더하는 접미사.

## 10

〈보기〉의 예시 단어와 뜻풀이를 참고하여, 접미사 '-거리다'의 역할 2가지가 무엇인지 한 문장으로 쓰시오.

**보기**

| | |
|---|---|
| 반짝거리다 | [동사] 작은 빛이 잇따라 잠깐 나타났다가 사라지다. 또는 그렇게 되게 하다. |
| 반짝 | [부사] 작은 빛이 잠깐 나타났다가 사라지는 모양. |

| | |
|---|---|
| 출렁거리다 | [동사] 물 따위가 큰 물결을 이루며 자꾸 흔들리다. |
| 출렁 | [부사] 물 따위가 큰 물결을 이루며 한 번 흔들리는 소리. 또는 그 모양. |

| | |
|---|---|
| 휘청거리다 | [동사] 늘고 긴 것이 탄력 있게 휘어지며 느리게 자꾸 흔들리다. |
| 휘청 | [부사] 가늘고 긴 것이 탄력 있게 휘어지며 느리게 한 번 흔들리는 모양. |

# 03 단어의 형성 2, 새말의 형성 원리

## 01

**〈보기〉는 단어의 형성에 대해 설명하는 글이다. 빈칸에 들어갈 말을 쓰시오. (단, ㉠~㉢은 각 3글자로, ㉣은 3단어 이상으로 문맥에 어울리게 쓸 것.)**

보기

하나의 형태소(어근)로 이루어진 말을 ( ㉠ )(이)라고 하며, 둘 이상의 형태소가 결합하여 만들어진 말은 ( ㉡ )(이)라고 한다. ( ㉠ ) 중에서 ( ㉢ )은/는 접사와 어근이 결합한 말이고, '합성어'는 ( ㉣ ) 말이다.

| ㉠ | ㉡ | ㉢ |
|---|---|---|
| | | |
| ㉣ | | |
| | | |

## 02

**어근의 결합 방식이 국어의 일반적인 문장 구성 방식과 일치하지 않는 단어는?**

① 본받다 ② 뜬소문 ③ 높푸르다
④ 큰아버지 ⑤ 뛰어오르다

## 03

**〈보기〉의 밑줄 친 방식과 같게 만들어진 단어로 적절한 것은?**

보기

'돌아서다'는 '돌다'와 '서다'의 <u>어간과 어간이 연결어미로 이어져 형성</u>된 통사적 합성어이다.

① 뒤섞다 ② 검붉다 ③ 헛살다
④ 날아가다 ⑤ 오르내리다

## 04

**밑줄 친 단어가 모두 '대등 합성어'인 것은?**

① <u>돌다리</u>도 두들겨 보고 <u>건너라</u>.
② 그는 <u>논밭</u>을 <u>오가며</u> 사람을 찾았다.
③ 커다란 <u>물고기</u>가 두 <u>마리</u>나 보였다.
④ 너는 그때 <u>손가락</u>으로 <u>방아쇠</u>를 당겼지.
⑤ 주머니에서 <u>손수건</u>을 꺼내 <u>눈물</u>을 닦았다.

## 05

**종속 합성어로 볼 수 <u>없는</u> 것은?**

① 꽃병 ② 금반지 ③ 유리문
④ 책가방 ⑤ 울음바다

## 06

〈보기〉의 뜻풀이와 예문을 참고하여, 주어진 문장을 이어서 완성하시오.

보기

종이호랑이 [명사]
나무틀이나 대오리를 엮어 만든 틀에 종이를 여러 겹 발라 만든 호랑이 형상.
예 미술 시간에 종이호랑이를 만들었다.
'종이로 만든 호랑이'라는 뜻으로, 겉보기에는 힘이 센 것 같으나 사실은 매우 약한 것을 이르는 말.
예 주전 선수가 모두 퇴장을 당했으니 그 팀은 이제 종이호랑이다.

▶ 합성어의 의미 관계는 대등 · 종속 · 융합 합성어 중 어느 하나로 무조건 고정된 것이 아니라, ______________________________.

## 07

〈보기〉를 참고할 때, 합성어와 구(句)를 구분하는 기준 2가지가 무엇인지 주어진 단어를 포함하여 '~수 있는가?'의 의문문 형식으로 쓰시오.

보기

- 명절에 그는 가족들과 함께 시골 **큰집**에 내려갔다. → '집안의 맏이가 사는 집'이라는 의미의 합성어
- **큰 옆집**으로 이사한 후 우리 형제는 각자 독방을 쓰게 되었다. → 둘 이상의 단어가 합쳐진 구

| 기준 1) 의미 |
| --- |
| |
| 기준 2) 어근 사이 |
| |

## 08

〈보기〉에서 복합어를 이루는 직접 구성 요소를 바르게 분석한 것을 모두 고른 것은?

보기

ㄱ. 늦더위 = 늦- + 더위
ㄴ. 떡볶이 = 떡 + 볶- + -이
ㄷ. 발자국 = 발 + 자국
ㄹ. 살얼음 = 살얼- + -음

① ㄱ, ㄴ ② ㄱ, ㄷ ③ ㄱ, ㄹ
④ ㄴ, ㄷ ⑤ ㄴ, ㄹ

## 09

〈보기〉 중 밑줄 친 부분에 해당하는 예시로 가장 적절한 것은?

보기

새말은 다양한 방식으로 형성된다. 둘 이상의 어근끼리 혹은 어근에 접사가 결합하는 일반적인 단어 형성법을 따르기도 하지만, **단어 중 일부 글자를 골라 결합하는 방식으로 만드는 경우**도 많다.

① 비매너 ② 꽃미남 ③ 갑분싸
④ 이모티콘 ⑤ 누리소통망

## 10

**〈보기〉의 밑줄 친 말들이 지닌 공통점으로 적절하지 않은 것은?**

보기

- 언택트 → **비대면**
- 뉴 노멀 → **새 기준, 새 일상**
- 빈지 워칭 → **몰아보기**
- 소프트 파워 → **문화적 영향력**

① 국어 순화의 예시가 될 수 있는 말이다.
② 기존 우리말 단어를 활용하여 만든 말이다.
③ 각 단어들의 머릿글자를 따서 만든 줄임말이다.
④ 새로운 사물이나 개념을 표현하기 위해 새롭게 만들어진 말이다.
⑤ 외국어에 익숙하지 않은 사람들이 더 쉽게 이해할 수 있는 말이다.

# 04 모의고사

## 01

**단어에 대한 설명으로 적절한 것은?**

① 조사는 단어로 인정하지 않는다.
② 형태소보다 더 작은 말의 단위이다.
③ 하나의 형태소로 단어가 만들어질 수 있다.
④ 더 이상 나누면 뜻을 잃어버리는 말의 단위이다.
⑤ 앞말과 쉽게 분리되지 않아 홀로 쓰일 수 없는 말이다.

## 02

**〈보기〉의 ㉠~㉤을 이루는 단어의 개수가 다른 하나는?**

보기

㉠죽는 날까지 하늘을 우러러
㉡한 점 부끄럼이 없기를
㉢잎새에 이는 바람에도
나는 괴로워했다.
㉣별을 노래하는 마음으로
모든 죽어가는 것을 사랑해야지.
그리고 ㉤나한테 주어진 길을 걸어가야겠다.

오늘 밤에도 별이 바람에 스치운다.

— 윤동주, 「서시」

① ㉠ ② ㉡ ③ ㉢
④ ㉣ ⑤ ㉤

## 03

**형태소에 대한 설명으로 적절하지 않은 것은?**

① 뜻을 가진 가장 작은 말의 단위이다.
② '읽다'의 '-다'는 뜻이 없으므로 형태소가 아니다.
③ 실질 형태소는 실질적인 의미를 지닌 형태소를 말한다.
④ 홀로 쓰일 수 있는 형태소는 모두 실질적 의미를 지닌 형태소다.
⑤ 형태소는 자립성 유무에 따라 자립 형태소와 의존 형태소로 나뉜다.

## 04

**〈보기〉를 형태소 단위로 적절하게 분석한 것은?**

보기

호랑이도 제 말하면 온다.

① 형태소: 호랑이, 도, 제, 말, 하-, -면, 오-, -ㄴ다
② 홀로 쓰일 수 있는 형태소: 호랑이, 도, 말하면
③ 홀로 쓰일 수 없는 형태소: 제, 오-, -ㄴ다
④ 문법적인 의미를 지닌 형태소: 도, -면, 오-, -ㄴ다
⑤ 실질적인 의미를 지닌 형태소: 호랑이, 제, 말하-

## 05

**〈보기〉의 ㉠~㉤ 중, 홀로 쓰일 수 있고 실질적인 의미를 지닌 형태소를 골라 적절하게 묶은 것은?**

보기

하늘은(㉠) 맑건만(㉡) 그는 차마(㉢) 고개(㉣)를 들(㉤)지 못한다.

① ㉠, ㉡ ② ㉠, ㉣ ③ ㉡, ㉢
④ ㉢, ㉣ ⑤ ㉣, ㉤

## 06

〈보기〉의 밑줄 친 부분들이 지닌 공통점으로 적절한 것은?

**보기**

- 비가 내리고, 눈이 온다.
- 걱정이 많이 되었지만 이내 안심하였다.
- 빠르게 걷는 것이 힘들다면 느리게 걸어라.

① 문법적 관계를 나타내 주는 말이다.
② 생략되어도 의미 전달에 큰 지장이 없다.
③ 앞말의 받침 유무에 따라 형태가 달라진다.
④ 앞말과 쉽게 분리될 수 있어 단어로 인정된다.
⑤ 반드시 다른 말과 결합하여 쓰이는 의존 형태소이다.

## 07

〈보기〉는 국어사전 검색 결과이다. 적절하게 분석하지 못한 것은?

**보기**

꽂-꽂이

발음 [꼳꼬지]
파생어 꽂꽂이-하다

**명사** 꽃이나 나뭇가지를 물이 담긴 꽃병이나 수반에 꽂아 자연미를 나타내어 꾸미는 일. 또는 그런 기법.

① 3개의 형태소가 결합하여 만들어진 복합어이다.
② '꽃'과 '꽂-'은 실질 형태소, '-이'는 형식 형태소이다.
③ 표제어를 보니 직접 구성 요소로 분석하면 '꽃'과 '꽂이'로 나뉜다.
④ 명사이지만 파생어 정보를 보니 '-하다'와 결합하여 동사가 될 수 있다.
⑤ 어간 '꽂꽂-'에 명사를 만드는 접미사 '-이'가 결합하여 만들어진 파생어이다.

## 08

〈보기1〉의 탐구 과정에 따라 〈보기2〉의 단어들을 (가)~(다)로 적절하게 분류한 것은?

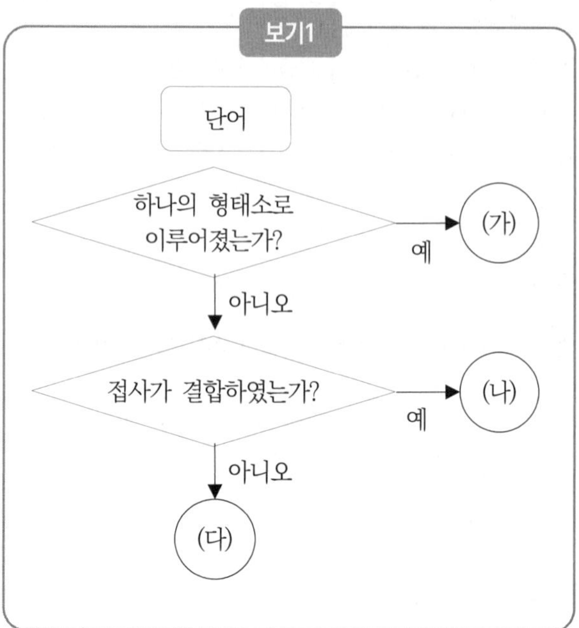


**보기2**

동네에 소문난 먹보인 우리 큰형은, 갓 쪄서 김이 나는 밤고구마를 보고 군침을 삼켰다.

| | (가) | (나) | (다) |
|---|---|---|---|
| ① | 동네 | 우리 | 군침 |
| ② | 큰형 | 소문난 | 삼켰다 |
| ③ | 우리 | 먹보 | 밤고구마 |
| ④ | 소문난 | 밤고구마 | 큰형 |
| ⑤ | 삼켰다 | 군침 | 먹보 |

## 09

**〈보기〉를 참고할 때, 어근과 어간이 일치하는 것은?**

보기

'어근'은 단어가 형성될 때 실질적 의미를 나타내는 중심 부분을, '어간'은 용언이 활용할 때 변하지 않는 부분을 말한다. 용언은 어근과 어간이 일치할 수도 있고, 일치하지 않을 수도 있다.

① 덧대다　② 푸르다　③ 정답다
④ 새파랗다　⑤ 사랑스럽다

## 10

**㉠~㉢에 대한 설명으로 적절하지 않은 것은?**

보기

㉠ 옛날
㉡ 된소리
㉢ 멍청이

① ㉠은 자립 형태소끼리 결합한 말이다.
② ㉡에는 어근이 2개 있으므로 합성어이다.
③ ㉢은 단일어로, 1개의 형태소로 분석된다.
④ ㉠, ㉡은 국어의 일반적인 문장 구성 방식과 일치하게 만들어졌다.
⑤ ㉡, ㉢은 모두 복합어이지만 단어의 짜임은 다르다.

## 11

**〈보기〉의 밑줄 친 말과 단어의 짜임이 같은 것은?**

보기

'**싸움꾼**'은 '싸움'에 '-꾼'이 결합한 말이다. '-꾼'은 '어떤 일을 습관적으로 하거나 즐겨 하는 사람'이라는 뜻을 더해 주는 접미사이다. '싸움'은 용언의 어간 '싸우-'에 명사를 만드는 접미사 '-ㅁ'이 결합하여 만들어진 말이다.

① 칼질　② 느림보　③ 벽돌집
④ 위아래　⑤ 헛걸음

## 12

**〈보기〉의 (가), (나) 중 밑줄 친 말에 대한 설명으로 적절하지 않은 것은?**

보기

(가) **되**찾다, **되**사랑*, **풋**김치, **풋**살다*
(나) 고집**쟁이**, 고집**장이***, 아름**답**다, 아름스**럽**다*

'*'는 어색하거나 불완전한 말임을 나타냄.

① (가): 어근의 앞에 붙는 접두사이다.
② (가): 특정한 뜻을 더해 주는 역할을 한다.
③ (나): 어근의 뒤에 붙는 접미사이다.
④ (나): (가)와 달리 결합할 수 있는 말에 제한이 없다.
⑤ (가), (나): 모두 홀로 쓰일 수 없으므로 의존 형태소이다.

## 13

〈보기〉는 학생이 국어사전을 바탕으로 정리한 메모이다. 〈보기〉를 참고할 때, 밑줄 친 부분의 의미가 다른 하나는?

> 보기
>
> 접두사 '빗-'이 더하는 의미
> 1. 방향을 조금 틀어서, 비스듬히(비스듬한), 기울어지게(기울어진) → 일부 동사나 명사 앞에 붙을 수 있음.
> 2. 잘못, 그르게, 어긋나게 → 일부 동사 앞에 붙을 수 있음.

① 지금부터 빗금이 쳐진 부분은 밟지 마라.
② 붕어가 낚시 바늘을 빗물고 미끼만 먹었다.
③ 사진사는 하객들을 빗세우고 셔터를 눌렀다.
④ 시험 문제에 대한 나의 예상은 모두 빗맞았다.
⑤ 다행히 총알이 상체를 빗나가 다리를 관통했다.

## 14

〈보기〉의 밑줄 친 말에 대한 공통적인 설명으로 가장 적절한 것은?

> 보기
>
> • 밥을 너무 **많이** 먹어서 배부르다.
> • 싱그러운 그들의 **젊음**이 부러웠다.
> • 몰래 뭘 먹었기에 **딸꾹질**을 하고 있니?
> • 우리 **첫째**는 성격이 얼마나 좋은지!

① 모두 실질 형태소로 구성되어 있다.
② 어근에 접두사가 결합한 파생어이다.
③ 접미사가 결합하여 품사가 바뀌었다.
④ 용언의 어간이 어근과 일치하는 말이다.
⑤ 상보적 분포를 보이는 이형태를 지닌다.

## 15

〈보기〉 중 ㉠~㉢의 예시로 적절한 것끼리 나열한 것은?

> 보기
>
> 비통사적 합성어의 예로는 어간인 어근끼리 결합할 때 ㉠**연결 어미가 생략**되거나, ㉡**관형사형 어미가 생략**되거나, 또는 관형사가 아닌 ㉢**부사가 명사를 꾸미는 방식**으로 결합하는 경우 등이 있다.

| | ㉠ | ㉡ | ㉢ |
|---|---|---|---|
| ① | 굶주리다 | 늙은이 | 새신랑 |
| ② | 나아가다 | 비빔밥 | 온종일 |
| ③ | 얕보다 | 접칼 | 한겨울 |
| ④ | 감싸다 | 꺾쇠 | 척척박사 |
| ⑤ | 찾아보다 | 작은형 | 부슬비 |

## 16

〈보기〉를 참고할 때, 합성어의 구성 방식이 나머지와 다른 하나는?

> 보기
>
> 합성어 중 용언의 경우 합성어 내부의 구성 방식에 따라 '주어+서술어'로 해석되는 것, '목적어+서술어'로 해석되는 것, '부사어+서술어'로 해석되는 것 등으로 나눌 수 있다.

① 겉늙다　② 낯설다　③ 앞서다
④ 혼나다　⑤ 힘들다

## 17

〈보기〉의 대화를 바탕으로 주어진 단어의 직접 구성 요소를 적절하게 분석하지 못한 것은?

보기

학생: 선생님, '민물고기'는 접사 '민-'이 '물고기'에 결합한 파생어가 아닌가요? 왜 합성어인지 잘 모르겠어요.

교사: 그럴 때는 직접 구성 요소로 분석해 보면 돼요. '민물고기'는 '민물에서 사는 물고기'라는 뜻이므로, '민물'과 '고기'의 두 부분으로 먼저 쪼개져요. '민물'은 접두사 '민-'과 '물'로 만들어진 파생명사가 맞아요. 즉, 파생어 '민물'과 단일어 '고기'가 합쳐진 '민물고기'는 합성어가 됩니다. '민물고기'를 파생어로 보아서 접두사 '민-'과 '물고기'로 분석하려면, '민소매'처럼 '어떤 것이 없는'이라는 의미가 '물고기'에 더해져야 하는데, '민물고기'가 '아무것도 없는 물고기'라는 의미는 아니지요. 그럼, 다른 단어들도 한 번 분석해 볼까요?

① '놀이터'는 파생명사 '놀이'와 명사 '터'로 분석되므로 합성어이다.
② '눈높이'는 명사 '눈'과 파생명사 '높이'로 분석되므로 합성어이다.
③ '첫날밤'은 합성명사 '첫날'과 명사 '밤'으로 분석되므로 합성어이다.
④ '곁눈질'은 합성명사 '곁눈'과 접미사 '-질'로 분석되므로 파생어이다.
⑤ '코웃음'은 합성동사 '코웃-'과 접미사 '-음'으로 분석되므로 파생어이다.

## 18

〈보기〉는 합성어를 이루고 있는 어근의 의미 관계를 구분하여 정리한 표이다. (가), (나)에 들어갈 말이 적절하게 제시된 것은?

보기

| 개념 | 대등 합성어 | 종속 합성어 |
|---|---|---|
| 설명 | 각 어근이 본래 의미를 대등하게 유지하고 병렬적인 관계임. | 한 어근이 다른 어근의 의미를 보충해 주거나 꾸며 주는 관계임. |
| 예시 | (가) | (나) |

| | (가) | (나) |
|---|---|---|
| ① | 바늘방석 | 햇병아리 |
| ② | 오르내리다 | 산들바람 |
| ③ | 손톱깎이 | 종이호랑이 |
| ④ | 뛰놀다 | 높푸르다 |
| ⑤ | 출렁다리 | 작은아버지 |

## 19

〈보기〉에 해당하는 단어가 포함되지 않은 문장은?

보기

융합 합성어는 어근과 어근이 하나로 융합하여, 원래 어근의 의미를 잃어버리고 새로운 의미를 나타내는 합성어이다.

① 부자도 망하려고 하면 하루아침이다.
② 다들 소문에 대해 입방아를 찧고 있었다.
③ 새로 오신 선생님께 첫날부터 꾸중을 들었다.
④ 그는 쥐뿔도 모르면서 아는 척을 하곤 했다.
⑤ 돌아가신 할아버지께서 한 권의 책을 남겼다.

## 20

**〈보기〉의 단어들에 대한 분석으로 적절하지 않은 것은?**

보기

- 역세권(驛勢圈): 역을 일상적으로 이용하는 주변 거주자가 분포하는 범위. 또는 역을 중심으로 이루어지는 상업상의 세력 범위.
- 숲세권: 숲이나 산이 인접해 있어 자연 친화적이고 쾌적한 환경에서 생활할 수 있는 주거 지역.
- 슬세권: 슬리퍼를 신는 등 편안한 옷차림으로 가까운 거리에서 각종 편의 시설을 이용할 수 있는 주거 지역.

① '-세권'이 결합한 말들은 모두 복합어이다.
② '-세권'이라는 말을 바탕으로 다양한 신조어가 만들어지고 있다.
③ '-세권'의 의미는 '어떤 것의 세력이 미치는 범위'라고 할 수 있다.
④ '-세권'은 의미를 더해 주면서 품사를 바꾸는 기능을 하므로 접미사이다.
⑤ 한자어인 '-세권'은 고유어, 한자어, 외래어 구분 없이 결합하는 양상을 보인다.

# 제2강
## 음운 변동

# 01 음운의 변동, 교체 1

**[1-3] 다음 글은 표준발음법의 일부이다. 이를 바탕으로 물음에 답하시오.**

> [표준발음법]
>
> **제8항** 받침소리로는 'ㄱ, ㄴ, ㄷ, ㄹ, ㅁ, ㅂ, ㅇ'의 7개 자음만 발음한다.
>
> **제9항** 받침 'ㄲ, ㅋ', 'ㅅ, ㅆ, ㅈ, ㅊ, ㅌ', 'ㅍ'은 어말 또는 자음 앞에서 각각 대표음 [ㄱ, ㄷ, ㅂ]으로 발음한다.
>
> **제13항** 홑받침이나 쌍받침이 모음으로 시작된 조사나 어미, 접미사와 결합되는 경우에는, 제 음가대로 뒤 음절 첫소리로 옮겨 발음한다.
>
> **제15항** 받침 뒤에 모음 'ㅏ, ㅓ, ㅗ, ㅜ, ㅟ'들로 시작되는 실질 형태소가 연결되는 경우에는 대표음으로 바꾸어서 뒤 음절 첫소리로 옮겨 발음한다.
>
> **제18항** 받침 'ㄱ(ㄲ, ㅋ, ㄳ, ㄺ), ㄷ(ㅅ, ㅆ, ㅈ, ㅊ, ㅌ, ㅎ), ㅂ(ㅍ, ㄼ, ㄿ, ㅄ)'은 'ㄴ, ㅁ' 앞에서 [ㅇ, ㄴ, ㅁ]으로 발음한다.

## 01

**윗글을 참고하여 단어의 발음을 적은 것 중 적절하지 않은 것은?**

① 늪앞[느팝] ② 밭 아래[바다래]
③ 꽃 위[꼬뒤] ④ 헛웃음[허두슴]
⑤ 겉옷[거돋]

## 02

**윗글을 참고할 때, ㉠~㉢의 발음을 올바르게 짝지은 것은?**

> 보기
>
> • 앞에[ ㉠ ] 가는 사람을 잘 따라가렴.
> • 앞뒤[ ㉡ ]로 앉은 사람끼리 자리를 바꿀게요.
> • 횡단보도를 건널 때 앞만[ ㉢ ] 보다가는 큰일 나요.

| | ㉠ | ㉡ | ㉢ |
|---|---|---|---|
| ① | 아페 | 압뛰 | 압만 |
| ② | 아페 | 앞뛰 | 앞만 |
| ③ | 아페 | 압뛰 | 암만 |
| ④ | 아베 | 앞뛰 | 압만 |
| ⑤ | 아베 | 압뛰 | 암만 |

## 03

**단어의 발음을 적은 것 중 적절한 것은?**

① 책 넣는다[책넏는다] ② 옷 맞추다[온마추다]
③ 밥 먹는다[밤먹는다] ④ 잘 맞는다[잘맏는다]
⑤ 식탁 놓니[식탕논니]

## 04

**다음의 ㉠~㉤에 들어갈 내용으로 적절하지 않은 것은?**

보기

※ 다음 단어들을 발음해 보고 단계별 활동을 수행해 보자.

| 닦다, 있다, 벚꽃, 수달, 섬, 옆, 창틀 |
|---|

(1) 음절 끝의 자음이 바뀌는 것과 그렇지 않은 것을 구분해 보자.
( ㉠ )

(2) 음절 끝의 자음이 안 바뀌는 경우는 어떤 경우인지 알아보자.
( ㉡ )

(3) 음절 끝의 자음이 바뀌는 경우에는 어떤 자음으로 변하는지 정리해 보자.
( ㉢ )

(4) (3)과 동일한 음운 변동이 일어난 예들을 더 찾아보자.
( ㉣ )

(5) 이상의 활동을 바탕으로 음절 끝에서 발음되는 자음의 목록을 정리해 보자.
( ㉤ )

① ㉠ : 음절 끝의 자음이 바뀌지 않는 경우는 '수달, 섬, 창틀'이다.
② ㉡ : 음절 끝의 자음이 예사소리일 때에는 바뀌지 않는다.
③ ㉢ : 음운 변동이 일어나면 'ㄱ, ㄷ, ㅂ' 중 하나로 바뀐다.
④ ㉣ : '밖'과 '밑'을 음운 변동의 예로 추가할 수 있다.
⑤ ㉤ : 음절 끝에서는 'ㄱ, ㄴ, ㄷ, ㄹ, ㅁ, ㅂ, ㅇ'만 발음된다.

## 05

**다음 상황이 발생하게 된 이유로 적절한 것은?**

보기

TV 프로그램에서 가수가 노래를 부르고 있다.
자막: 끝을 받아들이기가 어려워
가수: [끄츨 바다드리기가 어려워]
가: 자막은 '끝을'이라고 되어 있는데, 노래할 때는 '끄츨'이라고 발음하네? 이거 틀린 거 맞지?
나: 응, 틀린 발음이야.
가: 그럼 저 가수는 왜 잘못 발음하게 된 걸까?
나: 저 가수가 ______________

① 울림소리와 안울림소리를 구분하지 않고 발음했네.
② 이중모음을 단모음의 발음과 구분하지 않고 발음했네.
③ 거센소리를 뒤 음절의 첫소리로 그대로 연이어 발음했네.
④ 받침을 뒤 음절의 첫소리로 그대로 옮기지 않고 발음했네.
⑤ 긴 소리와 짧은 소리를 구별하지 않고 모두 짧게 발음했네.

## 06

**단어에 적용된 음운 변동 현상의 종류가 다른 하나는?**

① 밥물
② 훈련
③ 강릉
④ 앞날
⑤ 맏며느리

## 07

**다음 단어들을 발음할 때 〈보기〉의 a에 해당하는 음운으로 적절하지 않은 것은?**

**보기**

원래의 음운 모습 그대로 발음되지 않고 바뀌어 소리 나는 것을 음운 변동이라고 한다. 예를 들어 '곡물'은 '[공물]'으로 발음되는데, 이는 'ㄱ'이 뒤에 오는 음운 'ㅁ'의 영향을 받았기 때문이다. 입력되는 음운을 a, 출력되는 음운을 b, 환경을 X와 Y라고 한다면, 다음과 같이 나타날 수 있다.

XaY → XbY

곡물 [공물]

이때 음운 a는 Y의 영향을 받아 b로 변동되었다고 할 수 있다. 물론 a는 X의 영향을 받아 변하기도 한다.

① '숯도 → [숟또]'의 'ㅊ'
② '밥물 → [밤물]'의 'ㅂ'
③ '권력 → [궐력]'의 'ㄴ'
④ '국자 → [국짜]'의 'ㅈ'
⑤ '월남쌈 → [월람쌈]'의 'ㄹ'

## 08

**〈보기〉의 선생님의 질문에 대한 대답으로 적절한 것은?**

**보기**

**선생님** : '산란기'는 [살란기]로 발음됩니다. 아래 〈자음 체계표〉를 이용하여 이와 같이 발음되는 현상에 대해 발표해 볼까요?

| 조음위치 / 조음방법 | 입술 | 윗잇몸 | 센입천장 | 여린입천장 | 목청 |
|---|---|---|---|---|---|
| 파열음 | ㅂㅃㅍ | ㄷㄸㅌ | | ㄱㄲㅋ | |
| 파찰음 | | | ㅈㅉㅊ | | |
| 마찰음 | | | | | ㅎ |
| 비음 | ㅁ | ㄴ | | ㅇ | |
| 유음 | | ㄹ | | | |

① 파열음인 'ㄴ'이 경구개음인 'ㄹ'로 변하는군요.
② 'ㄴ'이 'ㄹ'로 바뀌면서 조음 방법이 바뀌는군요.
③ 파열음인 'ㄴ'이 탈락하고 그 자리에 'ㄹ'이 덧나는군요.
④ 'ㄹ'은 입술소리인 'ㄴ'이 윗잇몸소리 'ㄹ'로 발음되도록 만드는군요.
⑤ 울림소리 'ㄹ'과 'ㄱ'이 만나 안울림소리인 'ㄴ'을 울림소리 'ㄹ'로 만드는군요.

## 09

**〈보기〉를 참고하여 '편리'의 발음을 적고 그 음운 변동의 방향을 쓰시오.**

보기

- 순행 동화 : 뒤의 음운이 앞의 음운의 영향을 받아 그와 비슷하거나 같게 소리 나는 현상.
  예 종로[종노], 신라[실라]
- 역행 동화 : 앞의 음운이 뒤의 음운의 영향을 받아 그와 비슷하거나 같게 소리 나는 현상.
  예 국민[궁민], 작년[장년]

## 10

**㉠에 들어가기에 적절한 말을 쓰시오.**

보기

학 생: '입는'이 [임는]으로 발음되는데, 두 자음이 만나서 발음될 때 조음 위치나 방식 중 무엇이 바뀐 것인가요?

선생님: 아래의 자음 분류표를 보면서 그 답을 찾아봅시다.

| 조음위치 / 조음방식 | 양순음 | 치조음 | 연구개음 |
|---|---|---|---|
| 파열음 | ㅂ | ㄷ | ㄱ |
| 비음 | ㅁ | ㄴ | ㅇ |

이 표는 국어 자음을 조음 위치와 조음 방식에 따라 분류한 자음 체계의 일부입니다. '입'의 'ㅂ'이 '는'의 'ㄴ' 앞에서 [ㅁ]으로 발음되지요. 이 과정에서 무엇이 달라졌나요?

학 생: 두 자음이 만나서 발음될 때, ___㉠___ 이/가 변했네요.

# 02 교체 2, 축약

## 01

**다음 문장의 밑줄 친 단어 가운데 구개음화가 일어나지 않은 것은?**

① 나도 제발 오디션에 붙여주면 좋겠다.

② 아기는 턱받이에 음식도 침도 다 흘렸다.

③ 숯이 그리고 지나간 듯 눈썹이 짙고 뚜렷하다.

④ 할머니방 문은 미닫이여서 열면 드르륵 소리가 났다.

⑤ 지리산에 철쭉꽃이 흐드러지게 피어 꽃밭이 물결을 이루었다.

## 02

**다음 빈칸에 들어가는 음운의 변동 현상이 맞게 짝지어진 것은?**

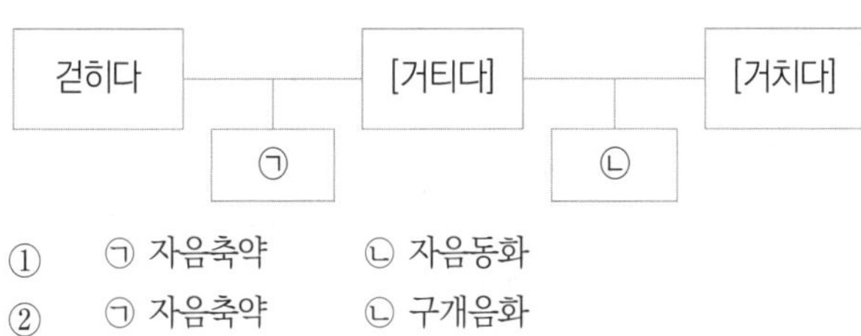


① ㉠ 자음축약 ㉡ 자음동화

② ㉠ 자음축약 ㉡ 구개음화

③ ㉠ 구개음화 ㉡ 자음축약

④ ㉠ 구개음화 ㉡ 자음동화

⑤ ㉠ 자음탈락 ㉡ 구개음화

## 03

**다음 중 '구개음화'의 예시로 적절하지 않은 것은?**

① 같이[가치] ② 달맞이[달마지] ③ 여닫이[여다지]

④ 굳이[구지] ⑤ 묻히다[무치다]

## 04

**〈보기〉의 ㉠~㉤에 대해 설명한 내용으로 적절하지 않은 것은?**

> **보기**
>
> ◦ 그는 유학 생각을 ㉠**굳혔다**.
>
> ◦ 그들은 ㉡**같이** 작품상을 받았다.
>
> ◦ 그 애는 싸울 때마다 내게 ㉢**끝이라고** 말했다.
>
> ◦ 아버지는 ㉣**밭이랑**마다 정성스럽게 씨를 뿌렸다.
>
> ◦ ㉤**홑이불**이란 한 장의 원단으로 만든 이불로, 얇고 무게감이 없다.

① ㉠의 '굳-'은 접미사 '-히-'와 만나니까 'ㄷ'은 최종적으로 [ㅌ]으로 발음될 거야.

② ㉡의 '-이'는 부사를 만드는 접미사이기 때문에 '같'의 받침 'ㅌ'은 [ㅊ]으로 발음될 거야.

③ ㉢의 '끝'은 형식 형태소인 모음 'ㅣ'와 만나기 때문에 분명 구개음화 현상이 일어날 거야.

④ ㉣의 '이랑'은 'ㅣ'로 시작하는 실질 형태소이므로, '밭'의 'ㅌ'은 구개음화가 일어나지 않을 거야.

⑤ ㉤의 '홑-'과 결합한 '이불'은 모음 'ㅣ'로 시작되는 실질 형태소이므로 '홑-'의 받침 'ㅌ'은 구개음화 현상이 일어나지 않을 거야.

## 05

**다음 중 '경음화'의 예시로 적절한 것은?**

① 살짝 ② 몽땅 ③ 깍두기

④ 아끼다 ⑤ 가꾸다

## 06

〈보기〉의 ㉠, ㉡에 해당하는 단어로 적절한 것은?

**보기**

- 된소리되기의 유형은 다음과 같다.
  - 받침 'ㄱ, ㄷ, ㅂ' 뒤에 연결되는 자음 'ㄱ, ㄷ, ㅂ, ㅅ, ㅈ'을 된소리로 발음하는 유형 …………… ㉠
  - 어간 받침 'ㄴ(ㄵ), ㅁ(ㄻ)' 뒤에 결합되는 어미의 첫소리 'ㄱ, ㄷ, ㅅ, ㅈ'을 된소리로 발음하는 유형
  - 어간 받침 'ㄼ, ㄾ' 뒤에 결합되는 어미의 첫소리 'ㄱ, ㄷ, ㅅ, ㅈ'를 된소리로 발음하는 유형
  - 한자어에서 'ㄹ' 받침 뒤에 결합되는 자음 'ㄷ, ㅅ, ㅈ'을 된소리로 발음하는 유형 …………… ㉡
  - 관형사형 '-[으]ㄹ' 또는 '-(으)ㄹ'로 시작되는 어미 뒤에 연결되는 'ㄱ, ㄷ, ㅂ, ㅅ, ㅈ'를 된소리로 발음하는 유형.

| | ㉠ | ㉡ |
|---|---|---|
| ① | 작곡 | 국밥(冊床) |
| ② | 국밥 | 일시(一時) |
| ③ | 얹다 | 불법(不法) |
| ④ | 뻗대다 | 일기(日記) |
| ⑤ | 핥다 | 몰상식(沒常識) |

## 07

다음 질문들 가운데 연결된 표준발음법에 근거하여 답변할 수 없는 것은?

| | 질문 | | 표준발음법 |
|---|---|---|---|
| ① | '절절하다(切切하다)'는 [절절하다]로 발음하면서, '절도(竊盜)'의 '도'은 왜 '또'로 발음할까? | ➔ | 한자어에서, 'ㄹ' 받침 뒤에 연결되는 'ㄷ, ㅅ, ㅈ'은 된소리로 발음한다. |
| ② | '여덟도'의 '도'는 예사소리로 발음하면서, '얇고'의 '고'는 된소리로 발음하는 이유는 무엇일까? | ➔ | 어간 받침 'ㄼ, ㄾ' 뒤에 결합되는 어미의 첫소리 'ㄱ, ㄷ, ㅅ, ㅈ'은 된소리로 발음한다. |
| ③ | '큰집[큰집]'의 '집'은 예사소리로 발음하면서, 왜 '밥집[밥찝]'의 '집'은 된소리로 발음하는 걸까? | ➔ | 받침 'ㄱ, ㄷ, ㅂ' 뒤에 연결되는 'ㄱ, ㄷ, ㅂ, ㅅ ㅈ'은 된소리로 발음한다. |
| ④ | '물다'는 [물다]로 발음하면서 왜 '삼다'는 [삼따]로 발음하는 걸까? | ➔ | 어간 받침 'ㄴ(ㄵ), ㅁ(ㄻ)' 뒤에 결합되는 어미의 첫소리 'ㄱ, ㄷ, ㅅ, ㅈ'은 된소리로 발음한다. |
| ⑤ | '안기다'의 '기'는 예사소리로 발음하면서, 왜 '안다'의 '다'는 된소리로 발음하는 걸까? | ➔ | 피동, 사동의 접미사 '-기-'는 된소리로 발음하지 않는다. |

## 08

**㉠~㉤ 중 축약이 일어난 경우를 모두 고르면?**

보기

㉠ 그 개는 나를 보지도 **않던걸**?
㉡ 어떻게 그렇게 빨리 **그렸어**?
㉢ 나는 **됐어**. 너 먼저 먹고 가.
㉣ 나랑 같이 가**주었으면** 좋겠어.
㉤ 다 **썼으면** 꼭 뚜껑을 닫으세요.

① ㉠, ㉡ ② ㉠, ㉢ ③ ㉠, ㉡, ㉢
④ ㉡, ㉣, ㉤ ⑤ ㉠, ㉣, ㉤

## 09

**'밭이', '밭을', '밭 아래'를 소리 나는 대로 쓰고 각각의 음운 변동 현상을 쓰시오.**

## 10

**다음은 '축약'에 대한 문법 수업의 일부이다. ㉠, ㉡의 사례를 〈보기2〉에서 골라 짝지어 쓰시오.**

보기1

'축약'은 대상에 따라 '자음 축약'과 '모음 축약'으로 나눌 수 있다. ㉠**거센소리되기**는 자음이 축약된 것이고, 음절이 줄어드는 경우는 모음이 축약된 것이다. 그런데 모음의 축약을 용언으로 한정할 경우, 3가지로 분류하여 설명할 수 있다. 어간에서만 축약이 일어난 경우, 어미에서만 축약이 일어난 경우, ㉡**어간과 어미 사이에서 축약이 일어난 경우가 그것이다.**

보기2

안녕 친구야. 우리가 ⓐ**입학**하고 3년 지나, 벌써 ⓑ**열여섯** 살이라니, 3년이나 너랑 친구라는 게 난 정말 ⓒ**좋다**. 세상 모든 것에 자신 있게 "ⓓ**덤벼라**!"하고 맞서는 우리가 서로를 인생 친구로 ⓔ**남겨**두면 좋겠어.

# 03 탈락, 첨가

## 01

**다음 중, 음운 탈락 현상이 일어난 단어는?**

① 여닫다 ② 가지어 ③ 하얗다
④ 걷히다 ⑤ 맞추어

## 02

**〈보기〉의 음운 현상과 관련이 없는 것은?**

보기

'ㅎ'이 끝소리인 어간이 모음으로 시작하는 어미나 접미사와 결합하면 'ㅎ'이 탈락한다. '좋으면'을 [조으면]이라고 발음하는 것이 이와 관련된다.

① '않은'을 [아는]이라고 발음한다.
② '전화기'를 [저놔기]로 발음한다.
③ '끊어서'를 [끄너서]라고 발음한다.
④ '잃아서'를 [아라서]라고 발음한다.
⑤ '쌓이네'를 [싸이네]로 발음한다.

## 03

**〈보기1〉의 밑줄 친 부분에 해당하는 예를 〈보기2〉에서 모두 고른 것은?**

보기1

두 음운이 결합할 때 어느 한 음운이 없어지는 현상을 음운의 탈락이라 한다. **끝소리 'ㅎ'이 모음으로 시작하는 어미나 접미사와 결합하여 탈락하는 경우**나 음절의 끝에 두 개의 자음이 올 때 이 중에서 한 자음이 탈락하는 경우가 이에 해당한다.

보기2

왠지 우연히 그 애와 마주칠 수 있을 것 같은 느낌이 들었다. 답장이 오지 ㉠**않아** 불안한 마음은 ㉡**넣고**, 내가 ㉢**좋아하는** 빨간 코트를 골라 입고 집을 나섰다. 그런데 답이 오지 않는다. 설마. 내 문자가 ㉣**씹히다니**. 아직 내 마음이 그애에게 ㉤**닿지** 않았나보다.

① ㉠, ㉡ ② ㉠, ㉢ ③ ㉡, ㉤
④ ㉢, ㉣ ⑤ ㉣, ㉤

## 04

**〈보기〉에서 설명하는 현상의 예시로 볼 수 없는 것은?**

보기

'하늘을 날으는 새', '희망에 부풀은 꿈'과 같은 표현들이 있다. 여기서 '날으는'이나 '부풀은'을 문법에 맞게 고치면 '나는', '부푼'이 되어야 한다. 'ㄹ'로 끝나는 용언 어간은 'ㄴ, ㅂ, 오, 시' 앞에서 'ㄹ'이 탈락하기 때문에 어간에 'ㄴ'이 그대로 연결된 것이 옳다.

① 네가 울으니까 나까지 슬퍼지잖아.
② 노을이 하늘을 물들일 때를 기다렸다.
③ 그는 시들은 잔디에 엎드려 책을 읽었다.
④ 이모가 내게 내밀은 돈을 받을 수가 없었다.
⑤ 밤새 울어 벌겋게 부풀은 눈으로 학교에 갔다.

## 05

**국어의 음운변동에 대한 이해로 적절하지 <u>않은</u> 것은?**

① 자음 축약과 달리 모음 축약이 일어나면 음절의 개수가 하나 줄어든다.
② 'ㅎ'이 'ㄱ, ㄷ, ㅂ, ㅈ'이 아닌 다른 자음을 만나도 거센소리되기가 일어날 수 있다.
③ '바느질', '소나무', '우니'는 모두 있던 음운이 사라지는 탈락이 일어난 예에 해당한다.
④ 첨가는 음운 변동 후 음운의 개수가 늘어나고, 축약은 음운 변동 후 음운의 개수가 줄어든다.
⑤ 앞말이 자음으로 끝나더라도 뒷말이 'ㅣ'나 반모음 'ㅣ'[j]로 시작하지 않으면 'ㄴ' 첨가가 일어나지 않는다.

## 06

**〈보기〉에서 음운 변동 후 음운의 개수가 늘어나는 단어만을 골라 바르게 묶은 것은?**

보기

| | |
|---|---|
| ㉠ 국화 → [구콰] | ㉡ 법학 → [버팍] |
| ㉢ 맨입 → [맨닙] | ㉣ 좁히다 → [조피다] |
| ㉤ 구급약 → [구금냑] | |

① ㉠, ㉡ ② ㉠, ㉢ ③ ㉡, ㉢
④ ㉢, ㉤ ⑤ ㉣, ㉤

## 07

**〈보기〉는 표준발음법의 일부이다. 이를 이해한 학생의 반응으로 적절하지 <u>않은</u> 것은?**

보기

**제18항** 받침 'ㄱ(ㄲ, ㅋ, ㄳ, ㄺ), ㄷ(ㅅ, ㅆ, ㅈ, ㅊ, ㅌ, ㅎ), ㅂ(ㅍ, ㄼ, ㄿ, ㅄ)'은 'ㄴ, ㅁ' 앞에서 [ㅇ, ㄴ, ㅁ]으로 발음한다.

**제29항** 합성어 및 파생어에서, 앞 단어나 접두사의 끝이 자음이고 뒤 단어나 접미사의 첫음절이 '이, 야, 여, 요, 유'인 경우에는, 'ㄴ'음을 첨가하여 [니, 냐, 녀, 뇨, 뉴]로 발음한다.

[붙임1] 'ㄹ' 받침 뒤에 첨가되는 'ㄴ' 음은 [ㄹ]로 발음한다.

[붙임2] 두 단어를 이어서 한 마디로 발음하는 경우에도 이에 준한다.

① '먹물'은 제18항에 따라 [멍물]로 발음해야겠군.
② '한 입'은 제29항 붙임2에 따라 [한닙]으로 발음해야겠군.
③ '집일'은 제29항에 따라 [집닐]로, 다시 제18항에 따라 [짐닐]로 발음해야겠군.
④ '색연필'이 단일어였더라도 제29항과 제18항을 순서대로 적용하여 [생년필]로 발음했겠군.
⑤ '물약'은 제29항에 따라 [물냑]으로, 제29항 붙임1에 따라 [물략]으로 발음해야겠군.

## 08

**다음은 표준발음에 대한 대화의 일부이다. 각 예에 적용된 내용과 그 발음이 모두 적절한 것은?**

보기

가 : 우리 지난 수업 시간에 ⓐ**홑받침이나 쌍받침이 모음으로 시작된 조사나 어미, 접미사와 결합되는 경우에는, 제 음가대로 뒤 음절 첫소리로 옮겨 발음한다**고 배웠으니까 '불여우'는 [부려우]로 발음해야겠지?

나 : 아니지, 일단 '여우'는 조사, 어미, 접미사에 속하지 않잖아. ⓑ**합성어 및 파생어에서, 앞 단어나 접두사의 끝이 자음이고 뒤 단어나 접미사의 첫음절이 '이, 야, 여, 요, 유'인 경우에는, [ㄴ] 소리를 첨가하여 [니, 냐, 녀, 뇨, 뉴]로 발음해야 하기** 때문에 '불여우'는 [불려우]로 발음해야 할걸.

가 : [ㄴ] 소리가 첨가된다면서, 왜 [불녀우]가 아니고 [불려우]야? 아! 나 알 것 같아. ⓒ**초성 [ㄴ]이 받침소리 [ㄹ] 뒤에서 [ㄹ]로 발음되는 현상** 때문이지?

나 : 맞아! ⓓ**첨가된 [ㄴ] 소리 때문에 반대로 비음화가 일어나는 경우**도 있어. 나도 관련 내용이 바로 떠오르진 않았는데, 너 공부 많이 했구나.

| | 예 | 적용 내용 | 발음 |
|---|---|---|---|
| ① | 맨+입 | ⓐ | [맨닙] |
| ② | 홑+이불 | ⓑ, ⓓ | [혼니불] |
| ③ | 물+엿 | ⓐ, ⓒ | [물련] |
| ④ | 내복+약 | ⓑ, ⓒ | [내봉냑] |
| ⑤ | 휘발+유 | ⓑ, ⓓ | [휘발류] |

## 09

**㉠, ㉡에 밑줄 친 단어들을 올바르게 고치고, 공통적으로 적용된 음운변동을 적으시오.**

보기

㉠ 우리집은 어제 김치 **담궜다**.

㉡ 시험 잘 **치뤄**.

## 10

**〈보기〉의 표준발음법을 바탕으로 빈칸 A와 B에 들어갈 내용을 적으시오.(단, A는 관련된 조항을 모두 적을 것)**

보기1

"내일 학여울역에서 만나자"에서 '학여울역'의 올바른 발음은 표준 발음법 ( A )이/가 적용되어 ( B )(으)로 발음된다.

보기2

**표준 발음법**

**제8항** 받침소리로는 'ㄱ, ㄴ, ㄷ, ㄹ, ㅁ, ㅂ, ㅇ'의 7개 자음만 발음한다.

**제17항** 받침 'ㄷ, ㅌ(ㄾ)'이 조사나 접미사의 모음 'ㅣ'와 결합되는 경우에는, [ㅈ, ㅊ]으로 바꾸어서 뒤 음절 첫소리로 옮겨 발음한다.

**제18항** 받침 'ㄱ(ㄲ, ㅋ, ㄳ, ㄺ), ㄷ(ㅅ, ㅆ, ㅈ, ㅊ, ㅌ, ㅎ), ㅂ(ㅍ, ㄼ, ㄿ, ㅄ)'은 'ㄴ, ㅁ'앞에서 [ㅇ, ㄴ, ㅁ]으로 발음한다.

**제20항** 'ㄴ'은 'ㄹ'의 앞이나 뒤에서 [ㄹ]로 발음한다.

**제29항** 합성어 및 파생어에서, 앞 단어나 접두사의 끝이 자음이고 뒤 단어나 접미사의 첫 음절이 '이, 야, 여, 요, 유'인 경우에는, 'ㄴ'음을 첨가하여 [니, 냐, 녀, 뇨, 뉴]로 발음한다.

# 04 모의고사

## 01

**다음 자음들이 음절의 끝소리에 쓰일 때 소리 나는 것으로 옳지 않은 것은?**

| | | |
|---|---|---|
| ① | ㅋ, ㄲ | [ㄱ] |
| ② | ㄷ, ㅈ, ㅊ, ㅌ, ㅎ | [ㅅ] |
| ③ | ㅍ, ㅃ | [ㅂ] |
| ④ | ㄹ | [ㄹ] |
| ⑤ | ㅇ | [ㅇ] |

## 02

**다음 밑줄 친 단어의 발음이 적절한 것은?**

① 그거 정말 난리 났어[난니나써].
② 빛이[비시] 들어와 눈이 부신다.
③ 하루에 세 번 솥에[소체] 물을 끓였다.
④ 시야를 넓히기[널피기] 위해 여행을 떠났다.
⑤ 그는 북녘에서[붕녀게서] 온 사람이라 추위에 강하다.

## 03

**다음 중, 발음할 때 두 자음이 모두 바뀌는 단어가 아닌 것은?**

① 협력 ② 대통령 ③ 백로
④ 막론 ⑤ 격류

## 04

**다음의 단어 가운데 동화의 방향이 다른 하나는?**

① 학문 ② 걷는 ③ 해돋이
④ 훈련 ⑤ 줄넘기

## 05

**다음 중 비음화의 종류가 다른 하나는?**

① 종로 ② 식민지 ③ 숯내
④ 어두육미 ⑤ 아랍문자

## 06

**〈보기〉의 ⓐ, ⓑ에 해당하는 변동 유형을 바르게 짝지은 것은?**

보기

음운 변동은 다음과 같이 유형화할 수 있다.

| | 변동 이전 | | 변동 이후 | |
|---|---|---|---|---|
| ㄱ | XaY | → | XbY | (교체) |
| ㄴ | XY | → | XaY | (첨가) |
| ㄷ | XabY | → | XcY | (축약) |
| ㄹ | XaY | → | XY | (탈락) |

갋지다 → [갑지다] → [갑찌다]
ⓐ ⓑ

| | ⓐ | ⓑ |
|---|---|---|
| ① | ㄱ | ㄴ |
| ② | ㄷ | ㄱ |
| ③ | ㄷ | ㄴ |
| ④ | ㄹ | ㄱ |
| ⑤ | ㄹ | ㄴ |

## 07

〈보기〉의 ⓐ~ⓓ에 나타나는 음운 변동으로 적절한 것은?

보기

음운 변동은 한 음운이 다른 음운으로 바뀌는 '교체', 원래 있던 음운이 없어지는 '탈락', 없던 음운이 추가되는 '첨가', 두 개의 음운이 합쳐져서 하나로 되는 '축약'으로 분류할 수 있다. 단어에 따라 아래 예와 같이 한 단어에서 두 가지 음운 변동이 일어나는 경우도 있다.

물약 →(ⓐ) 물냑 →(ⓑ) 물략

숱한 →(ⓒ) 숟한 →(ⓓ) 수탄

| | ⓐ | ⓑ | ⓒ | ⓓ |
|---|---|---|---|---|
| ① | 첨가 | 축약 | 교체 | 축약 |
| ② | 교체 | 축약 | 탈락 | 교체 |
| ③ | 첨가 | 교체 | 교체 | 축약 |
| ④ | 탈락 | 교체 | 탈락 | 첨가 |
| ⑤ | 첨가 | 교체 | 첨가 | 탈락 |

## 08

〈보기〉를 바탕으로 음운 변동을 바르게 이해한 것은?

보기

음운의 변동은 크게 네 가지로 나눌 수 있다. 어떤 음운이 다른 음운으로 바뀌는 ㉠**교체**, 어떤 음운이 없어지는 ㉡**탈락**, 새로운 음운이 생기는 ㉢**첨가**, 두 음운이 하나의 음운으로 합쳐지는 ㉣**축약**이 그것이다.

① '흙냄새[흥냄새]'에서는 ㉡과 ㉢의 음운 변동이 일어난다.
② '값없다[가법따]'에서는 ㉠과 ㉢의 음운 변동이 일어난다.
③ '낮잡다[낟짭따]'에서는 ㉠과 ㉣의 음운 변동이 일어난다.
④ '벋놓다[번노타]'에서는 ㉠과 ㉣의 음운 변동이 일어난다.
⑤ '서른여덟[서른녀덜]'에서는 ㉡과 ㉢의 음운 변동이 일어난다.

## 09

〈보기〉의 ㉠, ㉡에 해당하는 예로 적절한 것은?

보기

국어에서 'ㄴ'과 'ㄹ' 소리는 연달아 내기가 어렵다. 그래서 'ㄹ'과 'ㄴ'을 이어서 발음할 때 순행적 유음화가 일어나고, 반대로 'ㄴ'과 'ㄹ'을 이어서 발음될 때에는 역행적 유음화가 일어나며, ㉠**두 유음화가 모두 일어나기**도 한다. 그런데 겉으로는 유음화가 일어날 만한 상황이지만, 용언의 활용이나 합성어, 파생어 형성 과정에서, 오히려 'ㄹ'이 탈락하기도 하고, ㉡**'ㄹ'이 비음화**되기도 한다.

| | ㉠ | ㉡ |
|---|---|---|
| ① | 물난리 | 향신료 |
| ② | 실내화 | 산란기 |
| ③ | 줄넘기 | 전라도 |
| ④ | 대관령 | 의견란 |
| ⑤ | 광한루 | 표현력 |

## 10

**〈보기〉의 표준 발음 규정을 활용하여 답할 수 없는 질문은?**

보기

제18항 받침 'ㄱ(ㄲ, ㅋ, ㄳ, ㄺ), ㄷ(ㅅ, ㅆ, ㅈ, ㅊ, ㅌ, ㅎ), ㅂ(ㅍ, ㄼ, ㄿ, ㅄ)'은 'ㄴ, ㅁ' 앞에서 [ㅇ, ㄴ, ㅁ]으로 발음한다.

제19항 받침 'ㅁ, ㅇ' 뒤에 연결되는 'ㄹ'은 [ㄴ]으로 발음한다.

제20항 'ㄴ'은 'ㄹ'의 앞이나 뒤에서 [ㄹ]로 발음한다.

① '신라'가 [실라]처럼 발음되는 이유가 무엇인가요?
② '한류'는 [한뉴]라고 발음하나요, [할류]라고 발음하나요?
③ '생산량'의 발음은 왜 [생살량]이 아니라 [생산냥]인가요?
④ '실눈'은 표기 그대로 발음할 수 있는 단어에 해당되나요?
⑤ '국민'의 'ㄱ'을 [ㅇ]으로 발음하는 이유는 뒤 음절의 초성과 관계가 있을까요?

## 11

**〈보기〉는 자음 동화와 관련하여 학생들이 나눈 대화이다. ㉠, ㉡에 들어갈 예를 바르게 짝지은 것은?**

보기

학생1: 두 개의 자음이 이어서 소리가 날 때 표기 그대로 나는 건 아니라고 배웠어. 소리 내기 쉽도록 어느 한 쪽이 다른 쪽의 소리를 닮거나, 서로 닮는 방향으로 변한다고 했지.

학생2: 그 중에 자음끼리 일어나는 동화를 '자음 동화'라고 한댔어. 종류가 크게 두 가지라고 했던 거 같은데 우리 현상별로 예시를 하나씩 들어보자.

| | |
|---|---|
| 'ㄱ, ㄷ, ㅂ'이 비음 'ㄴ, ㅁ'의 앞에서 비음 'ㅇ, ㄴ, ㅁ'으로 바뀌는 현상 | ㉠ |
| 비음 'ㄴ'이 유음 'ㄹ' 앞뒤에서 'ㄹ'로 바뀌는 현상 | ㉡ |

| | ㉠ | ㉡ |
|---|---|---|
| ① | 묵밥[묵빱] | 막내[망내] |
| ② | 쌀눈[쌀룬] | 입원료[이붠뇨] |
| ③ | 중력[중녁] | 논리[놀리] |
| ④ | 굽는[굼는] | 신출내기[신출래기] |
| ⑤ | 색연필[생년필] | 실내화[실래화] |

## 12

**〈보기〉의 밑줄 친 부분에서 설명하고 있는 것과 관련이 있는 예시로 적절한 것은?**

> 보기
>
> ‘콧날’은 ‘코’와 ‘날’의 합성어로 [코날]이라고 발음되어야 하지만 ㄴ소리가 첨가되어 [콘날]이라고 발음한다. 합성어에서 **앞말이 모음으로 끝나고 뒷말이 ‘ㄴ, ㅁ’으로 시작되는 경우, 앞말의 끝소리에 ‘ㄴ’ 소리가 첨가되었다는 것을 표시하기 위하여 앞말에 사이시옷(‘ㅅ’)을 넣어준다**.

① 면접에 들어가기 전 교복의 옷깃[옫낃]을 바로 세웠다.
② 고기 먹는 데엔 깻잎[깬닙]도 맛있지만 상추가 부드럽지.
③ 이를 닦던 중에 초인종이 울려서 칫솔[칟쏠]을 물고 나갔다.
④ 지도에 내가 다녀온 나라들을 하나씩 색연필[생년필]로 칠했다.
⑤ 신비로운 노래에 홀린 선원들은 뱃머리[밴머리]를 세이렌의 섬으로 돌렸다.

## 13

**〈보기〉의 ㉠에 해당하는 예로 적절한 것은?**

> 보기
>
> 음운 변동의 유형으로는 교체, 탈락, 축약, 첨가가 있다. 한 단어가 발음될 때, 이러한 음운 변동 유형들 중 ㉠**한 가지 유형만 나타나는 경우**가 있고, 두 가지 이상의 유형이 나타나는 경우가 있다.

① 넓다[널따]　② 물받이[물바지]　③ 꽃잎[꼰닙]
④ 홑이불[혼니불]　⑤ 발야구[발랴구]

## 14

**다음은 ‘음운의 변동’과 관련된 학습지의 일부이다. ㉠과 ㉡에 들어갈 단어로 적절한 것은?**

> 보기

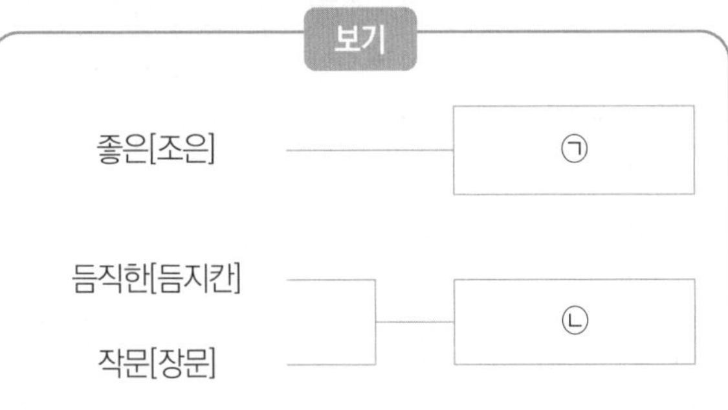


1. ㉠에는 ‘좋은’을 발음할 때 나타나는 음운의 변동이 일어난 단어를 자료에서 찾아 쓴다.
2. ㉡에는 ‘듣직한’을 발음할 때와 ‘작문’을 발음할 때 나타나는 음운의 변동이 함께 일어난 단어를 자료에서 찾아 쓴다.

> 자료
>
> 밟아[발바] 않아서[아나서] 앉히다[안치다]
> 육학년[유캉년] 밥하다[바파다]

| | ㉠ | ㉡ |
|---|---|---|
| ① | 밟아[발바] | 밥하다[바파다] |
| ② | 밟아[발바] | 앉히다[안치다] |
| ③ | 않아서[아나서] | 육학년[유캉년] |
| ④ | 앉히다[안치다] | 육학년[유캉년] |
| ⑤ | 앉히다[안치다] | 밥하다[바파다] |

## 15

**〈보기〉를 바탕으로 사례들을 분석한 내용 중 적절한 것은?**

> **보기**
>
> 음운의 교체는 특정한 음운 환경에서 한 음운이 다른 음운으로 바뀌는 음운 변동 현상이다. 두 음절이 인접한 경우 ㉠**앞말의 끝소리와 뒷말의 첫소리가 만나는 상황**이나 ㉡**앞말의 끝소리가 연음되어 뒷말의 모음과 만나는 상황**에서 음운이 교체될 때, 발음의 결과 ⓐ**앞의 음운만 변한 경우**나 ⓑ**뒤의 음운만 변한 경우**도 있지만 ⓒ**두 음운이 모두 변한 경우**도 있다.

① '국론[궁논]'는 ㉠이면서 ⓐ에 해당한다.
② '욕망[용망]'는 ㉠이면서 ⓑ에 해당한다.
③ '약밥[약빱]'는 ㉠이면서 ⓒ에 해당한다.
④ '굳이[구지]'는 ㉡이면서 ⓐ에 해당한다.
⑤ '땀받이[땀바지]'는 ㉡이면서 ⓒ에 해당한다.

## 16

**〈보기〉의 ㉠~㉣에 대한 설명으로 적절한 것은?**

> **보기**
>
> ㉠ 벼훑이[벼훌치] ㉡ 넓둥글다[넙뚱글다]
> ㉢ 법학[버팍] ㉣ 낮일[난닐]

① ㉠과 ㉣에서는 모두 음운이 교체되는 현상이 나타난다.
② ㉡과 ㉢에서 공통적으로 나타나는 음운의 변동은 축약이다.
③ ㉠에서 발음된 'ㅊ'과 ㉢에서 발음된 'ㅍ'은 공통적으로 음운이 축약된 것이다.
④ ㉠에서 'ㅌ'이 'ㅊ'으로, ㉣에서 'ㅈ'이 'ㄴ'으로 발음될 때 일어나는 음운 교체의 횟수는 같다.
⑤ ㉠에서 'ㄾ'이 'ㄹ'으로, ㉡에서 'ㄼ'이 'ㅂ'으로 발음될 때 일어나는 음운 변동의 횟수는 다르다.

## 17

**다음 ㉠~㉣에 적용된 음운 변동에 대한 설명으로 적절하지 <u>않은</u> 것은?**

> **보기**
>
> ㉠ 밖[박], 숲[숩]
> ㉡ 완행열차[완행녈차]
> ㉢ 앉다[안따], 축구[축꾸]
> ㉣ 좋다[조타], 보+아서→봐서[봐서]

① ㉠과 ㉡의 변동이 모두 일어난 예로 '꽃잎→[꼰닙]'을 들 수 있다.
② ㉠과 ㉢은 모두 교체에 해당하는 음운 변동 현상이다.
③ ㉠과 ㉢의 변동이 모두 일어난 예로 '벗다→[벋따]'를 들 수 있다.
④ ㉣의 [조타]는 자음 축약에, [봐서]는 모음 축약에 해당 된다.
⑤ ㉣의 [봐서]와 같은 예로 '집이 비어서→집이 비어서[비여서]'를 들 수 있다.

## 18

**〈보기〉에서 ㉠~㉤의 밑줄 친 부분과 동일한 음운 변동이 일어난 예가 모두 바르게 제시된 것은?**

> **보기**
>
> ㉠ 신세대에게 잘 <u>먹히는</u> 광고 전략을 세워오라고!
> ㉡ 그의 호통에 아이의 눈에서 <u>닭똥</u> 같은 눈물이 툭툭 떨어졌다.
> ㉢ 일을 끝까지 해내기 위해서는 <u>굳센</u> 체력부터 키우렴.
> ㉣ 걔는 다 커서도 아직 개를 <u>겁내더라</u>.
> ㉤ 할아버지께서 <u>설날</u>에 입을 설빔을 사주셨다.

① ㉠의 예 : 특혜, 들키다
② ㉡의 예 : 삶다, 짊다
③ ㉢의 예 : 잡고 , 훑까지
④ ㉣의 예 : 듣는다, 따님
⑤ ㉤의 예 : 전라도, 단련

## 19

**〈보기〉에서 '축약'이 일어나는 단어로 적절하지 않은 것은?**

보기

매운 계절의 채찍에 ㉠**갈겨**
마침내 북방으로 ㉡**휩쓸려** 오다.

하늘도 그만 ㉢**지쳐** 끝난 고원
서릿발 칼날진 그 위에 서다.

어디다 무릎을 ㉣**꿇어야** 하나
한 발 재겨 디딜 곳조차 없다.

이러매 눈 감아 ㉤**생각해** 볼밖에
겨울은 강철로 된 무지갠가 보다.

- 이육사, 절정

① ㉠ ② ㉡ ③ ㉢ ④ ㉣ ⑤ ㉤

## 20

**〈보기〉에서 ㉠~㉤의 밑줄 친 부분과 동일한 음운 변동이 일어난 예가 모두 바르게 제시된 것은?**

보기

국어에는 자음군 단순화, 구개음화, 비음화, 된소리되기, 거센소리되기 등의 음운 변동이 있다.

㉠ 아이가 배탈이 나서 남편에게 한 끼를 **굶기도록** 부탁했다.
㉡ 위험하지만 네가 **굳이** 그 길을 가겠다면 허락할 수밖에 없지.
㉢ 찜기에 넣고 기다리니 옥수수가 알맞게 **익는다**.
㉣ 아이가 장난감을 사 달라고 **뻗댔다**.
㉤ 그 검사는 끝끝내 뜻을 **굽히지** 않았다.

① ㉠의 예 : 굶다, 급하다
② ㉡의 예 : 미닫이, 꿈같아서
③ ㉢의 예 : 각막, 맏형
④ ㉣의 예 : 숨기다, 삽살개
⑤ ㉤의 예 : 축하, 듬직하다

# 제3강
## 문장 표현 I

# 01 종결 표현

## 01

**〈보기〉의 빈칸에 들어갈 말을 순서대로 나열한 것은?**

보기

㉠'물이 얼음이 되었다.'와 ㉡'물과 얼음의 차이는 무엇일까?'에서 ㉠의 종결 표현은 ( )이고, ㉡의 종결 표현은 ( )인데 두 문장의 종결 표현 종류를 정하는 문법적 요소는 문장의 ( ) 이다.

① 의문문, 청유문, 종결어미
② 평서문. 의문문, 종결어미
③ 평서문, 의문문, 문장 성분의 순서
④ 감탄문, 의문문, 문장 성분의 순서
⑤ 청유문, 평서문, 주어와 서술어의 관계

## 02

**〈보기〉와 문장의 종결 표현이 동일한 것은?**

보기

그 사람의 연주 실력이 매우 돋보였다.

① 그는 돈보다 명예를 택했다.
② 매일 아침밥을 반드시 먹어라.
③ 그가 이 정도는 할 수 있겠지?
④ 우리 모두 주변 청소를 합시다.
⑤ 한국의 사계절은 얼마나 아름다운가!

## 03

**〈보기〉의 빈 칸에 들어갈 말을 순서대로 나열한 것은?**

보기

문장의 종결 표현은 말하는 이의 의도에 따라 다양하게 실현된다. 말하는 이의 생각을 객관적으로 전달할 때에는 ( ㉠ )을/를 사용하고, 말하는 이가 듣는 이에게 어떤 행동을 요구하거나 무엇을 시키는 경우에는 ( ㉡ )을/를 사용한다. 또, 말하는 이가 듣는 이를 의식하지 않고 자신의 느낌을 감탄조로 표현하는 경우에는 ( ㉢ )을/를 사용한다.

① -다 / -(는)구나 / -(아/어)라
② -다 / -(아/어)라 / -(는)구나
③ -(아/어)라 / -자 / -(는)구나
④ -(는)구나 / -(아/어)라 / -세
⑤ -(는)구나 / -다 / -(아/어)라

## 04

**〈보기〉의 ⓐ~ⓒ를 ㉠~㉢으로 분류할 때 적절한 것은?**

보기

문장을 끝내는 표현을 종결 표현이라고 한다. 문장의 종결 표현에는 ㉠**말하는 이가 듣는 이에게 같이 행동할 것을 요청하는 것**, ㉡**듣는 이에게 말하는 이가 무엇을 시키는 것**, ㉢**문장의 내용을 평범하고 단순하게 표현하는 것** 등 다양한 종류가 있다.

ⓐ 인류의 오만이 다양한 문제를 만든다.
ⓑ 쓰레기는 반드시 쓰레기 통에 버려라.
ⓒ 모두의 안전을 위해 도로교통법을 준수합시다.

| | ㉠ | ㉡ | ㉢ |
|---|---|---|---|
| ① | ⓐ | ⓑ | ⓒ |
| ② | ⓐ | ⓒ | ⓑ |
| ③ | ⓑ | ⓐ | ⓒ |
| ④ | ⓒ | ⓑ | ⓐ |
| ⑤ | ⓒ | ⓐ | ⓑ |

## 05

〈보기〉의 조건에 모두 해당하는 문장으로 적절한 것은?

보기

- 국어 문장에서 제일 마지막에 오는 표현이다.
- 화자와 청자가 동일한 행동을 할 것을 전제로 하는 표현이다.
- 종결 어미를 사용하여 문장의 의미를 결정하고 있다.

① 시험 시간에 늦지 않도록 주의하십시오.
② 수능 고사장에 들어갈 때 기분이 어땠어?
③ 다음 회의에서는 시작 시간을 준수합시다.
④ 세상의 일을 잊어버리고 자연 속에서 살고 싶다.
⑤ 거대한 자연에 비하면 인간은 작은 존재로구나!

## 06

〈보기〉에서 문장의 종결 표현이 동일한 것끼리 묶은 것은?

보기

㉠ 아침을 먹지 않는 학생들이 많다.
㉡ 건강한 생활은 건강한 정신에서 나옵니다.
㉢ 비타민이 많은 과일은 건강에 도움이 된다.
㉣ 게임 시간을 줄이기 위해 다양한 취미 생활을 해보자.

① ㉠ / ㉡, ㉢, ㉣
② ㉠, ㉡ / ㉢. ㉣
③ ㉠, ㉡, ㉢ / ㉣
④ ㉠, ㉢ / ㉡, ㉣
⑤ ㉠, ㉣ / ㉡, ㉢

## 07

㉠의 예시로 적절한 것은?

보기

문장의 종결 표현은 의문문, 명령문, 청유문, 감탄문의 다섯 종류가 있다.

'저 하늘 위에 새가 날고 있다.'의 경우 객관적 사실을 전달하고 있으므로 문장의 형식과 그 표현 의도가 일치하지만 '(집에 늦게 들어온 자녀에게) 지금이 몇 시니?'의 경우 시간을 물어보는 것이 아니라 늦게 귀가한 것에 대한 비난의 의도가 있으므로 ㉠**문장의 형식과 표현 의도가 일치하지 않는 경우**에 해당한다.

① (종소리가 들릴 때)"이게 수업 시작 종인가?"
② (물을 쏟는 실수를 한 사람에게)"잘한다. 잘해."
③ (원하는 생일 선물을 주었을 때)"챙겨줘서 고마워."
④ (학생증을 잃어버린 학생에게)"어디서 잃어버렸니?"
⑤ (무거운 물건을 옮기는 친구가)"이것 좀 같이 들고 가자."

## 08

〈보기〉의 빈칸에 적절한 말을 쓰시오.

보기

어떤 행동을 권유하는 문장 종결 형식에는 명령문과 청유문이 있는데 두 문장은 (                    )는 점에서 차이가 있다.

## 09

**〈보기〉의 빈칸에 적절한 문장을 〈조건〉을 참고하여 쓰시오.**

보기

말하는 이의 의도에 따라 문장의 종결 표현을 달리 할 수 있다. 예를 들어 ㉠'이 책의 작가가 **프랑스 사람이다.**'라는 문장은 객관적 사실을 전달하는 종결 표현인데, 말하는 이가 듣는 이에게 묻는 형식을 취하는 종결 표현으로 바꾸면 (                    )가 된다.

조건

㉠의 밑줄 친 부분에 대한 정보를 모른다는 것을 전제로 말하는 이가 듣는 이에게 질문을 하는 종결 표현으로 바꿀 것

## 10

**다음 문장의 종결 표현 종류를 쓰고, 종결 표현을 형성한 문법적 요소를 분석하여 서술하시오.**

보기

㉠ 방역 지침을 준수하여 건강을 지킵시다.
㉡ 여름이면 느티나무가 거대한 그늘을 만드는 동네이다.

| | 종결 표현 종류 | 문법적 요소 |
|---|---|---|
| ㉠ | | |
| ㉡ | | |

# 02 높임 표현

## 01

**〈보기〉의 ㉠과 거리가 먼 것을 고르면?**

보기

주제 높임은 서술의 주체를 높이는 방법이다. 주체 높임을 실현할 때에는 조사를 이용하거나 주체 높임 선어말 어미를 이용하는 방법 그리고 ㉠**특수 어휘를 이용하는 방법** 등이 있다.

① 계시다
② 보시다
③ 편찮다
④ 잡수다
⑤ 주무시다

## 02

**〈보기〉의 선생님이 활용할 ㉠의 예문으로 가장 적절한 것은?**

보기

**선생님**: 지난 시간에는 세 종류의 높임 표현을 공부했어요. 오늘은 ㉠**잘못된 높임 표현**을 예문을 통해 살펴봅시다.

① 선생님은 책이 많으시다.
② 아버지는 야구를 좋아하신다.
③ (회의에서) 모두 자리에 앉아주십시오.
④ 아침을 언제 드셨는지 알려 주십시오.
⑤ 이번 주에 할머니를 데리고 여행 가자.

## 03

**〈보기〉의 설명에 해당하는 높임 표현으로 적절한 것은?**

보기

문장의 목적어나 부사어가 지시하는 대상에 대한 높임의 태도를 나타내는 표현이다.

① 아버지께서 요리를 하셨다.
② 할아버지께서는 손이 크십니다.
③ 나는 어머니께 성적표를 드렸다.
④ 할아버지, 삼촌이 지금 막 도착했어요.
⑤ 민우야, 담임 선생님께서 지각하지 말라고 전화하셨어.

## 04

**〈보기〉에서 설명한 ㉠의 예시로 가장 적절한 것은?**

보기

서술의 주체를 높이는 높임 표현은 직접 높임과 간접 높임으로 나눌 수 있다. 직접 높임은 높임의 대상인 주체를 직접 높이는 것이고, ㉠**간접 높임**은 높임의 대상인 주체의 신체 일부, 소유물, 가족 등을 높임으로써 주체를 간접적으로 높이는 방법이다.

① 어머니께서 송년 음악회에 가셨다.
② 교수님께서는 집필한 책이 많으시다.
③ 어머니께서 직장에서 승진을 하셨다.
④ 할아버지께서는 마을 이장이 되셨다.
⑤ 선생님께서 철수를 교무실로 부르셨다.

## 05

〈보기〉를 분석한 내용으로 적절하지 <u>않은</u> 것은?

보기

㉠ 고객님, 이 제품이 예쁘십니다.
㉡ 선생님, 여쭤볼 것이 있어요.
㉢ (학생회 회의에서) 지금부터 학생회 대의원 회의를 시작하겠습니다.

① ㉠~㉢은 말 듣는 사람과 관련이 있는 높임 표현이 드러난다.
② ㉠과 ㉡은 접미사를 사용하여 말듣는 사람을 높이고 있다.
③ ㉠에서는 말 듣는 사람을 높이기 위해 주체높임 선어말 어미를 사용하고 있다.
④ ㉡에서는 동작이 미치는 대상을 높이기 위해 특수한 어휘를 사용하고 있다.
⑤ ㉢에서는 공적인 상황이므로 상대높임법 중 격식체를 사용하고 있다.

## 06

㉠~㉤에 들어갈 말로 적절하지 <u>않은</u> 것은?

| | | 평서문 | 의문문 | 명령문 | 청유문 | 감탄문 |
|---|---|---|---|---|---|---|
| 격식체 | 하십시오체 | ㉠ | | | | |
| | 하오체 | | | | ㉡ | |
| | 하게체 | | | ㉢ | | |
| | 해라체 | | | | ㉣ | |
| 비격식체 | 해요체 | ㉤ | | | | |
| | 해체[반말] | | | | | |

① ㉠: 갑니다
② ㉡: 갑시다
③ ㉢: 가게
④ ㉣: 가라
⑤ ㉤: 가요

## 07

〈보기〉를 참고하여 ㉠을 분석한 내용으로 적절한 것은?

보기

행위의 주체를 높이는 주체 높임의 방법에는 조사를 사용하거나 서술어에 주체 높임 선어말 어미를 붙이는 방법, 높임 어휘를 사용하는 방법 등이 있다. 예를 들어 '할아버지께서 걱정이 많으십니다.'의 경우에는 [조사+], [높임 선어말 어미+], [높임 어휘-]로 분석할 수 있다.

㉠<u>**교장 선생님께서 말씀을 하시겠습니다**</u>.

| | 조사 | 높임 선어말 어미 | 높임 어휘 |
|---|---|---|---|
| ① | + | + | + |
| ② | + | + | − |
| ③ | − | + | + |
| ④ | − | − | + |
| ⑤ | − | − | − |

## 08

㉠~㉢은 높임 표현이 사용된 문장들이다. 아래의 순서도에 따라 ㉠~㉢을 분류해보자.

보기

㉠ 나는 할머니께 생신 선물을 드렸다.
㉡ 선생님께서 지금 교무실에 계신다.
㉢ 어머니께서 이모할머니를 댁으로 모시고 가셨다.

| | | |
|---|---|---|
| 주체와 객체를 모두 높이는가? | 예 ⇨ | [A] |
| ⇩ 아니오 | | |
| 주어가 나타내는 대상인 주체를 높이는가? | 아니오 ⇨ | 문장의 목적어나 부사어가 나타내는 대상인 객체를 높이는가? |
| ⇩ 예 | | ⇩ 예 |
| [B] | | [C] |

## 09

다음 문장을 높임법에 맞게 수정한 뒤 그 이유를 서술하시오.

보기

지금부터 총장님의 인사 말씀이 계시겠습니다.

| 수정한 문장 | |
|---|---|
| 이유 | |

## 10

〈보기〉의 문장에서 사용된 높임 표현을 분석하시오.

보기

㉠ 할머니께서 방으로 들어오셨다.
㉡ 큰어머니, 그동안 잘 지내셨습니까?

| | 높임의 대상 | 실현 방법 | 높임의 종류 |
|---|---|---|---|
| ㉠ | | | |
| ㉡ | | | |

# 03 시간 표현

## 01

**〈보기〉에 해당하는 예시로 적절한 것은?**

보기

- 사건이 일어난 시점이 말하는 시점보다 앞서 있는 시제
- 선어말 어미를 사용하여 시제를 표현한 문장
- 시간 부사어의 사용이 드러나는 문장

① 그는 어제 시험이 끝났다.
② 오늘은 좋은 일 생길 것 같다.
③ 그렇게 하다가 물을 쏟을 것 같다.
④ 내일부터 학기말 시험이 시작됩니다.
⑤ 비가 오지 않아 농부들이 힘들어 한다.

## 02

**글의 흐름을 고려하여 빈칸에 적절한 말을 순서대로 배열한 것은?**

보기

올 10월은 평년보다 기온이 (높다) 11월이 시작되는 오늘 저녁부터는 비가 내린 후 날씨가 쌀쌀해 (지다). 그동안 (심하다) 미세먼지 농도도 낮아져 내일 아침에는 대기가 깨끗해지고 구름 한 점 없이 하늘이 (맑다) 예정입니다.

① 높아서 / 진다 / 심한 / 맑은
② 높아서 / 집니다 / 심했던 / 맑을
③ 높지만 / 지겠습니다 / 심한 / 맑은
④ 높았지만 / 지겠습니다 / 심한 / 맑은
⑤ 높았지만 / 지겠습니다 / 심했던 / 맑을

## 03

**선어말 어미 '-겠-'의 용법으로 적절하지 않은 것은?**

① 그런 건 삼척동자도 알겠다.(가능성)
② 이번 달까지 성적을 올리겠다.(의지)
③ 그 일을 어떻게 혼자 다 하겠니?(능력)
④ 동생은 혼자 쇼핑을 가겠다고 했다.(의지)
⑤ 지금 우편을 붙이면 내일 도착하겠구나.(의지)

## 04

**〈보기〉에 대한 설명으로 적절하지 않은 것은?**

보기

㉠ 나는 어제 국어 숙제를 끝냈다.
㉡ 나는 지금 국어 숙제를 하고 있다.
㉢ 나는 내일 국어 숙제를 할 것이다.

① ㉠~㉢은 말하는 시점과 사건이 일어난 시점이 시간 표현 종류를 정하는 기준이다.
② ㉠에서 부사어는 시간 표현과 관련이 있다.
③ ㉡에서는 사건이 종결되지 않고 있다.
④ ㉢에서는 관형사형 어미가 시간 표현을 실현하고 있다.
⑤ ㉠~㉢중 말하는 시점보다 먼저 일어난 사건은 ㉢이다.

## 05

〈보기〉의 (가)~(마)에 대한 설명으로 적절하지 않은 것은?

보기

(가) 작년 겨울에 눈이 많이 내렸다.
(나) 나는 내일 숙제를 끝낼 것이다.
(다) 고양이가 지금 잠을 자고 있다.
(라) 그가 맛있는 빵을 다 먹어 버렸다.
(마) 앞마당에서 축제가 펼쳐지고 있다.

① (가): 과거 시제 선어말 어미 '-었-'을 통해 과거 시제를 표현하고 있다.
② (나): 시간을 나타내는 부사어 '내일'과 관형사형 어미 '-(으)ㄹ'을 활용하여 미래 시제를 표현하고 있다.
③ (다): 시간을 나타내는 부사어 '지금'과 현재 시제 선어말 어미 '-고'를 활용하여 현재 시제를 표현하고 있다.
④ (라): '-어 버리다'를 통해 동작이 완료되었음을 드러내고 있다.
⑤ (마): '-고 있다'를 통해 동작이 진행 중임을 드러내고 있다.

## 06

다음 문장에 사용된 시간 표현에 대한 탐구 내용으로 적절하지 않은 것은?

① 우리 학교는 2주 후에 1차 지필평가를 시행한다.
⇒ '2주 후'라는 표현을 쓴 것으로 보아 '-ㄴ-'이 확정된 미래를 표현하고 있군.
② 비바람이 이렇게 센 걸 보니 올해 농사도 다 지었다.
⇒ '-었-'을 통해 미래의 일에 대한 막연한 추측을 표현하고 있군.
③ 지금쯤 강둑에 아름다운 봄꽃이 다 져버렸겠구나.
⇒ '-겠-'을 사용하여 추측한 내용을 표현하고 있군.
④ 나도 이번에 받는 재난 지원금의 10%는 반드시 기부하겠어.
⇒ '-겠-'은 주체의 의지를 표현하는 기능을 하고 있군.
⑤ 612년에 을지문덕은 살수에서 수나라의 113만 대군을 무찌른다.
⇒ '-ㄴ-'이 과거의 사건을 현장감 있게 제시하고 있군.

## 07

〈보기〉의 ㉠~㉤의 예시로 적절하지 않은 것은?

보기

시간 표현에서 시제는 화자가 말하는 시점을 기준으로 어떤 일이 일어나는 시간을 구분하여 나타내는 표현을 말한다. ㉠**과거 시제**는 사건시가 발화시보다 앞서는 시제이고, ㉡**현재 시제**는 사건시와 발화시가 일치하는 시제이며, ㉢**미래 시제**는 사건시가 발화시보다 나중인 시제이다. 시간 표현에는 동작상이라는 것도 있는데 동작상은 시간의 흐름 속에서 ㉣**동작이 진행되고 있는 것**이나 ㉤**완결된 것**을 표현한다.

① ㉠: 어제 날씨가 오늘보다 추웠다.
② ㉡: 지금은 낙엽이 지는 계절이다.
③ ㉢: 내일 백화점 할인 판매가 시작된다.
④ ㉣: 아침부터 청소를 하고 있다.
⑤ ㉤: 그는 급하게 요리를 하고 있다.

## 08

〈보기1〉를 바탕으로 〈보기2〉의 (가)와 (나)를 분석하시오.

보기1

미래 시제를 나타내는 선어말 어미 '-겠-'은 용언의 어간에 결합하여 말하는 사람의 추측이나 의지, 가능성 등을 표현하기도 한다.

보기2

(가) 지금 시작하면 10시쯤 숙제가 끝나겠다.
(나) 나는 광고 기획자가 되겠다.

| | '-겠-'의 의미 |
|---|---|
| (가) | |
| (나) | |

## 09

**〈보기〉의 시제와 동작상을 분석하시오.**

보기

(가) 1학년 아이들이 점심을 먹고 있다.
(나) 1학년 아이들이 점심을 모두 먹어 버렸다.

| | 시제의 종류 | 동작상의 종류 |
|---|---|---|
| (가) | | |
| (나) | | |

## 10

**〈보기1〉를 바탕으로 〈보기2〉의 문장을 ⓐ~ⓒ로 구분하시오.**

보기1

'-고 있-'은 ⓐ**'어떤 동작이 진행되고 있음'**을 나타내거나 ⓑ**'어떤 상태가 지속되고 있음'**을 나타낸다. ⓐ는 문장의 '-고 있-'을 '-는 중이-'로 교체해도 ⓐ의 의미가 유지되지만, ⓑ의 경우에는 '-고 있-'을 '-는 중이-'로 교체하면 부자연스러운 문장이 되거나 ⓑ의 의미가 유지되지 않는다. 또, 앞뒤 문맥이 충분히 주어지지 않으면 '-고 있-'이 ⓒ**위의 두 가지 의미 모두로 해석될 수 있다**.

보기2

(가) 영희는 안경을 쓰고 있어.
(나) 철수는 지금 피자를 먹고 있어.
(다) 아빠는 네가 한 말을 믿고 있어.

| | '-고 있-'의 의미 |
|---|---|
| (가) | |
| (나) | |
| (다) | |

# 04 모의고사

## 01

**〈보기〉의 밑줄 친 내용에 해당하는 예시로 가장 적절한 것은?**

보기

말하는 이가 듣는 이에게 명령문이나 청유문을 쓰는 경우가 많지만 **평서문이나 의문문도 실질적인 내용은 듣는 이의 행동을 요청하는 경우**가 있다.

① A: 오늘 숙제는 다 했니?
B: 네, 숙제를 끝냈어요.
② A: 오늘까지 시험이지?
B: 네, 2교시까지 하면 끝나요.
③ A: 청소 하느라 고생이 많았다.
B: 방이 깨끗해져서 기분이 좋네요.
④ A: 방이 지저분해서 정신이 없네.
B: 얼른 치울게요.
⑤ A: 어제 낮에는 덥더니 오늘은 추워졌어.
B: 요즘엔 날씨를 예측할 수가 없어요.

## 02

**〈보기〉의 예시로 가장 적절한 것은?**

보기

우리말 문장의 종결 표현은 평서문, 의문문, 명령문, 청유문, 감탄문의 다섯 종류가 있으며 주로 종결 어미를 통해 실현된다. 그런데 경우에 따라서 **동일한 형태의 종결 어미가 둘 이상의 의미를 실현**하기도 한다.

① 키가 정말 크다.
날씨가 흐리다.
② 인생은 아름답구나.
청춘이 부럽구나.
③ 쓰고 나서 바로 돌려줄게.
빈자리가 생기면 알려줄게.
④ 재활용을 생활화합시다.
시간을 잘 지킵시다.
⑤ 어서 밥을 먹어라.
그 시절로 돌아가고 싶어라.

## 03

**의문문의 종류를 〈보기〉와 같이 세분화할 때, ㉠~㉢의 예로 적절하지 않은 것은?**

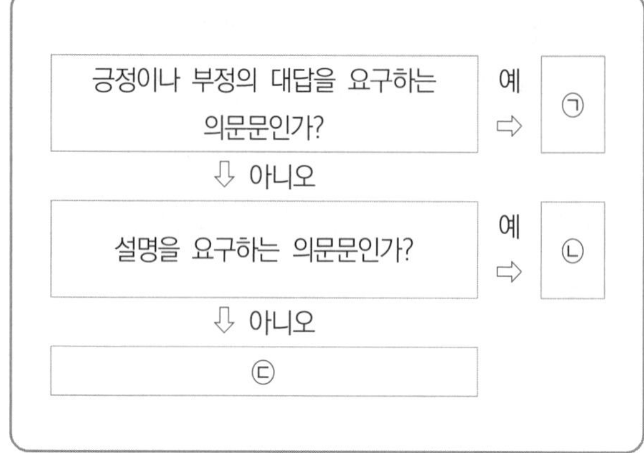


① ㉠: 점심을 먹고 공부했나요?
② ㉡: 크리스마스에 무엇을 할까요?
③ ㉡: 봄방학이 언제부터 없어졌나요?
④ ㉢: 이 일을 누가 맡아서 할까?
⑤ ㉢: 어찌 슬프지 아니한가?

## 04

**의문문의 종류를 〈보기〉와 같이 세분화할 때, ㉠~㉢의 예로 적절하지 않은 것은?**

보기

㉠**말하는 이가 듣는 이에게 같이 행동할 것을 요청**하는 문장 종결 표현은 청유문이다. 청유문은 '-자', '-(으)ㅂ시다', '-세' 등의 종결어미로 실현되는데 이런 종결 어미를 사용하더라도 ㉡**말하는 이의 행동만을 나타내거나**, ㉢**듣는 이의 행동만을 나타내는 경우**가 있다.

① ㉠(금요일에 퇴근하시는 아버지가 전화로) 오늘은 외식하자.
② ㉡(버스 하차벨을 누른 뒤) 좀 내립시다.
③ ㉡(토론에서 상대방의 말이 길어질 때) 저도 말 좀 합시다.
④ ㉢(아픈 아이에게) 자, 약 좀 먹자.
⑤ ㉢(식당에서 떠드는 아이들에게) 나도 밥 좀 먹어 보자.

## 05

〈보기〉의 ㉠과 ㉡을 분석한 내용으로 적절하지 않은 것은?

보기

㉠ (아버지가 아들에게) 할머니께 신문을 갖다 드려라.
㉡ 선생님, 어제 부모님께서 체험 학습을 신청하라고 말씀하셨습니다.

① ㉠은 종결 어미를 사용하여 듣는 이를 낮추고 있군.
② ㉠은 조사를 사용하여 객체인 목적어를 높이고 있군.
③ ㉠은 특수 어휘를 사용하여 서술어의 행위가 미치는 대상을 높이고 있군.
④ ㉡은 종결 어미를 사용하여 듣는 이를 높이고 있군.
⑤ ㉡은 접미사를 사용하여 듣는 이를 높이고 있군.

## 06

다음 문장과 같은 이유로 고쳐 쓰기를 해야 하는 문장은?

보기

선생님이 너 교무실로 오시라셔.

① 원자는 고유의 성질을 띄고 있다.
② 배에 짐이나 사람을 싣고 가야 한다.
③ 키가 큰 그의 친구는 파란 옷을 입었다.
④ 일을 이 지경으로 만든 그를 결코 미워하겠다.
⑤ 문의 사항이 있으면 저에게 여쭈어 봐 주세요.

## 07

〈보기〉의 ㉠~㉤의 예로 적절하지 않은 것은?

보기

현재 시제 선어말 어미 '-는-/-ㄴ-'은 현재 시제를 나타내기도 하지만, ㉠**가까운 미래를 표현**하기도 하고, ㉡**과거의 사건을 현장감 있게 표현**하기도 한다.

과거 시제 선어말 어미 '-았-/-었-'도 과거 시제를 나타내기도 하고, ㉢**미래의 사건을 이미 정해진 사실인 것처럼 표현**할 때에 사용되기도 한다.

미래 시제 선어말 어미 '-겠-'의 경우 미래 시제를 표현하지만, ㉣**추측을 나타내기도** 하고, ㉤**주체의 의지를 나타내거나** 완곡하게 표현할 때도 사용한다.

① ㉠: 한 달 후에 겨울방학이 시작된다.
② ㉡: 993년에 고려의 서희는 거란의 소손녕과 담판을 짓고 강동 6주를 얻는다.
③ ㉢: 방청소를 안 했으니 너는 이제 엄마한테 혼났다.
④ ㉣: 습도가 높은 것을 보니 내일은 비가 오겠다.
⑤ ㉤: 이제 그만 돌아가주시겠어요?

## 08

**밑줄 친 것이 ㉠~㉤의 예시로 적절하지 않은 것은?**

보기

높임법은 화자가 높이려는 대상이 누구인지에 따라 주체 높임법, 상대 높임법, 객체 높임법으로 나눌 수 있다. 주체 높임법은 ㉠**주어가 나타내는 대상인 주체**를 높이는 것이며 상대 높임법은 대화의 상대인 ㉡**청자**를 높이거나 낮추는 것이고, 객체 높임법은 문장의 목적어나 부사어가 나타내는 대상인 ㉢**객체**를 높이는 것이다. 높임법을 실현할 때에는 ㉣**선어말 어미**나 ㉤**특수 어휘**를 사용하거나 종결 어미를 사용하는 방법, 조사를 사용하는 방법 등이 있다.

① ㉠: 아버지께서 서재로 들어가셨다.
② ㉡: 다가올 미래의 주역은 바로 당신입니다.
③ ㉢: 직원이 손님을 자리로 모시고 갔다.
④ ㉣: 할아버지께서 주무시는 동안 조용히 해.
⑤ ㉤: 나는 할머니께 안부 전화를 드렸다.

## 09

**높임 표현을 분석한 내용으로 적절하지 않은 것은?**

① (친구와 대화하며) 지난 어버이날에 부모님께 직접 쓴 편지를 드렸어.
⇒ 객체인 '부모님'을 높이기 위해 '드렸어'라는 어휘를 사용하고 있다.

② (화가 난 손님에게 점원이) 손님, 화가 나시겠지만 먼저 제 말씀을 좀 들어보세요.
⇒ 주체인 '점원'을 높이기 위해 '말씀'을 사용하고 있다.

③ (세계적인 영화제에서 수상 소감을 하며) 오늘의 이 영광은 모두 여러분 덕분입니다.
⇒ 상대방인 '여러분'을 높이기 위해 '-ㅂ니다'를 사용하고 있다.

④ (강연회에 온 작가를 소개하며) 오늘 강연회에 000 작가님을 모시게 되었습니다.
⇒ 객체인 '작가님'을 높이기 위해 '모시게'를 사용하고 있다.

⑤ (할아버지와 통화를 마친 아들에게) 할아버지께서 진지는 드셨다고 하시니?
⇒ 주체인 '할아버지'를 높이려고 '진지'와 '드셨다'를 사용하고 있다.

## 10

**〈보기〉를 참고하여 ㉠을 분석할 때 적절한 것은?**

보기

주체 높임은 서술의 주체를 높이는 방법이다. 주체 높임을 실현할 때에는 조사를 이용하거나 주체 높임 선어말 어미를 이용하는 방법, 조사나 특수 어휘를 이용하는 방법 등이 있다. 객체 높임은 서술의 객체에 해당하는 목적어나 부사어가 지시하는 대상을 높이는 것이다. 객체 높임을 실현하는 방법에는 특수한 어휘나 조사를 사용하는 것이 일반적이다.

㉠ 담임 선생님께서 초대 손님을 모시고 축제가 열리는 강당으로 들어 오셨다.

| | 주체 높임 | | | 객체 높임 | |
|---|---|---|---|---|---|
| | 선어말 어미 | 조사 | 특수어휘 | 조사 | 특수어휘 |
| ① | ○ | ○ | ○ | ○ | ○ |
| ② | ○ | ○ | × | ○ | ○ |
| ③ | ○ | ○ | × | × | ○ |
| ④ | × | ○ | ○ | ○ | ○ |
| ⑤ | × | ○ | ○ | × | ○ |

## 11

**〈보기1〉의 설명을 바탕으로 〈보기2〉를 분석할 때 적절하지 않은 것은?**

**보기1**

주체 높임은 서술의 주체를 높이는 방법인데 주로 주체 높임 선어말 어미를 사용하거나 조사, 특수 어휘 등을 사용한다. 상대 높임은 말하는 이가 듣는 이를 높이거나 낮추어 말하는 방법이다. 상대 높임은 주로 종결 표현을 통해 실현되며 공식적인 상황에서 사용하는 격식체와 사적인 자리에서 사용하는 비격식체로 나눌 수 있다.

| 격식체 | | | | 비격식체 | |
|---|---|---|---|---|---|
| 하십시오체 | 하오체 | 하게체 | 해라체 | 해요체 | 해체 |
| 합니다 | 하오 | 하네 | 한다 | 해요 | 해 |

객체 높임은 서술의 객체에 해당하는 목적어나 부사어가 지시하는 대상을 높이는 것이다. 객체 높임을 실현하는 방법에는 특수한 어휘나 조사를 사용하는 것이 일반적이다.

**보기2**

아버지: ㉠**철수야, 할아버지 어디 계시니**?
철수: ㉡**조금 전에 방에 계셨는데 안 보이세요**?
아버지: ㉢**할아버지께 드릴 말씀이 있는데 안 보이시네**. ㉣**어머니께서 혹시 알고 계신지 여쭤 보아라**.
철수: 네, ㉤**제가 지금 찾아볼게요**.

① ㉠: 주체인 '할아버지'를 높이기 위해 특수 어휘인 '계시다'를 사용하고 있다.
② ㉡: 청자를 높이기 위해 비격식체인 '해요체'를 사용하고 있다.
③ ㉢: 주체인 '할아버지'를 높이기 위해 특수 어휘인 '드릴'을 사용하고 있다.
④ ㉣: 객체인 '어머니'를 높이기 위해 특수 어휘를 사용하고 있다.
⑤ ㉤: 청자와 화자가 공식적인 관계라면 종결 어미를 '찾아보겠습니다'로 바꿀 수 있다.

## 12

**〈보기〉는 높임 표현을 정리한 자료이다. 학생들의 반응으로 적절하지 않은 것은?**

**보기**

우리말 높임 표현은 다음 표와 같이 정리를 할 수 있다.

| 종류 | 실현방식 |
|---|---|
| 주체 높임 | 서술의 주체, 즉 문장의 목적어나 부사어를 높임<br>선어말 어미 '-(으)시-'를 사용<br>조사 '께서' 사용<br>주체 높임 특수 어휘 사용<br>주체와 관련된 것을 높이는 간접높임도 있음 |
| 상대 높임 | 대화의 상대, 즉 듣는 이를 높이거나 낮춤<br>종결어미 '-습니다', '-다', '-(으)십시오', '(아/어)라' 등을 사용 |
| 객체 높임 | 목적어나 부사어 즉 문장의 객체를 높임<br>조사 '께서' 사용<br>객체 높임 특수 어휘 사용 |

① 어머니는 자식에 대해 걱정이 많으시다.
⇒ '많으시다'는 '걱정'을 높이고 있으므로 주체와 관련된 것을 높이는 간접 높임이군.

② 아버지께서 할머니를 모시고 고향에 가셨다.
⇒ '아버지'는 주체이고 '할머니'는 객체이라고 할 수 있군.

③ 언니가 동생에게 필기구를 빌려 주었다.
⇒ 부사어인 '동생'이 '언니'보다 나이가 적어서 객체 높임을 사용하지 않았군.

④ 할아버지께서 불고기를 잡수시면서 어머니 칭찬을 하셨다.
⇒ '잡수시면서'는 객체인 '할아버지'를 높이는 역할을 한다고 볼 수 있군.

⑤ 어머니께 혼이 난 나는 '앞으로 잘 하겠습니다'라고 대답했다.
⇒ '나'는 대화 상대인 '어머니'를 높이려고 '-습니다'라는 종결 어미를 사용하고 있군.

## 13

**〈보기〉를 바탕으로 ㉠~㉤을 분석할 때 적절하지 <u>않은</u> 것은?**

보기

우리말은 조사와 어미가 발달했다는 특징이 있다. 조사와 어미는 높임 표현을 실현하는데 사용되는데 주체 높임에는 선어말 어미와 조사, 객체 높임에서는 조사, 상대 높임에서는 종결 어미를 활용하여 높임 표현을 실현한다.

㉠ 아버지, 지금 다녀오셨어요?
㉡ 선생님께서 시험이 어렵다고 말씀하셨다.
㉢ 철수야, 선생님께 드릴 서류를 가지고 가.
㉣ 엄마, 할머니께서 허리가 아프다고 하셨어요.
㉤ 지금 OO미술관에서는 단원 김홍도 전시회가 열리고 있습니다.

① ㉠: [상대높임+], [종결 어미+]
② ㉡: [주체높임+], [선어말어미+], [조사+]
③ ㉢: [상대높임+], [객체높임+], [종결 어미+], [조사+]
④ ㉣: [주체높임+], [객체높임+], [조사+], [선어말어미+]
⑤ ㉤: [상대높임+], [종결어미+]

## 14

**〈보기1〉의 밑줄 친 것과 관련이 있는 것을 〈보기2〉에서 찾을 때 적절한 것은?**

보기1

동작상에는 어떤 동작이 계속 이어져 가는 것을 나타내는 진행상와 동작이 끝났거나 끝난 상태가 지속되는 완료상이 있는데 어떤 문장은 <u>**두 가지 의미로 모두 해석**</u>되기도 한다.

보기2

㉠ 영희가 장갑을 <u>**끼고 있다**</u>.
㉡ 그녀가 안경을 <u>**쓰고 있다**</u>.
㉢ 철수가 자전거를 <u>**타고 있다**</u>.
㉣ 나는 할 일을 미리 <u>**끝내 버렸다**</u>.
㉤ 그 사람이 넥타이를 <u>**매는 중이다**</u>.

① ㉠, ㉡
② ㉠, ㉡, ㉢
③ ㉡, ㉢
④ ㉡, ㉢, ㉣
⑤ ㉡, ㉢, ㉤

## 15

**〈보기〉를 참고하여 ㉠~㉢의 시제를 분석할 때 적절한 것은?**

보기

시간 표현은 발화시와 사건시의 관계에 따라 정해진다. 아래의 그림과 같이 발화시보다 사건이 먼저 일어나면 과거 시제이고, 발화시와 사건시가 일치하면 현재 시제이고, 발화시보다 사건시가 나중에 일어나면 미래 시제이다.

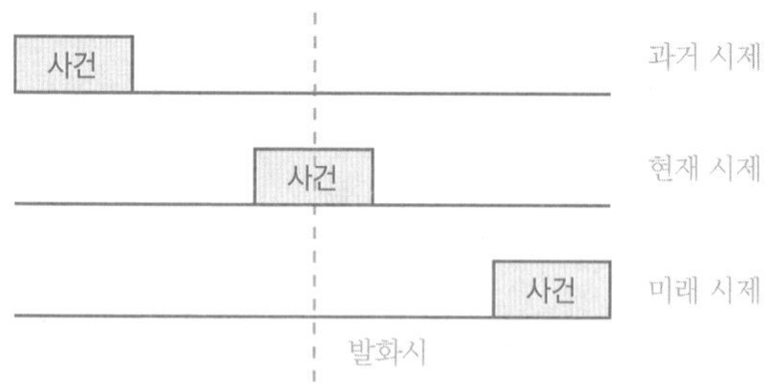


㉠ 우리는 올 겨울에 여행을 갈 것이다.
㉡ 그는 모듬원들과 숙제를 하고 있었다.
㉢ 나는 도서관에서 친구를 만나고 있다.

| | ㉠ | ㉡ | ㉢ |
|---|---|---|---|
| ① | 과거 시제 | 현재 시제 | 미래 시제 |
| ② | 과거 시제 | 미래 시제 | 현재 시제 |
| ③ | 미래 시제 | 과거 시제 | 현재 시제 |
| ④ | 현재 시제 | 과거 시제 | 미래 시제 |
| ⑤ | 현재 시제 | 미래 시제 | 과거 시제 |

## 16

**〈보기〉의 밑줄 친 부분을 바탕으로 시간 표현을 분석할 때 가장 적절한 것은?**

보기

- 그가 춤을 춘 것은 젊을 때의 일이다. 지금은 춤을 추는 일이 없다.
- 철수가 작년에 운 것은 팀의 패배 때문이었다. 하지만 지금 우는 것은 우승의 기쁨 때문이다.

① 동사의 과거 시제와 미래 시제를 나타내는 선어말 어미는 다르다.
② 동사의 현재 시제와 과거 시제를 나타내는 관형사형 어미는 다르다.
③ 형용사의 현재 시제와 과거 시제를 나타내는 관형사형 어미는 다르다.
④ 형용사의 과거 시제와 미래 시제를 나타내는 선어말 어미는 다르다.
⑤ 동사와 형용사는 시제를 나타내는 관형사형 어미가 동일하다.

## 17

**〈보기〉를 바탕으로 시간 표현을 분석할 때 적절하지 않은 것은?**

보기

미래 시제를 실현할 때에는 선어말 어미 '-겠-'을 사용한다. 그런데 '-겠-'이 말하는 사람의 추측이나 가능성, 의지, 완곡한 태도를 나타내는 경우도 있다.

① 지금쯤 시험이 끝났겠지?(추측)
② 동생은 짜장면을 먹겠다고 했다.(의지)
③ 오늘 비가 내려서 차가 막히겠다.(가능성)
④ 잠깐 이곳에 들어가도 되겠습니까?(완곡한 태도)
⑤ 이렇게 열심히 노력하면 대학에 합격하겠군.(추측)

## 18

**〈보기〉는 시간 표현과 관련된 어미의 쓰임을 조사한 것이다. ㉠~㉤의 예로 적절하지 않은 것은?**

보기

㉠ 과거 시제는 선어말 어미 '-았-/-었-'을 사용한다.
㉡ '-았었-/-었었-'은 과거의 사건이 현재와 단절되었을 때 사용한다.
㉢ 동사가 서술어일 때는 현재 시제 선어말 어미 '-는-/-ㄴ-'을 사용한다.
㉣ 과거의 일을 회상할 때는 '-더-'를 사용하기도 한다.
㉤ '-겠-'이 추측, 의지, 가능성, 완곡한 태도 등을 표현하기도 한다.

① ㉠: 그녀는 그 때 시집 읽기를 즐겼다.
② ㉡: 어릴 때는 이곳에 우체국이 있었었다.
③ ㉢: 방학 동안 학습한 분량이 매우 많다.
④ ㉣: 어제 그가 모임에 참석하러 가더라.
⑤ ㉤: 나는 방학동안 공부를 열심히 하겠다.

## 19

**〈보기1〉을 바탕으로 〈보기2〉를 분석할 때 적절한 것은?**

**보기1**

시간 표현에서 시제는 화자가 말하는 시점을 기준으로 어떤 일이 일어나는 시간을 구분하여 나타내는 표현을 말한다. 과거 시제는 사건시가 발화시보다 앞서는 시제이고, 현재 시제는 사건시와 발화시가 일치하는 시제이며, 미래 시제는 사건시가 발화시보다 나중인 시제이다. 시제를 실현하는 방법에는 선어말 어미를 이용하는 것과 관형사형 어미를 이용하는 것이 있다.

**보기2**

그 가게에서 음식을 ㉠**먹은** 사람들이 배탈이 ㉡**났다**는 소문이 돌자 이제는 그 음식점에서 음식을 ㉢**먹는** 사람이 없다. 음식을 만든 사람은 배탈이 난 이유를 모르겠다며 진심으로 사과를 했다.

| | ㉠ | ㉡ | ㉢ |
|---|---|---|---|
| ① | 과거 시제, 관형사형 어미 | 현재 시제, 관형사형 어미 | 미래 시제, 관형사형 어미 |
| ② | 과거 시제, 선어말 어미 | 미래 시제, 선어말 어미 | 현재 시제, 선어말 어미 |
| ③ | 과거 시제, 관형사형 어미 | 과거 시제, 선어말 어미 | 현재 시제, 선어말 어미 |
| ④ | 과거 시제, 관형사형 어미 | 과거 시제, 선어말 어미 | 미래 시제, 선어말 어미 |
| ⑤ | 현재 시제, 선어말 어미 | 현재 시제, 관형사형 어미 | 과거 시제, 선어말 어미 |

## 20

**㉠의 예시로 가장 적절한 것은 ?**

**보기**

선어말 어미 '-았-/ -었-'은 말하는 시점보다 이전에 일어난 사건을 표현할 때 사용하기도 하지만 과거에 일어난 사건의 결과가 현재까지 지속되거나 ㉠**미래의 일을 확정적인 사실로 받아들일 때**도 사용할 수 있다.

① 나는 어제 숙제를 하느라 바빴다.
② 저녁밥으로 보쌈을 만들어 먹었다.
③ 어제는 크리스마스 선물을 사러 갔다.
④ 과제 때문에 오늘 저녁에 잠은 다 잤다.
⑤ 간밤에 내린 비로 강물이 많이 불었다.

# 제4강
## 문장 표현 II

# 01 피동 표현

**[1-2] 다음 사진을 보고 물음에 답하시오.**

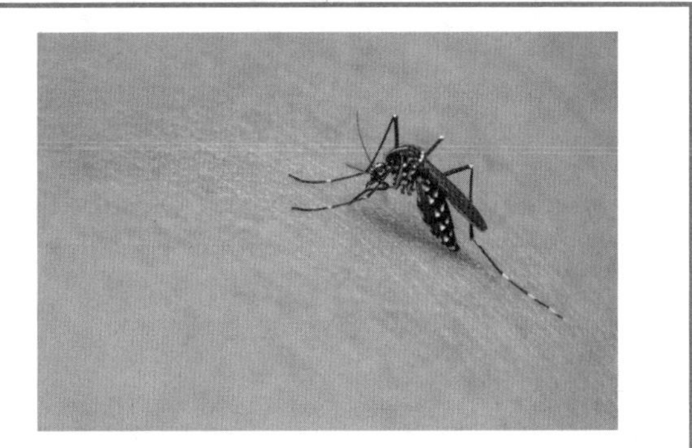

## 01

**위 사진에서 '모기가 초점일 때'와 '팔뚝이 초점일 때'로 나누어 문장을 쓸 때, 어떤 표현이 사용되는지 〈보기〉를 참고하여 ㉠과 ㉡에 적절한 문장을 써 보시오.**

보기

- 고양이가 쥐를 잡았다.
- 쥐가 고양이에게 잡혔다.

| 모기가 초점일 때 | 팔뚝이 초점일 때 |
|---|---|
| ⬇ | ⬇ |
| ㉠ | ㉡ |
| | |

## 02

**1번의 ㉠에서 ㉡으로 문장이 변화하였을 때, 문장 성분에 대한 설명으로 가장 적절한 것은?**

① ㉠의 주어는 ㉡에서 목적어가 된다.
② ㉠의 부사어는 ㉡에서 주어가 된다.
③ ㉠의 목적어는 ㉡에서 부사어가 된다.
④ ㉠의 주어는 그대로 ㉡에서도 주어가 된다.
⑤ ㉠의 서술어는 형태만 달라질 뿐 ㉡에서도 서술어가 된다.

## 03

**〈보기〉와 같은 의도에서 사용된 표현으로 적절하지 않은 것은?**

보기

- 동작의 주체를 모르거나 동작의 주체를 밝히지 않기 위함.
- 동작을 당하는 주어에 초점을 두기 위함.
- 객관적인 느낌을 주거나 책임을 회피하기 위함.

① 내가 살던 집은 어떤 노인에게 팔렸다.
② 발밑에는 옷이 한 무더기 쌓여 있었다.
③ 병뚜껑이 너무 꼭 닫혀서 열 수가 없다.
④ 어머니는 할머니의 머리를 감겨 드렸다.
⑤ 들판이 온통 눈으로 덮인 광경이 장관이었다.

**[4-5] 다음 글을 읽고 물음에 답하시오.**

㉠피동문의 서술어인 피동사는 능동사의 어간에 피동 접미사 '-이-, -히-, -리-, -기-'를 붙여서 만든다. 피동문은 '-되다', ㉡'-어지다', '-게 되다'를 써서도 만들 수 있다.

## 04

**밑줄 친 단어 중, ㉠의 예로 적절하지 않은 것은?**

① 하수구가 막혀 물이 빠지지 않는다.
② 어린 아이가 사람들에게 밀려 넘어졌다.
③ 상을 받은 친구에게 꽃다발을 안겨 주었다.
④ 버스 안에서 웬 여자의 구두 굽에 발이 밟혔다.
⑤ 그의 말이 라디오 소리와 섞여 잘 들리지 않았다.

## 05

〈보기〉의 문장을 ㉡을 써서 피동문으로 만들어 보시오.

보기

오랜 공사를 벌인 끝에 마침내 터널을 만들었다.

[6-7] 다음 문장들을 읽고 물음에 답하시오.

㉠ 눈이 세상을 다 덮었다.

㉡ 세상이 눈에 다 덮였다.

㉢ 세상이 눈에 다 덮어졌다.

## 06

㉠~㉢에 대한 설명으로 적절하지 <u>않은</u> 것은?

① ㉠은 눈이 스스로의 힘으로 온 세상을 덮은 것이다.
② ㉠과 달리 ㉡은 문장 성분의 위치와 역할이 다르다.
③ ㉡과 달리 ㉢은 주어가 스스로의 힘으로 동작을 한 것이 아니다.
④ ㉡과 ㉢에서 서술어의 형태는 다르지만 문장의 의미는 같다.
⑤ ㉠~㉢은 모두 눈이 내려 온 세상을 덮은 상황을 표현하고 있다.

## 07

㉠~㉢에 사용된 문장 성분에 대한 설명으로 적절하지 <u>않은</u> 것은?

① ㉠의 주어는 ㉡에서 부사어가 되었다.
② ㉠의 목적어는 ㉢에서 주어가 되었다.
③ ㉠과 달리 ㉡은 서술어가 필요로 하는 문장 성분이 한 개이다.
④ ㉡과 ㉢에서 서술어가 문장에서 꼭 필요로 하는 문장 성분의 개수는 동일하다.
⑤ ㉠에서 ㉡으로 바뀔 때 변화가 없는 문장 성분은 모두 두 개다.

[8-9] 다음 뉴스 보도문을 읽고 물음에 답하시오.

연말을 앞두고 있는 국내 증시는 잇따른 악재로 하락세를 유지할 것으로 예상됩니다. 지난 달 20일에 기록했던 올해 최저점은 지켜질 것이라는 전망이 많지만 그 부근까지 하락할 가능성에 대비해야 할 것으로 보입니다.

## 08

윗글에서 피동 표현을 모두 찾았을 때, 그 개수로 맞는 것은?

① 1개 ② 2개 ③ 3개
④ 4개 ⑤ 5개

## 09

위와 같은 뉴스 보도에서 피동 표현이 빈번하게 사용되는 이유를 〈조건〉에 맞춰 서술하시오.

조건

- 이유를 2가지 이상 쓸 것.
- 서술은 "~고자 함."으로 끝맺을 것.

## 10

다음 문장의 표현이 자연스러운 것은?

① 열려져 있는 창문으로 모기가 들어온다.
② 이 문제는 어려운 문제라서 잘 풀리지 않는다.
③ 저 투수가 이번에는 바깥 쪽 공을 던질 것으로 보여집니다.
④ 이재민을 돕기 위해 모은 돈이 알맞게 쓰여졌는지 확인해 보았다.
⑤ 진정한 다문화 사회로 들어서기 위해서는 먼저 사람들의 의식이 바뀌어져야 한다.

# 02 사동 표현

## 01

〈보기〉의 문장에 대한 설명으로 적절하지 않은 것은?

보기

㉠ 학생들은 허름한 옷을 입고 등교했다.
㉡ 학부모들은 학생들에게 허름한 옷을 입혀서 등교하게 했다.

① ㉠은 '학생들'의 행동에 초점이 맞추어져 있다.
② ㉡은 '학부모들'의 행동에 초점이 맞추어져 있다.
③ ㉠과 달리 ㉡은 안은 문장과 이어진 문장이 함께 나타난 문장이다.
④ ㉡의 '입혀서'는 ㉠의 '입고'와 달리 중의적인 의미를 지니고 있다.
⑤ ㉡은 파생적 사동문과 통사적 사동문이 결합된 문장이다.

## 02

〈보기〉의 문장에서 '소개'의 사전 풀이를 참고하여 괄호 안에서 더 적절한 말을 찾고, 그 이유를 설명해 보시오.

보기

토론에 앞서 신입 부원을 여러분께 ( 소개하겠습니다 / 소개시키겠습니다 ).

※ 소개(紹介): 서로 모르는 사람들 사이에서 양편이 알고 지내도록 관계를 맺어 줌.

## 03

다음 중, 문장의 표현이 자연스럽지 않은 것은?

① 그 반도체 회사는 전기가 끊겨 공장을 돌릴 수 없었다.
② 그는 다른 사람이 듣지 못하도록 목소리를 낮추어 말했다.
③ 그 역사학과 교수는 세계 여러 나라를 돌면서 견문을 넓혔다.
④ 실내를 환기시키지 않아 생선 구운 냄새가 방 안에 가득 차 있다.
⑤ 그녀는 학부모 상담을 위해 방과 후에는 시간을 항상 비워 둔다.

**[4~5] 다음 글을 읽고 물음에 답하시오.**

㉠사동문의 서술어인 사동사는 주동사의 어간에 사동 접미사 '-이-, -히-, -리-, -기-, -우-, -구-, -추-'를 붙여서 만든다. 사동문은 '-시키다', ㉡'-게 하다'를 써서도 만들 수 있다.

## 04

밑줄 친 단어 중, ㉠의 예로 적절하지 않은 것은?

① 어머니는 배추를 소금물에 절이셨다.
② 젖은 치맛자락이 맨살에 감기는 듯하다.
③ 학생들에게는 주로 셰익스피어를 읽히곤 했지요.
④ 어머니는 주무시고 있는 아버지를 흔들어 깨웠다.
⑤ 엄마는 우는 아이의 입 속에 사탕을 물리고 달랬다.

## 05

〈보기〉의 문장을 ㉡을 써서 사동문으로 만들어 보시오.

보기

이번 임무는 내가 직접 맡는다.
➜ 선생님이 (                    )

## 06

**〈보기〉의 문장에 대한 설명으로 가장 적절한 것은?**

보기

㉠ 활짝 핀 꽃을 보니 기쁨을 느낀다.
㉡ 활짝 핀 꽃이 기쁨을 느끼게 한다.

① ㉠에서 앞 절과 뒤 절의 주어는 다르다.
② ㉠은 명사절을 안은 문장과 이어진 문장이 결합되어 있다.
③ ㉡에서는 주체의 행동이 미치는 대상은 '활짝 핀 꽃'이다.
④ ㉠의 서술어인 '느낀다'와 ㉡의 서술어인 '느끼게 한다'는 모두 두 자리 서술어이다.
⑤ ㉠에서 뒤 절의 목적어는 ㉡에서 변함이 없지만, ㉠에서 앞 절의 목적어는 ㉡에서 주어로 바뀌었다.

## 07

**〈보기〉에서 ㉠이 ㉡으로 바뀔 때 변화된 것에 대한 설명으로 적절하지 않은 것은?**

보기

㉠ 의자의 높이가 낮다.
㉡ 나는 의자의 높이를 낮추었다.

① ㉠의 주어가 ㉡에서 목적어로 바뀌었다.
② ㉠에 없던 새로운 주어가 ㉡에 나타난다.
③ ㉠의 서술어는 형용사이고, ㉡의 서술어는 동사이다.
④ ㉡의 서술어가 꼭 필요로 하는 문장 성분은 ㉠과 달리 세 개다.
⑤ ㉡의 서술어는 ㉠의 서술어에 접미사 '-추-'가 결합하여 만들어졌다.

## 08

**〈보기〉의 문장에 대한 설명으로 적절한 것은?**

보기

아빠가 칭얼거리는 아기를 겨우 재워 놓았다.

① 명사절이 포함된 안은 문장이다.
② '재워 놓았다'의 대상은 '아빠'이다.
③ 문장 전체의 서술어는 세 자리 서술어이다.
④ '아기를'은 주동문에서 그대로 목적어가 된다.
⑤ '재워'는 접미사 두 개가 들어 있는 사동사이다.

## 09

**〈보기〉의 문장에 대한 설명으로 적절하지 않은 것은?**

보기

㉠ 선생님은 자는 학생을 깨웠다.
㉡ 그 배우는 많은 관객을 웃기고 울렸다.

① ㉠은 안은 문장이고, ㉡은 이어진 문장이다.
② ㉠과 달리 ㉡에는 사동사가 두 개다.
③ ㉠은 ㉡과 달리 주동문으로 바꿀 수 없다.
④ ㉠과 ㉡의 서술어는 모두 두 자리 서술어이다.
⑤ ㉠과 ㉡에 사용된 사동사는 모두 용언의 어간에 접미사를 붙여서 만든 것이다.

## 10

**〈보기〉의 문장으로 만들 수 있는 사동문을 모두 만들어 보시오.**

보기

그 국회의원은 뇌물수수 혐의로 사퇴했다.
→ 국회는 (                    )

# 03 부정 표현

[1-2] 다음 문장들을 보고 물음에 답하시오.

> ㉠ 지호는 학원에 가기 싫어서 가지 (않았다 / 못했다).
>
> ㉡ 어젯밤에 차가 끊겨서 고향에 가지 (못했다 / 말았다).
>
> ㉢ 그녀를 무척 만나고 싶었지만, 나는 만나지 (않기 / 못하기)로 했다.

## 01

**㉠~㉢의 괄호 안에서 알맞은 말을 골라 순서대로 묶어 놓은 것은?**

① 않았다, 말았다, 않기
② 못했다, 못했다, 못하기
③ 못했다, 말았다, 않기
④ 않았다, 못했다, 못하기
⑤ 않았다, 못했다, 않기

## 02

**㉠~㉢의 괄호 안에서 알맞은 말을 골랐다고 가정할 때, 〈보기〉의 밑줄 친 경우에 해당하는 것을 있는 대로 고른 것은?**

보기

> 우리말에서 '안' 부정문은 단순 부정이나 주체의 의지에 의한 부정을 나타내고 '못' 부정문은 주체의 능력 부족이나 **외부의 원인에 의한 불가능**을 나타낸다.

① ㉠ ② ㉡ ③ ㉢
④ ㉠, ㉢ ⑤ ㉡, ㉢

[3-5] 다음 대화를 읽고 물음에 답하시오.

> 선생님: 어제 문제 풀이 숙제 내 준 것 해왔니?
>
> 학생: 아니요. ㉠**다 못 풀었어요**.
>
> 선생님: 1번부터 5번까지 하나도 못 풀었단 말이니?
>
> 학생: 하나도 못 푼 것은 아니고, 1번 문제는 풀어 왔어요.

## 03

**윗글에서 학생의 말을 선생님이 오해하게 된 이유로 가장 적절한 것은?**

① 학생의 대답이 중의적으로 해석될 수 있기 때문에
② 학생이 문제를 한 문제도 풀어 오지 않았기 때문에
③ 학생이 선생님이 숙제를 내줬다는 사실을 모르기 때문에
④ 학생이 다섯 문제 중 한 문제밖에 풀어 오지 않았기 때문에
⑤ 학생의 대답이 선생님에게 예의에서 벗어난 것처럼 보였기 때문에

## 04

**위 대화에 사용된 부정문의 공통점으로 가장 적절한 것은?**

① 단순 부정을 나타내는 짧은 부정문이다.
② 주체의 능력 부족을 나타내는 짧은 부정문이다.
③ 주체 의지에 의한 부정을 나타내는 긴 부정문이다.
④ 주체 의지에 의한 부정을 나타내는 짧은 부정문이다.
⑤ 외부 원인에 의한 불가능을 나타내는 짧은 부정문이다.

## 05

**선생님이 학생의 대답(㉠)에 대해 조언을 했다고 가정할 때, 〈보기〉의 빈칸에 알맞은 말을 쓰시오.**

> 보기
>
> 그렇게 말하면 두 가지 이상의 의미를 가질 수 있으니까 (　　　　　　　　　　)(이)라고 말했어야지.

**[6-7] 다음 문장들을 읽고 물음에 답하시오.**

> ㉠ 사과가 안 익은 것 같아서 <u>안</u> 먹는다.
>
> ㉡ 어제부터 이가 아파서 음식을 <u>못</u> 먹는다.

## 06

**㉠과 ㉡에서 밑줄 친 '안'과 '못'에 대한 설명으로 적절하지 <u>않은</u> 것은?**

① ㉠에서 화자가 '사과'를 '안' 먹은 것은 화자의 의지 때문이다.
② ㉡에서 화자가 '사과'를 '못' 먹는 것은 외부의 원인 때문이다.
③ ㉠과 달리 ㉡에는 화자가 '못' 먹는 이유가 나타나 있다.
④ ㉠과 ㉡에서처럼 어떤 부정 표현을 사용하느냐에 따라 의미상 차이가 드러난다.
⑤ ㉠의 '안'은 '못'으로, ㉡의 '못'은 '안'으로 바꿀 수도 있다.

## 07

**㉠의 문장을 긴 부정문으로 바꾸어 써 보시오.**

## 08

**다음 부정 표현에 대한 설명으로 적절하지 <u>않은</u> 것은?**

① '안'과 '못' 부정문은 평서문과 의문문에만 쓰인다.
② 형용사가 서술어로 쓰일 때는 '못' 부정문을 안 쓰는 것이 원칙이다.
③ '못'은 '못 가려고'에서처럼 의도를 뜻하는 어미와는 함께 쓰지 못한다.
④ '짓밟지 않다'에서처럼 서술어인 용언이 파생어이면 대체로 긴 부정문이 어울린다.
⑤ '체언+하다'로 된 동사가 서술어로 쓰일 때 부정문은 '체언+안+하다'의 형태로 쓰인다.

**[9-10] 다음 문장들을 읽고 물음에 답하시오.**

> ㉠ 로제를 만났다.　　　㉡ 로제를 만났니?
>
> ㉢ 로제를 만나라.　　　㉣ 로제를 만나자.
>
> ㉤ 로제를 만나는구나!

## 09

**㉠~㉤을 '안' 부정문으로 만들 때, '안' 부정문이 만들어지지 <u>않는</u> 것을 있는 대로 고른 것은?(단, 부정문은 모두 짧은 부정문으로 만든다.)**

① ㉠, ㉡　　② ㉠, ㉤　　③ ㉡, ㉢
④ ㉢, ㉣　　⑤ ㉣, ㉤

## 10

**㉠~㉤에서 '안' 부정문이 만들어지지 않는 문장을 <u>쓰고</u>, 그 문장의 부정문은 어떻게 만들 수 있는지 서술하시오.**

# 04 모의고사

## 01

**〈보기〉의 ㉠~㉣에 들어갈 말을 순서대로 묶어 놓은 것은?**

보기

- 주어 스스로 행동하는 것을 ( ㉠ )이라 하고, 남에게 하게 시키거나 힘을 미치는 것을 ( ㉡ )이라 한다.
- 주어가 제힘으로 행동을 하는 것을 ( ㉢ )이라 하고, 남의 행동을 입는 것을 ( ㉣ )이라 한다.

① 주동-사동-능동-피동
② 능동-사동-주동-피동
③ 주동-피동-능동-사동
④ 능동-피동-주동-사동
⑤ 주동-능동-사동-피동

## 02

**다음 주동사를 사동사로 만드는 데 쓰이는 접미사가 바르게 연결되지 않은 것은?**

| | 주동사 | 사동사 | 접미사 |
|---|---|---|---|
| ① | 숨다 | | -기- |
| ② | 넓다 | | -히- |
| ③ | 돌다 | | -리- |
| ④ | 비다 | | -우- |
| ⑤ | 낮다 | | -이- |

## 03

**〈보기〉의 빈칸에 들어갈 말로 적절한 것은?**

보기

일기 예보에서 자주 볼 수 있는 '날씨가 흐려지다.'와 같은 표현을 예로 들어 보자. 날씨를 조절하는 신과 같은 존재를 생각하지 않는다면 누가 날씨를 흐리게 만들었는지 알 수 없다. 그리고 '사실이 알려지다.'에서는 누가 사실을 알린 것인지 알 수 없다. 이렇듯 (　　　　)에는 피동 표현을 쓰는 것이 효과적이다.

① 행동의 주체를 강조하고 싶을 때
② 동작의 대상을 강조하고 싶을 때
③ 동작의 주체는 알지만 밝히지 않으려 할 때
④ 동작이 일어나게 한 사람을 알 수 없거나 밝힐 필요가 없을 때
⑤ 사건의 결과가 외적인 원인에 의해 발생한 것임을 나타내고 싶을 때

## 04

**〈보기〉의 ㉠~㉣에 대한 설명으로 적절하지 않은 것은?**

보기

㉠ 포수 열 명이 모두 토끼 한 마리를 잡았다.
㉡ 토끼 한 마리가 포수 열 명에게 잡혔다.
㉢ 민서는 그 문제를 풀 수 없다.
㉣ 그 문제는 민서에게 풀릴 수 없다.

① ㉠과 ㉢은 모두 능동문에 해당한다.
② ㉡과 ㉣은 모두 피동문에 해당한다.
③ ㉠은 ㉡과 달리 중의적인 의미로 해석된다.
④ ㉢과 ㉣은 능력 부정을 나타내는 것으로 해석된다.
⑤ ㉠과 ㉢의 목적어는 ㉡과 ㉣에서 주어로 바뀐다.

## 05

**〈보기〉의 ㉠~㉡에 대한 설명으로 적절하지 않은 것은?**

보기

- 이 수석, 보기에는 무거워 보이는데 의외로 쉽게 ㉠ 들려서 이상해요.
- 내 후배가 고향에 간다는데 후배 편에 그 수석을 ㉡ 들려서 보내면 될 것 같아요.

① ㉠은 피동사이고, ㉡은 사동사이다.
② ㉠은 ㉡과 달리 두 자리 서술어이다.
③ ㉡은 ㉠과 달리 목적어를 필요로 한다.
④ ㉠과 ㉡의 기본형은 모두 하나의 단어로 인정하여 사전에 등재된다.
⑤ ㉠과 ㉡은 모두 용언의 어간에 접미사가 붙어 만들어진 것이다.

### [6-8] 다음 글을 읽고 물음에 답하시오.

낮에는 제법 더위를 느끼게 하는 게 이제 정말 여름이 시작되었구나 하는 생각이 드는데요. 오늘의 날씨를 말씀드리겠습니다. 오늘은 전국이 흐린 가운데 차차 비가 오겠습니다. 이 비는 여름을 재촉하는 비가 될 것으로 보입니다. 남부 지방에서는 오후 늦게부터, 중부 지방도 밤부터는 차차 비가 내리겠습니다.

이 비가 그치고 난 뒤 내일부터는 기온이 조금 더 오를 것입니다. 중부 내륙 지방에는 지역에 따라 30도를 웃도는 곳도 있을 것으로 예상됩니다.

현재 우리나라는 기압골의 영향을 받아 전국적으로 구름으로 덮여 있습니다. 오늘 낮 기온은 서울이 20도, 전주 21도, 대구 22도 정도로 어제와 비슷하거나 조금 높을 것입니다.

## 06

**윗글에서 〈보기〉의 ㉠과 ㉡이 실현된 개수를 순서대로 묶어 놓은 것은?**

보기

㉠**사동**은 동사나 형용사에 사동 접미사가 붙어 만들어진 사동사에 의해서 실현되기도 하고, '-시키다', '-게 하다'와 같은 사동 표현에 의해 실현되기도 한다.

㉡**피동**은 동사에 피동 접미사가 붙어 만들어진 피동사에 의해서 실현되거나 '-되다', '-어지다', '-게 되다'와 같은 피동 표현에 의해 실현된다.

① ㉠-1개, ㉡-2개
② ㉠-1개, ㉡-3개
③ ㉠-1개, ㉡-4개
④ ㉠-2개, ㉡-2개
⑤ ㉠-2개, ㉡-3개

## 07

**윗글에서 첫 번째로 나오는 사동문과 마지막으로 나오는 피동문에서 사동 표현과 피동 표현으로 사용된 서술어가 문장에서 꼭 필요로 하는 문장 성분의 개수를 순서대로 묶어 놓은 것은?**

① 2개, 1개
② 2개, 2개
③ 3개, 1개
④ 3개, 2개
⑤ 3개, 3개

## 08

**윗글에서 '피동 표현'을 사용한 이유로 적절하지 않은 것은?**

① 동작의 주체를 모르기 때문에
② 동작의 주체를 밝히지 않기 위해서
③ 동작을 당하는 주어에 초점을 두기 위해서
④ 객관적인 느낌을 주거나 책임을 회피하기 위해서
⑤ 사건의 결과가 외적인 원인에 의해 발생한 것임을 나타내기 위해서

## 09

〈보기〉의 예처럼 쓰이는 상황에 따라 피동사도 되고 사동사도 되는 단어가 아닌 것은?

보기

- 단어: 안기다
- 피동문: 아이가 엄마를 보자 한걸음에 달려가 **안겼다**.
- 사동문: 산타 할아버지가 아이들에게 선물을 한 아름 **안겼다**.

① 잡히다　② 업히다　③ 물리다
④ 웃기다　⑤ 빨리다

## 10

〈보기〉의 ㉠과 ㉡에 대한 설명으로 적절한 것은?

보기

㉠ 이번 작전은 1중대장이 맡았다.
㉡ 대대장님은 이번 작전은 1중대장에게 맡겼다.

① ㉠의 주어는 ㉡에서도 변함없이 주어가 된다.
② ㉡에서는 없던 주어가 생겨서 주어가 두 개가 된다.
③ ㉠의 목적어는 ㉡에서 부사어가 된다.
④ ㉡의 서술어는 ㉠의 서술어의 어간에 접미사가 붙어서 만들어진다.
⑤ ㉠과 ㉡의 서술어는 모두 두 자리 서술어이다.

## 11

〈보기〉의 ㉠과 ㉡에 대한 설명으로 적절하지 않은 것은?

보기

㉠ 그녀는 보석 반지를 나에게 보여 주었다.
㉡ 멀리 건물 사이로 하늘이 보인다.

① ㉠의 '보여'는 사동 표현이다.
② ㉡의 '보인다'는 피동 표현이다.
③ ㉠과 ㉡은 동일한 형태로 사전에 등재된다.
④ ㉠의 '보여'는 ㉡의 '보인다'와 달리 두 자리 서술어이다.
⑤ ㉡의 '보인다'는 ㉠의 '보여'와 마찬가지로 어간에 접미사가 붙어 만들어진 것이다.

## 12

〈보기〉의 ㉠에 해당하는 예로 적절한 것은?

보기

주어가 스스로 행동하지 않고 다른 주체에 의해 어떤 동작을 당하거나 영향을 받는 것을 피동이라고 한다. 능동사의 어근에 피동 접미사 '-이-, -히-, -리-, -기-'를 붙여서 만든 것을 짧은 피동이라 하고, '-아/-어지다'와 같은 표현을 사용하여 만든 것을 긴 피동이라 한다. 그런데 ㉠**일부 능동사의 어근에는 피동 접미사가 결합하지 못하여 짧은 피동을 만들 수 없는 경우**도 있다.

① 물고기가 낚싯줄을 끊었다.
② 수민이가 아기의 볼을 만졌다.
③ 영은이가 오빠의 이름을 불렀다.
④ 아버지가 배추와 무를 땅에 묻었다.
⑤ 어머니가 김장김치를 김치통에 담았다.

**[13-15] 다음 글을 읽고 물음에 답하시오.**

옛날 어느 마을에 목에 커다란 혹을 달고 있는 영감님이 있었습니다. ㉠**마을 사람들은 영감님을 '혹부리 영감'이라고 불렀습니다**. 하루는 영감님이 산에 나무를 하러 갔는데 날이 금세 어두워지는 바람에 ㉡**산에서 내려오지 못했습니다**. 잘 곳을 찾다가 마침 빈집을 보았습니다. 빈집에 누워 있던 영감님은 무서움을 떨치려고 노래를 불렀는데 ㉢**그 노랫소리를 도깨비들이 들었습니다**. 도깨비들이 영감님 앞에 나타나 그 노랫소리가 어디서 나는 것이냐고 물으니, 영감님은 혹에서 나온다고 대답해 버렸습니다. 그러자 ㉣**도깨비들은 영감님에게 속아** 혹을 팔라면서 보물을 내놓았습니다. 영감님은 걱정거리였던 혹을 팔고 행복하게 살았답니다.

## 13

**㉠을 피동문으로 바꾸었다고 할 때, 변화된 내용에 대한 설명으로 적절하지 않은 것은?**

① ㉠의 주어는 피동문에서 부사어가 된다.
② ㉠의 목적어는 피동문에서 주어로 바뀐다.
③ ㉠의 부사어는 피동문에서도 바뀌지 않는다.
④ ㉠의 문장에서 서술어는 세 자리 서술어이다.
⑤ ㉠의 피동문에서 서술어는 두 자리 서술어가 된다.

## 14

**㉡에 대한 설명으로 적절하지 않은 것은?**

① '못하다'를 사용하여 표현한 긴 부정문이다.
② 짧은 부정문으로 바꾸면 문장의 의미가 달라진다.
③ 명령문으로 바꿀 때 '못' 부정문을 사용할 수 없다.
④ '안'을 사용한 부정문으로 바꿀 때 의미가 달라진다.
⑤ '영감님'이 산에서 내려오지 못한 것은 외부의 원인 때문이다.

## 15

**㉢과 ㉣에 대한 설명으로 가장 적절한 것은?**

① ㉢을 사동문으로 바꾸면 원래의 표현보다 자연스러워진다.
② ㉣을 사동문으로 바꿀 경우 원래 표현과 달리 '영감님'의 의도가 강해진다.
③ ㉢의 서술어는 ㉣과 달리 두 자리 서술어이다.
④ ㉢은 파생적 사동문으로는 바꿀 수 있지만 통사적 사동문으로는 바꿀 수 없다.
⑤ ㉣을 사동문으로 바꾸면 원래 없던 새로운 주어가 나타난다.

## 16

**〈보기〉의 ㉠~㉣에 들어갈 문장으로 바르게 연결된 것은?**

보기

국어 사동문은 주어의 직접적인 행위를 나타낼 수도 있고, 주어의 간접적인 행위를 나타낼 수도 있다. (㉠)와 같이 주어의 직접적인 행위와 간접적인 행위를 모두 나타내는 경우도 있고, (㉡)와 같이 주어의 간접적인 행위만을 나타내는 경우도 있다.

한편, 부정문은 (㉢)와 같이 단순 부정 혹은 의지 부정을 뜻하는 문장이 있고, (㉣)와 같이 능력 부정을 뜻하는 경우가 있다.

(a) 아이가 밥을 먹었다.
(b) 엄마가 아이에게 밥을 먹였다.
(c) 엄마가 아이에게 밥을 먹게 했다.
(d) 주희는 수영을 잘 하지 않았다.
(e) 주희는 수영을 잘 하지 못했다.

| | ㉠ | ㉡ | ㉢ | ㉣ |
|---|---|---|---|---|
| ① | (a) | (c) | (d) | (e) |
| ② | (b) | (c) | (d) | (e) |
| ③ | (b) | (c) | (e) | (d) |
| ④ | (c) | (b) | (d) | (e) |
| ⑤ | (c) | (b) | (e) | (d) |

## 17

**다음 중 우리말 표현이 가장 적절한 것은?**

① 나는 이렇게 생각되어진다.
② 왜색 문화는 극복되어야 된다.
③ 물건값은 5만 원이 되겠습니다.
④ 나에게 거짓말을 해서는 안 된다.
⑤ 무료로 교육시켜 드립니다.(위탁교육이 아님)

### [18-19] 다음 대화를 읽고 물음에 답하시오.

(민수와 정혜가 스쿠버 장비를 착용하고 바닷속 여행을 하고 있다.)

민수: 너무 캄캄하다. 아무것도 안 ⓐ**보여**.

정혜: 아무래도 불빛을 더 ⓑ**밝혀야겠다**.

민수: 뭐지? 가라앉은 배 같은데?

정혜: 가라앉은 배가 물고기들의 쉼터가 됐어.

민수: 물고기들이 몸을 ⓒ**숨기기도** 하고 잠을 자기도 하네.

정혜: 쉿! 문어가 새끼를 ⓓ**재우네**. 다른 데로 가지 않을래?

민수: 폐선을 중심으로 작은 생태계가 만들어졌어.

정혜: 그러게, 먹고 ⓔ**먹히는** 먹이 사슬이 ⓕ**이루어졌네**.

## 18

**ⓐ~ⓕ를 피동 표현과 사동 표현으로 나누었을 때 적절한 것은?**

| | 피동 표현 | 사동 표현 |
|---|---|---|
| ① | ⓐ, ⓑ, ⓒ | ⓓ, ⓔ, ⓕ |
| ② | ⓐ, ⓒ, ⓓ | ⓑ, ⓔ, ⓕ |
| ③ | ⓐ, ⓔ, ⓕ | ⓑ, ⓒ, ⓓ |
| ④ | ⓑ, ⓓ, ⓔ | ⓐ, ⓒ, ⓕ |
| ⑤ | ⓑ, ⓔ, ⓕ | ⓐ, ⓒ, ⓓ |

## 19

**〈보기〉의 ㉠이 나타나는 대화로 가장 적절한 것은?**

보기

부정문은 의미에 따라 '의지 부정'과 '능력 부정'으로 나눌 수 있다. 하지만 '의지 부정'이나 '능력 부정'의 의미가 아니라 단순히 사실을 부정하는 의미로 해석되는 ㉠**상태 부정**도 있다.

① 민수의 첫 번째 대화
② 민수의 두 번째 대화
③ 정혜의 두 번째 대화
④ 정혜의 세 번째 대화
⑤ 민수의 네 번째 대화

## 20

**다음 ㉠~㉢에 대한 설명으로 적절하지 않은 것은?**

| | 주동문 | 사동문 |
|---|---|---|
| ㉠ | 지우가 집에 가다. | 내가 지우를 집에 가게 하다. |
| ㉡ | 동생이 밥을 먹다. | 엄마가 동생에게 밥을 먹이다. |
| ㉢ | *이삿짐이 방으로 옮다.<br>('*'는 비문임을 나타냄.) | 인부들이 이삿짐을 방으로 옮기다. |

① ㉠의 주동문은 ㉡과 달리 사동 접미사를 활용하여 사동문을 만들 수 없다.
② ㉢의 사동문에서 사동 접미사 대신 '-게 하다'를 활용할 경우 어색한 문장이 된다.
③ ㉠과 ㉡은 모두 주동문의 주어가 사동문의 목적어로 바뀐 경우이다.
④ ㉠과 ㉡은 모두 주동문이 사동문이 될 때, 사동문에는 새로운 주어가 생겼다.
⑤ ㉠, ㉡과 달리 ㉢은 사동문에 대응하는 주동문이 없는 경우이다.

# 제5강

## 어문 규정과 어휘 유형

01 한글 맞춤법과 표준어 규정

02 외래어 표기법과 국어의 로마자 표기법

03 어휘의 유형

04 모의고사

# 01 한글 맞춤법과 표준어 규정

## 01

**한글 맞춤법과 표준어 규정에 담겨 있지 않은 내용은?**

① 표기와 발음의 기본 원칙
② 문장 부호의 종류와 사용 예시
③ 표준어 규정과 표준 발음 방법
④ 띄어쓰기의 원칙과 구체적 예시
⑤ 표준어와 방언의 차이와 방언의 종류

## 02

**다음은 한글 맞춤법의 원칙이다. 밑줄 친 부분의 의미가 무엇인지 예를 들어 설명하시오.**

보기

한글 맞춤법은 표준어를 소리대로 적되,
어법에 맞도록 함을 원칙으로 한다.

## 03

**다음 가운데에서 맞춤법에 어긋난 표현이 있는 문장은?**

① 이제 어떤 골키퍼가 막어도 소용이 없을 듯하다.
② 어느 쪽으로 서브를 할지 곰곰이 생각하고 있다.
③ 힘차게 때린 공이 중견수와 우익수 사이를 갈랐다.
④ 반칙으로 자유투를 주게 돼 어려운 상황에 빠졌다.
⑤ 전혀 생각지 않았던 곳으로 셔틀콕이 떨어져 받을 수가 없었다.

## 04

**다음 괄호 안 두 단어 가운데 알맞은 말을 고른 것은?**

① 허리를 펴고 (반드시/반듯이) 앉아 나를 봐.
② 대화(로서/로써) 너와 나의 갈등이 해결될까?
③ 지금 말고 (이따가/있다가) 단둘이 있을 때 이야기하자.
④ 그와 함께하는 시간을 지금보다 더 (늘이고/늘리고) 싶군.
⑤ 그녀의 건강을 위해 한약 (다리듯이/달이듯이) 정성스럽게 끓였지.

## 05

**다음 문장을 띄어쓰기 규정에 맞게 바르게 띄어 쓰시오.**

보기

용돈으로모은삼십삼만삼천원으로좋은샤프나
볼펜등을여러개살수있을것같다.

## 06

**다음 가운데에서 표준어에 대한 이해가 적절하지 않은 것은?**

① 한 나라에서 공용어로 쓰는 규범으로서의 언어를 가리켜.
② 효율적이고 통일된 의사소통을 위해 새롭게 만든 말이야.
③ 표준어가 아닌 지역에 따라 달라진 말을 지역 방언이라고 해.
④ 어기면 벌을 받는 강제 규정이 아니라 편의 규정이라고 할 수 있어.
⑤ 지금 우리나라의 표준어는 교양 있는 사람들이 두루 쓰는 현대 서울말이지.

## 07

**다음 괄호 안의 두 단어가 보기의 설명에 해당하지 않는 것은?**

> **보기**
>
> 표준어 규정에서는 한 가지 의미를 나타내는 형태 몇 가지가 널리 쓰일 때, 이들 가운데 하나만을 표준으로 인정하는 것이 아니라 규범에 맞는 것은 모두 표준으로 인정하기도 한다.

① 이제는 (딴전/딴청)을 부릴 시간이 없다.
② 공부를 못하는 아이라는 생각을 (깨뜨려/깨트려) 주겠다.
③ 책에서 눈을 떼 창밖을 보니 (동쪽/동녘)이 밝아 오고 있다.
④ 이번 시험이 끝나고 (된통/대게) 혼이 난 뒤에 정신을 바짝 차렸다.
⑤ 지금보다 집중을 더 잘할 수 있다면 어느 학원이라도 (관계없다/상관없다).

## 08

**다음 대화의 괄호 ㉠~㉢에 들어갈 알맞은 말을 바르게 나열한 것은?**

> **보기**
>
> 대곤: ( ㉠ )층이 왜 이렇게 시끄럽지? 요즘 부쩍 시끄럽네.
>
> 윤희: 안 그래도 지난주에 아이들이 올라갔거든. 어르신들이 손자를 보고 계시다고 하네.
>
> 예진: ( ㉡ )동네에 사는 손자인데 사정이 생겨 당분간 봐 주시기로 했대요. 죄송하다고 그러시더라고요.
>
> 대곤: 아, 그래. 어르신들이 힘드시겠네.
>
> 윤희: 조심시킨다고 하셨다니까 조금만 참으면 될 것 같아.
>
> 대곤: 그나저나 너희들 인사는 잘 했어? ( ㉢ )어른들께는 예의를 지켜야 해.
>
> 예슬: 그럼요. 우리가 누군데요. 인사도 하고 예의 바르게 말씀도 드렸어요.
>
> 대곤: 잘했군, 잘했어!

| | ① | ② | ③ | ④ | ⑤ |
|---|---|---|---|---|---|
| ㉠ | 윗 | 위 | 윗 | 위 | 윗 |
| ㉡ | 윗 | 윗 | 윗 | 웃 | 위 |
| ㉢ | 윗 | 웃 | 웃 | 윗 | 웃 |

## 09

**다음 밑줄 친 부분의 발음과 관련한 설명으로 적절하지 않은 것은?**

① 첫눈이 눈보라라니 믿기지가 않는다. → '눈보라'의 '눈'은 긴소리이지만 '첫눈'의 '눈'은 긴소리가 아니다.
② 봄 햇볕이 콧등을 간지럽혔다. → [해뼏]과 [코뜽]으로 발음할 수도 있고 [핻뼏]과 [콛뜽]으로도 발음할 수 있다.
③ 해돋이는 누군가와 같이 보는 게 제맛이다. → 받침소리 'ㄷ'이나 'ㅌ'이 모음 'ㅣ'와 만나 [해도지], [가치]로 발음된다.
④ 밥상 위에는 국밥 한 그릇만 덩그러니 놓여 있었다. → 각각 받침소리 'ㅂ'과 'ㄱ'의 영향으로 [밥쌍]과 [국빱]처럼 된소리로 발음된다.
⑤ 빚을 많이 져 머리카락이라도 팔려고 빛이 들어오는 자리에 앉아 빗을 들었다. → '빚을, 빛이, 빗을'에서는 모두 [빋]으로 소리 나지만 '빚, 빛, 빗'에서는 받침소리가 그대로 발음된다.

## 10

**다음 문장의 밑줄 친 부분을 차례대로 정확하게 발음하시오.**

> **보기**
>
> 대충 읽지 마라.
> 읽다가 포기하지 말고 정성껏 읽고 또 읽어라.

# 02 외래어 표기법과 국어의 로마자 표기법

## 01

**다음 외래어 표기법과 관련한 설명 가운데에서 적절하지 않은 내용은?**

① 표기의 원칙과 세칙을 정해 혼란을 최소화하고 있다.
② 외국어가 증가하고 그 가운데에서 외래어도 늘면서 표기에 대한 관심이 커지고 있다.
③ 외국어의 실제 발음에 최대한 가깝게 표기하기 위하여 특수 문자도 적극적으로 활용한다.
④ 외국에서 들어와 우리말처럼 쓰이는 단어를 한글로 어떻게 쓸 것인지를 정해 놓은 것이다.
⑤ 한글 맞춤법에서 정한 24 자모 이외에도 필요한 경우에 다른 자모를 표기에 사용할 수 있다.

## 02

**다음 설명의 괄호 안에 들어갈 알맞은 외래어 표기 원칙은 무엇인지 쓰시오.**

보기

음식을 기름에 지지거나 튀기는 데 쓰는 도구를 우리는 '프라이팬(frypan)'이라고 부르고 쓴다. '후라이팬'이라는 표기는 잘못된 것이다. 이것은 외래어 표기법에 [f]는 'ㅍ'으로 표기하여야 한다는 규정을 근거로 한다. 그렇기 때문에 운동 경기에서, 선수들끼리 잘 싸우자는 뜻으로 외치는 소리인 'fighting'도 '화이팅'이 아니라 '파이팅'이 맞다. 모음도 마찬가지이다. [a]는 'ㅏ'로, [i]는 'ㅣ'로 표기하여야 한다. '(　　　　　)'라는 규칙이 없으면 외래어를 어떻게 표기할지 혼란스러울 것이다.

## 03

**다음 빈칸에 들어갈 알맞은 외래어의 표기가 모두 바른 것은?**

보기

빨간 (　　　)에 앉아
파란 (　　　)를/을 맛있게 먹었다.

① 카펫, 케익
② 카펫, 케잌
③ 카페트, 케익
④ 카펫, 케이크
⑤ 카페트, 케이크

## 04

**〈보기〉의 외래어 표기법을 참고하였을 때, 다음 밑줄 친 말의 표기가 잘못된 것은?**

보기

| [ʃ]의 한글 표기 | 영어 | | 프랑스어, 독일어 등 | |
|---|---|---|---|---|
| | 모음 앞 | 어말, 자음 앞 | 모음 앞 | 어말, 자음 앞 |
| | 시 | 시, 슈 | 시 | 슈 |

① 패션(fashion[fæʃən])의 완성은 얼굴이지.
② 요즘 샤프(sharp[ʃa:p])를 모으는 취미에 빠져 살아.
③ 여기에서는 사진을 찍을 때에 플래시(flas[flæʃ])를 터뜨리면 안돼.
④ 오늘은 내가 제일 좋아하는 쉬림프(shrimp[ʃrɪmp]) 피자를 시켰어.
⑤ 홈쇼핑(home shopping[hoʊm ʃɔpɪŋ])을 보고 있으면 어느샌가 휴대전화를 들고 있는 자신을 발견해.

## 05

**다음 각 외래어 표기에 대한 설명이 옳지 <u>않은</u> 것은?**

① 까페: 파열음 표기에는 된소리를 쓰지 않지만 현실을 고려하여 '카페'라 쓰지 않고 '까페'라 적습니다.

② 빵: 포르투갈에서 온 말로 발음은 '팡'에 가깝지만 오랫동안 써서 익숙한 말이라 '빵'으로 쓰고 있습니다.

③ 라켓: 받침에는 'ㄱ, ㄴ, ㄹ, ㅁ, ㅂ, ㅅ, ㅇ'의 7개 자음만을 쓰기 때문에 '라켇'이라고 표기하면 틀립니다.

④ 내비게이션: '네비게이션'이 아니고 '내비게이션'인 까닭은 '내'의 발음 [æ] 음운의 기호가 'ㅐ'이기 때문입니다.

⑤ 짜장면: 원래는 중국어 원음과 가까운 '자장면'이 바른 표기였는데, 많은 사람들이 '짜장면'이라고 말하고 써서 '짜장면'도 바른 표기가 되었습니다.

## 06

**다음은 식당 메뉴판의 음식 이름이다. 외래어 표기와 로마자 표기가 <u>모두</u> 바른 것은?**

| | |
|---|---|
| ① | 짬뽕 (chjambbong) |
| ② | 짬뽕 (jjamppong) |
| ③ | 잠뽕 (jambbong) |
| ④ | 잠뽕 (jamppong) |
| ⑤ | 잠퐁 (jampong) |

## 07

**다음 단어에 해당하는 로마자를 국어의 로마자 표기법에 맞게 쓰시오. 이때 한글 모음과 자음에 해당하는 로마자를 하나하나 대응하여 쓰시오.**

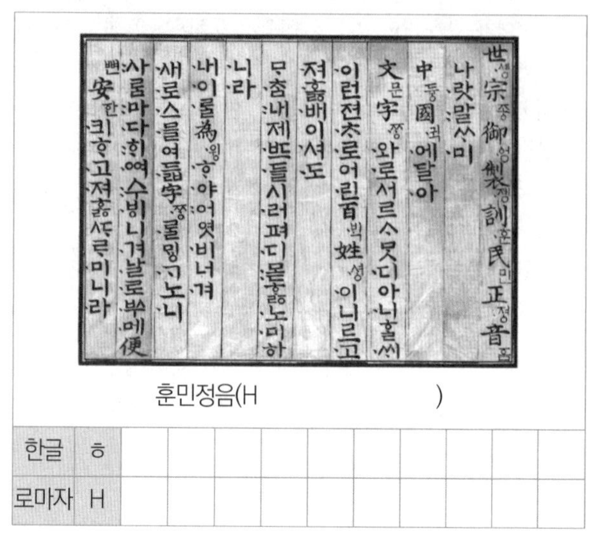

훈민정음(H )

| 한글 | ㅎ | | | | | | | | | | |
|---|---|---|---|---|---|---|---|---|---|---|---|
| 로마자 | H | | | | | | | | | | |

## 08

**다음 두 로마자 표기를 통해 알 수 있는 사실이 <u>아닌</u> 것은?**

보기

구리(Guri) 칠곡(Chilgok)

① 특수 부호를 사용하지 않아.

② 'ㄹ'은 모음 앞에서는 'r'로, 어말에서는 'l'로 적어.

③ 'ㄱ'은 모음 앞에서는 'g'로, 받침에서는 'k'로 적네.

④ 'ㅜ'는 'u'로, 'ㅣ'는 'i'로, 'ㅗ'는 'o'로 1대 1 대응해.

⑤ 음운의 변화가 일어나면 그 결과를 표기에 반영하는군.

## 09

**다음은 도로명 주소이다. 밑줄 친 주소의 로마자 표기에 나타나 있지 않은 내용은?**

보기

답십리로1길
Dapsimni-ro 1(il)-gil

① 경음화는 표기에 반영하지 않는다.
② 의미를 구별하기 위해 음절 사이에 붙임표를 붙인다.
③ 자음 동화와 같은 음운의 변화 결과는 표기에 반영한다.
④ 숫자는 그대로 표기하고 괄호에 그 소리를 표기할 수 있다.
⑤ 받침에 해당하는 표기는 7개의 대표 소리로 바뀌어 표기한다.

## 10

**다음 〈보기〉 단어의 로마자 표기를 쓰시오. 그리고 음운 변화와 관련한 2가지 표기상의 특징을 설명하시오.**

보기

전라북도

# 03 어휘의 유형

## 01

**다음 밑줄 친 단어에 대한 설명으로 적절하지 않은 것은?**

보기

사람들이 먹을 게 없어 굶어 죽다.

① 어원에 따라 나누면 고유어에 속한다.
② '사망하다'의 유의어이고 '살다'의 반의어이다.
③ 금기어이고 이것을 대체하는 다양한 완곡어가 있다.
④ '불 따위가 타거나 비치지 아니한 상태에 있다'라는 뜻의 '죽다'와는 동음이의 관계이다.
⑤ 다의 관계의 단어로 '본래 가지고 있던 색깔이나 특징 따위가 변하여 드러나지 아니하다'라는 뜻의 '죽다'와, '성질이나 기운 따위가 꺾이다'라는 뜻의 '죽다'가 있다.

## 02

**다음 문장의 밑줄 친 부분이 관용어가 아닌 것은?**

① 발 디딜 틈이 없는 지하철에서 우리는 헤어졌지.
② 그녀와 헤어진 뒤 하루도 발 뻗고 잔 적이 없어.
③ 그에 대한 기억은 발이 넓어 큰 신발을 신었다는 것밖에 없군.
④ 사랑하는 사람을 외롭게 내버려 두고 떠나려니 발이 떨어지지 않아.
⑤ 발에 차이는 게 남자고 여자인데, 그들은 새로운 인연을 찾지 못하고 헤매고만 있네.

## 03

**다음 문장의 밑줄 친 관용어의 쓰임이 자연스러운 것은?**

① 최선을 다했는데도 미역국을 맛있게 먹고야 말았네.
② 쉬지도 먹지도 않고 일을 했더니 등이 배에 붙었군.
③ 당연한 일을 한 것 뿐인데 자꾸 비행기에 태우지 마라.
④ 말만 마라, 세상에 그렇게 훌륭한 사람이 많은 줄 몰랐어.
⑤ 이번에는 제대로 준비해서 코를 납작하게 만들어 줄 거야.

## 04

**다음 대화를 읽고 괄호 안에 들어갈 적절한 속담을 쓰시오.**

보기

예진: 얼굴 표정이 왜 그래?
혜교: 너무 창피하고 억울해서 그래. 아까 쉬는 시간에 아이들하고 수다 떨다가 화장실을 가려고 일어났는데….
예진: 그런데, 무슨 일이 있었는데?
혜교: 갑자기 근처에서 방귀 소리가 들리는 거야. 아이들은 바로 나를 쳐다보고.
예진: 네가 안 뀐 것은 확실해.
혜교: 당연하지. 아니라고 말을 해도 아이들이 믿어 주지 않아. 아니 어떻게 그렇게 딱 맞아 떨어지니.
예진: (                    ) 격이네. 어쩔 수 없지. 잊어. 그런데 네가 안 뀐 거 맞아?
혜교: 죽는다!

## 05

**다음 두 속담의 뜻이 비슷하지 않은 것은?**

① 가는 말이 고와야 오는 말이 곱다. / 엑 하면 떽 한다.
② 아는 길도 물어 가랬다. / 돌다리도 두들겨 보고 건너라.
③ 낮말은 새가 듣고 밤말은 쥐가 듣는다. / 벽에도 귀가 있다.
④ 모난 돌이 정 맞는다. / 물이 너무 맑으면 고기가 아니 모인다.
⑤ 바다는 메워도 사람의 욕심은 못 채운다. / 말 타면 경마 잡히고 싶다.

## 06

**다음 단어는 어휘의 유형 가운데 무엇과 관련이 있는지, ㉠, ㉡에 해당하는 말을 쓰고 ㉠을 ㉡처럼 바꾸어 말하는 까닭도 쓰시오.**

| ㉠ | 천연두 | 후진국 |
|---|---|---|
| ㉡ | 마마, 손님 | 개발 도상국 |

## 07

**다음 밑줄 친 단어 가운데 중심적 의미로 쓰인 것은?**

① 세탁기보다 손으로 빨래하는 것을 좋아한다.
② 손이 미치지 않는 곳까지 구석구석 청소를 했다.
③ 대청소를 해야 하는데 손이 부족한 게 사실이다.
④ 손에 반지를 끼고 설거지를 해도 불편하지가 않다.
⑤ 여전히 손이 많이 가는 나이라 아이 방은 여기저기 치울 게 많다.

## 08

**다음 밑줄 친 단어의 의미가 나머지와 관련이 없는 것은?**

① 약을 먹어도 잘 낫지 않는다.
② 어제부터 계속 코 먹은 소리가 난다.
③ 한 방 제대로 먹고 병원에 실려갔다.
④ 수술을 해야 한다는 말에 겁을 먹었다.
⑤ 나이를 한 살 더 먹었더니 아픈 데가 더 많아지는 것 같다.

## 09

**다음 문장의 밑줄 친 ㉠, ㉡에 대한 설명으로 적절한 것은?**

보기

꽃에 앉은 ㉠벌을 보니 ㉡벌을 받는 것처럼 몸이 떨려.

① ㉠과 ㉡은 동음이의 관계이다.
② ㉠은 한자어이고 ㉡은 고유어이다.
③ ㉠과 ㉡은 서로 의미상 관련이 있다.
④ ㉠은 중심적 의미이고 ㉡은 주변적 의미이다.
⑤ ㉠은 [벌], ㉡은 [벌:]처럼 소리의 길이가 다르다.

## 10

**다음 밑줄 친 두 단어 ㉠, ㉡의 뜻과 의미 관계를 쓰시오.**

보기

땡볕 아래에서 놀이 기구를 ㉠타다 보니 목이 ㉡타다.

# 04 모의고사

## 01

**다음은 어문 규정에 대해 이해한 것이다. 적절하지 않은 것은?**

① 우리말을 어떻게 말하고 쓸 지에 대한 기준을 정해 놓은 것이지.

② 한글 맞춤법은 낱말의 형태나 띄어쓰기 등의 표기와 관련한 내용을 다뤄.

③ 표준어 규정은 표준어를 정하는 원칙과 함께 표준 발음법도 제시하고 있네.

④ 외래어 표기법은 우리말의 하나인 외래어를 어떻게 표기할지 통일시켜 놓았어.

⑤ 국어의 로마자 표기법은 로마자를 잘 모르는 우리나라 사람들을 위해 필요한 거야.

## 02

**다음 대화의 내용과 관련이 없는 조항은?**

> **보기**
>
> 은정: 조카가 어제 편지를 줬는데, '눈꼬치피얻따'라고 써 있어서 처음에 무슨 뜻인지 헷갈렸어.
>
> 지윤: 아유, 귀여워라. 아직 어려서 그래. 그래도 발음은 정확히 했네.
>
> 혜림: 그래, 이제 나라의 정규 교육과정을 밟아 나가면 '눈꽃이 피었다'라고 정확히 쓸 거야.

① 한글 맞춤법 제1항 "한글 맞춤법은 표준어를 소리대로 적되, 어법에 맞도록 함을 원칙으로 한다."

② 한글 맞춤법 제2항 "문장의 각 단어는 띄어 씀을 원칙으로 한다."

③ 표준어 규정 제2부 제8항 "받침소리로는 'ㄱ, ㄴ, ㄷ, ㄹ, ㅁ, ㅂ, ㅇ'의 7개 자음만 발음한다."

④ 표준어 규정 제2부 제17항 "받침 'ㄷ, ㅌ(ㄾ)'이 조사나 접미사의 모음 'ㅣ'와 결합되는 경우에는, [ㅈ, ㅊ]으로 바꾸어서 뒤 음절 첫소리로 옮겨 발음한다."

⑤ 표준어 규정 제2부 제23항 "받침 'ㄱ(ㄲ, ㅋ, ㄳ, ㄺ), ㄷ(ㅅ, ㅆ, ㅈ, ㅊ, ㅌ), ㅂ(ㅍ, ㄼ, ㄿ, ㅄ)' 뒤에 연결되는 'ㄱ, ㄷ, ㅂ, ㅅ, ㅈ'은 된소리로 발음한다."

## 03

**다음 밑줄 친 부분의 맞춤법이 바른 것은?**

① 오랜만에 공부를 하니까 기분이 아주 좋다.

② 벼락치기를 하다 보니 역시 시간이 넉넉치 않다.

③ 이번 시험에서 찍은 선다형 문제의 성공율이 무려 50%이다.

④ 참고서의 머릿말을 읽어 보니까 공부를 안 했는데도 자신감이 생긴다.

⑤ 시험 보기 전에는 해서는 안 되는 말이나 행동을 삼가하는 게 중요하다.

## 04

**다음 문장의 괄호에 들어갈 알맞은 말을 정확히 고른 것은?**

① 문법 부분은 내일까지 정리해서 (줄게/줄께).

② 공부는 평소에 (틈틈이/틈틈히) 하는 게 좋아.

③ 친구가 (놀든 말든/놀던 말던) 신경쓰지 말고 집중하자.

④ 다른 무엇도 아닌 국어 교과서와 진하게 (사겨라/사귀어라).

⑤ 지금처럼 열심히 하면 성적표를 받았을 때에 하늘을 (나는/날으는) 기분을 맛볼 거야.

## 05

**다음 가운데에서 띄어쓰기가 바르지 않은 문장은?**

① 그렇게 잘난 체를 해 놓고 한 골도 못 넣었다.

② 실력을 키우려면 계속 연습을 하는 수밖에 없다.

③ 경기 방법과 기본적인 기술을 익히는데 꼬박 두 달이 걸렸다.

④ 운동장에서 100미터를 제대로 달린 지가 언제인지 기억도 나지 않는다.

⑤ 잠실 야구장의 이만 사천사백십일 석 모두가 올해 처음으로 매진되었다.

## 06

**다음 시에 쓰인 문장 부호에 대한 설명으로 적절하지 않은 것은?**

보기

푸르름을 즐기는 사람에
맑은 공기에
행복한 것 가득인데,
그런데,
아, 산속이 화려하다—
쓰레기가 울긋불긋하다!

오 사람들은 얼굴 가득 웃음인데
나무와 흙과 물도 행복하였을지……

① 3행과 4행의 쉼표는 간격을 두어 긴장감을 주고 있다.
② 5행의 쉼표는 잠깐 끊어 앞에 놓인 '아'라는 감탄사의 느낌을 살려 주고 있다.
③ 5행의 줄표는 일반적인 쓰임과는 다르게 앞에 놓인 단어들에 여운을 주어 당혹스러움을 강조하고 있다.
④ 6행의 느낌표는 기쁨의 감정을 감탄형으로 표현하고 있다.
⑤ 8행의 줄임표는 할 말을 줄이면서 안타까운 마음을 드러내고 있다.

## 07

**다음 각 표준어 규정에 해당하는 단어의 예시가 잘못된 것은?**

① '수-'의 발음은 [수]이다.
예 수놈[수놈], 수소[수소]
② 수컷을 이르는 접두사는 '수-'로 통일한다.
예 수꿩, 수나사
③ '암-'도 '수-'와 마찬가지로 거센소리를 인정한다.
예 암캐, 암퇘지
④ '수-' 뒤의 말에서 발음상 첨가나 된소리가 되는 경우에는 사이시옷을 붙인다.
예 숫양, 숫쥐
⑤ '수-'는 역사적으로 '수ㅎ-'과 같이 'ㅎ'을 맨 마지막 음으로 가지고 있어 다음에서 나는 거센소리를 인정한다.
예 숫캐, 숫돼지

## 08

**다음은 잘못 되었다고 판단하여 바르게 고친 것이다. 적절하지 않은 것은?**

① 그를 만나는 만남 하나하나가 설레임(→설렘) 그 자체이다.
② 그의 답장이 오기를 기다리며 안절부절못하다(→안절부절하다).
③ 나의 바램(→바람)은 그와 결혼하여 그를 닮은 예쁜 딸을 낳는 것이다.
④ 생일을 맞이하여 그에게 선물을 줄려고(→주려고) 인터넷 검색을 시작했다.
⑤ 그와 함께 간 공연장에는 내노라하는(→내로라하는) 가수들이 모두 모였다.

## 09

**다음 괄호 안의 단어들이 보기의 설명에 해당하지 않는 것은?**

보기

한 가지 의미를 나타내는 형태 몇 가지가 널리 쓰일 때, 이들 가운데 하나만을 표준어로 인정하는 것이 아니라 규범에 맞는 것은 모두 표준어로 인정한 것을 복수 표준어라고 한다.

① 수학은 문제를 푼 (만큼/만치) 결과가 나온다.
② 개학하자마자 담임 선생님에게 안부를 (여쭈다/여쭙다).
③ (아무튼/어떻든) 실험을 자주 해서 과학 시간이 기다려진다.
④ 국어 선생님은 말할 때 보이는 (보조개/볼우물)가/이 아주 예쁘다.
⑤ 발표를 듣고 영어 선생님이 (보통내기/여간내기)가 아니라고 칭찬을 하셨다.

## 10

**다음 밑줄 친 부분의 발음이 바른 것은?**

① 올여름에도 납량[남냥] 특집은 싱거웠어.
② 부엌에[부어게] 가서 밀린 설거지 좀 하자.
③ 화장실에 날파리가 날아다니네[날라다니네].
④ 웬일로 책상 주변을 깨끗이[깨끄치] 치웠을까.
⑤ 야, 얼른 들어가서 머리 좀 감고[깜꼬] 나와라.

## 11

**다음 밑줄 친 말 가운데 외래어 표기법의 대상이 아닌 것은?**

① 사람들마다 발표를 할 때에 특이한 제스처들이 있다.
② 전시회도 좋았지만 끝나고 먹었던 뷔페가 아주 끝내줬다.
③ 영화의 감상 댓글이 모두 이상한 이모티콘으로 도배가 되었다.
④ 공연이 끝나고 나올 줄 알았던 앙코르가 나오지 않아 당황하였다.
⑤ 다른 연극 안내문은 복잡한 내용이 가득한데 우리 안내문은 심플해서 마음에 든다.

## 12

**다음은 외래어 표기와 관련한 질문과 답이다. 이를 근거로 하였을 때 괄호에 들어갈 올바른 표기는?**

궁금합니다. 초컬릿이 맞나요, 초콜릿이 맞나요? 아니면 초코렛인가요, 초콜렛인가요? 그것도 아니면 쵸코렛, 또는 쵸코레트인가요? 현기증 납니다. 정말 단 게 당기네요. 알려주십시오.

↳ 어렵지요. 하지만 몇 가지 내용을 알면 좀 쉬워집니다. 외래어 표기는 가능하면 원래의 발음대로 표기하는 게 좋겠지요. 하지만 외래어도 우리말이니까 우리가 쉽고 편하게 표기할 수 있는 현실적이고도 합리적인 방법을 찾으면 됩니다. 그게 바로 외래어 표기법입니다. 이 표기법에 따라 설명해 보겠습니다. 이 단어의 발음은 [tʃɑːklət]입니다. '초'와 '쵸'는 발음이 구별되지 않습니다. 표준 발음법에도 'ㅈ, ㅉ, ㅊ' 뒤에 오는 'ㅛ'는 이중 모음으로 발음하지 않고 단모음으로 발음한다고 나옵니다. 그리고 둘째 음절은 'ㅗ'로 쭉 발음해 온 경향을 존중했고요. 중간에 나오는 [l]은 모음 앞에 올 때에 'ㄹㄹ'로 적는다는 규정이 있습니다. 그리고 실제 발음상 [ɪ]와 [ə]가 함께 발견되면 [ɪ]를 기준으로 삼는다는 세칙도 있습니다. 그리고 받침에는 7개 자음 'ㄱ, ㄴ, ㄹ, ㅁ, ㅂ, ㅅ, ㅇ'만을 쓴다는 원칙도 있습니다. 그래서 (          )가/이 맞습니다. 복잡한가요? 지금 당장 가게에서 관련 제품의 포장을 살펴보세요. 그리고 어떻게 써 있는지 확인하여 보십시오.

↳ 감사합니다. 복 받으실 겁니다.

① 초컬릿 ② 초콜릿 ③ 초코렛
④ 초콜렛 ⑤ 쵸코레트

## 13

**다음 문장에서 외래어 표기가 모두 바르게 된 것은?**

① 유엔은 각국 지도자에게 '기후 리더쉽'을 발휘해 달라고 촉구하였다.
② 소세지와 햄의 나라인 독일에서 요즘 대체육 소비가 늘고 있다고 한다.
③ 한 유명 기업이 커피 수요는 늘고 도너츠 수요는 줄어 대책을 고민하고 있다.
④ 자몽, 오렌지, 사과 쥬스는 약을 먹을 때 같이 먹지 않는 것이 좋다는 연구 결과가 있다.
⑤ 배터리가 필요 없고 성능이 높으며 액세서리로 만들 수 있는 자외선 감지기를 최초로 개발했다.

## 14

**다음 로마자 표기를 보고 탐구한 내용으로 적절하지 않은 것은?**

> **보기**
>
> 오죽헌(Ojukheon) 대관령(Daegwallyeong)
> 학여울(Hangnyeoul) 비빔밥(bibimbap)

① 로마자가 우리 일상생활 속에 여기저기 쓰인다는 사실을 알았습니다. 우리나라를 찾는 외국인들이 점점 많아지는데 로마자 표기에도 주의를 더 기울여야겠습니다.

② '오죽헌'은 강릉에 있는 문화재로, 신사임당과 율곡 이이가 태어난 곳입니다. 발음이 [오주컨]인데 [Ojukeon]으로 표기하지 않은 것은 'ㄱ+ㅎ〉ㅋ'의 격음화를 반영하지 않은 결과로 보입니다.

③ '대관령'은 [대괄령]으로 소리 납니다. 음운 변화가 일어납니다. 그리고 이 음운 변화를 그대로 표기에 반영하였습니다. 자음 표기 일람대로 'ㄹ'은 모음 앞에서 'r'로, 어말에서 'l'로 표기하고 있습니다.

④ 지하철은 외국인들이 많이 이용하기 때문에 특히 로마자가 많을 것 같습니다. '학여울'은 [항녀울]로 발음됩니다. 이 음운 변화를 모음과 자음 표기 일람에 맞춰 그대로 반영하였습니다.

⑤ 다른 표기는 고유 명사라 첫 글자가 대문자이지만 '비빔밥'은 일반 명사라 소문자로 표기하였습니다. 그리고 발음이 [-빱]인데 '-ppap'이 아닌 'bap'으로 표기한 것으로 보아 경음화는 표기에 반영하지 않음을 알 수 있습니다.

## 15

**다음은 어느 서류의 이름을 쓴 칸이다. 국어의 로마자 표기와 관련하여 이를 통해 알 수 있는 사실로 거리가 먼 것은?**

| 이 름 | 한 글 | 이꽃빛나 |
|---|---|---|
| | 한 자 | 李꽃빛나 |
| | 로마자 | Yi Kkotbitna |

① 받침에 해당하는 표기는 본래 자음자 그대로 표기하였어.

② 기본 원칙대로 이름에 나타난 경음화도 표기에 반영하지 않았지.

③ 성을 먼저 쓰고 이름을 뒤에 썼어. 그리고 그 둘을 구별하기 위해 성과 이름은 띄어 썼네.

④ [꼳삔나]처럼 자음 동화가 일어났는데 표기에는 반영이 되지 않았어. 인명에서는 음운 변화를 표기에 반영하지 않는군.

⑤ 표기법대로라면 성 '이'는 'I'로 표기해야 하는데 'Yi'로 표기하였네. 'Lee'로 표기하는 사람도 많은 것으로 보아 인명은 예외가 있는 듯해.

## 16

**다음 문장의 표시된 관용어를 대신한 표현으로 가장 자연스러운 것은?**

① 나만큼 낯이 두꺼운 사람은 없을 것이다.
→ 뻔뻔한

② 뿌리를 뽑을 수 있는 사람은 너밖에 없다.
→ 원인을 밝힐

③ 생각하지도 않았던 두 사람이 머리를 맞댔다.
→ 대결을 펼쳤다

④ 여기 모인 사람들이 모두 드디어 날개를 펴게 되었다.
→ 자유롭게

⑤ 불똥이 어디로 튈지 모든 사람들이 예의주시하고 있다.
→ 누구에게 행운이 따를지

## 17

**다음 대화에서 표시한 ①~⑤의 쓰임이 적절하지 않은 것은?**

보기

우성: 저번에 병헌이가 알려 준, 텔레비전에도 나온 육개장 잘하는 집 있잖아. 어제 갔다 왔거든.

강호: 그래. 병헌이 잘아는 사람이 한다고 했지. 나는 들은 그 다음날 갔는데, ①**가는 날이 장날이라고** 쉬더라고. 맛은 괜찮아?

우성: ②**소문난 잔치에 먹을 것 없다잖아**. 정말 맛이 없더라고.

강호: 그래? 그런데 네가 입맛이 좀 특이하잖아. 그래서 어떻게 했어?

우성: 쓴소리를 좀 했지. 이것저것 훈수도 좀 하고.

강호: ③**남의 잔치에 감 놓아라 배 놓아라 하면** 기분 나빠할 텐데. 불안하네, 병헌이가 알면 안 좋아할 것 같은데.

우성: ④**말 한마디에 천 냥 빚도 갚는다고** 했잖아. 할 말은 해야 해. 병헌이도 알아야지. 그래야 그 집도 좋아지지.

강호: 어, ⑤**호랑이도 제 말 하면 온다더니** 저기 병헌이 온다.

우성: 강호야, 나 먼저 갈게. 갑자기 급한 약속이 생각나서.

강호: 어디 가, 우성아?

병헌: 강호야, 우성이 어디를 저렇게 서둘러 가는 거야. 무슨 일 있어?

강호: 그러게, 나도 무슨 일인지 모르겠다.

## 18

**다음 설명 가운데 보기의 단어와 관계 깊은 것은?**

보기

변소 → 뒷간, 화장실

똥 → 뒤, 볼일, 대변

① 나쁜 말도 아닌데 도덕적으로 꺼려져 가능한 다른 표현으로 바꾸어 사용하는 경우가 있다.

② 사용이 꺼려지는 말이 있다. 드러냈을 때 서로가 불쾌함을 느껴 분위기가 안 좋아지기 때문이다.

③ 귀한 것을 천하게 부르는 경우가 있다. 천하게 불러 생명을 앗아가는 것들로부터 보호하려는 것이다.

④ 자신의 약점 때문에 사람들마다 듣기 싫은 말들이 있다. 그래서 다른 사람에게는 괜찮지만 그 사람과 말할 때에는 피해야 할 말들이 있다.

⑤ 사람들은 무서운 존재를 피하려는 본능이 있다. 그래서 그 무서운 존재와 관련한 것들에 존칭어를 붙여 부르기도 한다. 무서움으로부터 벗어나려는 마음이 깔려 있는 것이다.

## 19

**다음은 사전에서 '쓰다'라는 단어를 찾은 내용의 한 부분이다. 이것과 관련하여 이해한 내용으로 적절하지 않은 것은?**

보기

쓰다[1] : 붓, 펜, 연필과 같이 선을 그을 수 있는 도구로 종이 따위에 획을 그어서 일정한 글자의 모양이 이루어지게 하다.

쓰다[2] : 먼지나 가루 따위를 몸이나 물체 따위에 덮은 상태가 되다.

쓰다[3] : 어떤 일을 하는 데에 재료나 도구, 수단을 이용하다.

쓰다[6] : 혀로 느끼는 맛이 한약이나 소태, 씀바귀의 맛과 같다.

① 위의 4개의 단어는 서로 동음이의 관계이군.
② '쓰다[1], 쓰다[2], 쓰다[3]'은 동사인데, '쓰다[6]'은 형용사이네.
③ '쓰다[2]'의 뜻만 주변적 의미인데, 중심적 의미는 '얼굴에 어떤 물건을 걸거나 덮어쓰다'이야.
④ '쓰다[3]'은 '사람에게 어떤 일을 하게 하다.'나 '다른 사람에게 베풀거나 내다'라는 뜻으로도 쓰여.
⑤ '머릿속의 생각을 종이 혹은 이와 유사한 대상 따위에 글로 나타내다'라는 뜻은 '쓰다[1]'과 관련이 있어.

## 20

**다음 문장의 밑줄 친 두 단어의 관계가 다른 하나는?**

① 길을 잘 들이기 위해서는 이 길밖에 없다.
② 자리를 깔 자리를 찾느라 아까운 시간을 다 썼다.
③ 눈보라가 치는 상황 속에서 공을 치는 연습을 했다.
④ 매운 연기를 맡으며 매운 김치를 먹으니까 정말 힘들다.
⑤ 화장실 안에서 사색을 즐기는 동안 밖에서 기다리는 사람은 점점 사색이 되어 간다.

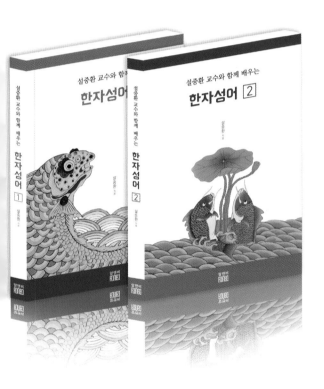

패턴국어

# 중학문법

## 심화편

- 정답 및 해설 -

알앤비
RNB

패턴국어

# 중학문법

## 심화편

- 정답 및 해설 -

알앤비
RNB

# 정답 및 해설

## 기본 문제

## 제1강 단어의 짜임과 형성

### 단어와 형태소-기본 문제 본문 12~14쪽

01 ③ 02 ③ 03 ④ 04 ⑤ 05 ④
06 ④ 07 해설 참조 08 ⑤
09 해설 참조 10 해설 참조

**01** ③

정답 해설

뜻을 구별해 주는 가장 작은 말의 단위는 단어가 아니라 음운이다.

오답 체크

① 단어와 형태소는 모두 일정한 의미를 지니고 있다.
② 하나의 형태소(어근)로 이루어진 단어를 단일어라고 한다.
④ 둘 이상의 형태소로 이루어진 복합어의 경우 의미를 지닌 가장 작은 말의 단위인 형태소로 분석할 수 있다.
⑤ 단어는 '홀로 쓰일 수 있는 가장 작은 말의 단위'로 정의된다. 조사는 홀로 쓰이지는 못하지만 앞말과 쉽게 분리되거나 생략될 수 있어 준자립성이 있다고 보아 단어로 인정한다.

**02** ③

정답 해설

문장에서 단어의 개수를 셀 때에는 어절(띄어쓰기) 단위로 구분한 뒤, 조사의 개수를 더한다. '친구/는/나/에게/물/을/주었다'는 총 7개의 단어로 구성되어 있다.

오답 체크

① 어머니/가/책/을/읽으신다 → 5개
② 이제/학교/에/가는/중/이다 → 6개, '이다'가 조사인 점에 유의한다.
④ 별/이/반짝반짝/빛나고/있다 → 5개, '반짝반짝'은 '작은 빛이 잠깐 잇따라 나타났다가 사라지는 모양'이라는 의미로 사전에 등재되어 있는 한 단어이다.
⑤ 우두커니/앉아서/그/를/기다렸다 → 5개

**03** ④

정답 해설

형태소의 정의에 대한 적절한 설명이다.

오답 체크

① 단어에 대한 설명이다.
② 문장을 구성하고 있는 각각의 마디인 '어절'에 대한 설명이다.
③ 문장 성분에 대한 설명이다.
⑤ '강'이라는 하나의 형태소를 'ㄱ, ㅏ, ㅇ'처럼 음운 단위로 쪼개면 의미가 사라지게 된다.

**04** ⑤

정답 해설

'도토리'는 하나의 형태소(어근)로 이루어진 단일어이다. '도, 토, 리' 등으로 더 작게 쪼개면 의미가 사라지게 된다.

오답 체크

① '봄'과 '바람'으로 나눌 수 있다.
② '사냥'과 '-꾼'으로 나눌 수 있다.
③ '솜'과 '사탕'으로 나눌 수 있다.
④ '지우-'와 '-개'로 나눌 수 있다.

**05** ④

정답 해설

형태소는 의미를 지닌 가장 작은 말의 단위이다. '오늘, 아침, 갑자기, 바람'은 더 이상 쪼개면 의미가 사라지게 된다.

오답 체크

① 어절(띄어쓰기) 단위로 나눈 것이다.
② 단어 단위로 나눈 것이다.
③ 합성어 '비바람'을 분석하였으나, 용언의 어간과 어미를 구분하여 분석하지 않았다.
⑤ 음절 단위로 나눈 것이다.

**06** ④

정답 해설

〈보기〉를 형태소 단위로 분석하면 '강/물/에/비치-/-ㄴ/나무/그림자/는/아주/어둡-/-고/길-/-다'이다. 이 중 자립 형태소는 '강, 물, 나무, 그림자, 아주'이다. 줄표를 붙여야 하는 용언의 어간과 어미는 의존 형태소이며, 조사는 의존 형태소이다.

**07** 비치-, 어둡-, 길-

정답 해설

홀로 쓰일 수 없고 항상 다른 말과 함께 쓰이는데, 실질적 의미를 지닌 형태소는 용언의 어간에 해당한다. 〈보기〉 중 용언의 어간은 '비치-, 어둡-, 길-'이다.

**08** ⑤

정답 해설

〈보기〉의 밑줄 친 부분은 '에, 는, -고, -다'로 용언의 어미 또는 조사에 해당한다. 이는 모두 홀로 쓰일 수 없는 의존 형태소이자, 문법적 의미를 지니는 형식 형태소이다.

**09**

| 나 | 는 | 밥 | 을 | 먹- | -었- | -고 |
|---|---|---|---|---|---|---|
| 자립 | 의존 | 자립 | 의존 | 의존 | 의존 | 의존 |
| 실질 | 형식 | 실질 | 형식 | 실질 | 형식 | 형식 |

| 빨래 | 를 | 하- | -였- | -다 |
|---|---|---|---|---|
| 자립 | 의존 | 의존 | 의존 | 의존 |
| 실질 | 형식 | 실질 | 형식 | 형식 |

정답 해설

조사 및 용언의 어간과 어미 구분에 유의한다. '빨래'는 '빨'과 '래'로 나눌 수 없는 단일어이다.

**10** 을/를, -었-/-였-

정답 해설

- '을/를'은 앞말이 목적어임을 나타내주는 격조사로 문법적 의미가 같다. 또한 '을'은 앞 음절에 받침이 있는 경우에, '를'은 받침이 없는 경우에만 쓰이는 상보적 분포를 보이므로 둘은 이형태 관계이다.
- 과거를 의미하는 선어말어미 '-었-'은 결합한 어간의 모음이 음성 모음인 경우에 쓰인다. 양성 모음인 경우 '-았-'이 쓰이며, '-었-'과 '-았-'은 음운론적 이형태 관계이다. 의미가 동일한 '-였-'은 어간 '하-'와만 결합하므로 형태론적 이형태라고 할 수 있다.

## 단어의 형성 1-기본 문제

본문 18~20쪽

**01** ② **02** ④ **03** ⑤ **04** ③ **05** ⑤
**06** ② **07** 해설 참조 **08** ③
**09** 해설 참조 **10** 해설 참조

**01** ②

정답 해설

어근에 대한 적절한 설명이다.

오답 체크

① 단어 중 하나의 어근으로 이루어진 말은 단일어라고 한다.
③ 어근과 어근이 결합한 말은 합성어이다.
④ 어근과 접사가 결합한 말은 파생어이다.
⑤ 접사는 다른 접사가 아닌, 어근과 결합하여 파생어를 만들 수 있다.

**02** ④

정답 해설

'코뿔소'는 '코/뿔/소' 3개의 형태소로 이루어진 복합어다. 나머지는 모두 1개의 형태소(어근)로 이루어진 단일어이다. '돼지, 늑대, 고양이, 원숭이' 모두 어원과 단어의 형태가 변화해 온 과정을 통시적(通時的)으로 분석한다면 단일어가 아니지만, 현재의 단어 형태를 기준으로 하는 공시적(共時的)인 관점을 기준으로 한다.

**03** ⑤

정답 해설

'덧버선'은 '덧-'과 '버선'으로 분석된다. '버선'을 '버-'와 '-선'으로 쪼개면 의미가 사라지게 되므로 형태소를 잘못 분석한 것이다.

**04** ③

정답 해설

어근 '사냥'과 접미사 '-꾼'이 결합하여 파생어 '사냥꾼'이 되었다.

오답 체크

① '자전거(自轉車)'는 한자어로, 접사가 결합하지 않았다.
② '돌다리'는 어근 '돌'과 어근 '다리'가 결합한 합성어이다.
④ '어린이'는 용언의 어간이자 어근인 '어리-'에 관형사형 어미 '-ㄴ'가 결합하여 어근(명사) '이'를 꾸며 주는 형태의 통

사적 합성어이다. 접사는 결합하지 않았다.

⑤ '책가방'은 어근 '책'과 어근 '가방'이 결합한 합성어이다.

**05** ⑤

정답 해설

접사는 의존 형태소이지만 실질 형태소가 아니다. 특정한 의미를 어근에 더해 주는 문법적 역할(기능)을 한다고 보아 형식 형태소로 분류한다.

**06** ②

정답 해설

접사 '햇-'은 '그 해에 난, 얼마 되지 않은' 등의 의미를 어근에 더해준다.

**07** '아무것도 없는'이라는 의미를 어근에 더해준다.

정답 해설

〈보기〉인 '맨눈, 맨땅, 맨주먹'의 뜻풀이에서 공통적으로 확인할 수 있는 내용을 바탕으로 '맨-'이 더해 주는 의미인 '아무것도 없거나 아니다'라는 내용을 추론하면 된다. 또한 문두에서는 말의 의미가 아니라, 단어를 만들 때의 역할을 묻고 있다. 따라서 '의미를 어근에 더해준다'는 접사 '맨-'의 문법적 기능이 정확히 서술되어야 한다.

**08** ③

정답 해설

'달리기'는 어근이자 용언의 어간인 '달리-'에 명사를 만드는 접미사 '-기'가 결합한 파생어로 〈보기〉의 '웃음'과 단어 형성 방식이 일치한다. 나머지 단어들은 접미사가 결합하지 않았다.

오답 체크

① 접두사 '짓-'과 어근 '밟(다)'가 결합한 파생어이다.

② 접두사 '헛-'과 어근 '소문'이 결합한 파생어이다.

④ 어근 '밤'과 어근 '나무'가 결합한 합성어이다.

⑤ 접두사 '풋-'과 어근 '나물'이 결합한 파생어이다.

**09** 1) 파생어: 도둑질
2) 형태소 분석: 어근 '도둑' + 접미사 '-질'
3) 파생어 종류: 접미 파생어

정답 해설

'-질'은 다양한 의미를 더해 주는 접미사인데, 여기서는 일부 명사 뒤에 붙어 좋지 않은 행위에 비하하는 뜻을 더하고 있다.

- 녀석: 하나의 형태소(어근)로 이루어진 단일어이다.
- 맨날: '만(萬)'에서 유래한 불완전 어근 '맨'과 어근 '날'이 결합한 합성어로 분석할 수 있다. '아무것도 없는'이라는 의미의 접두사 '맨-'과는 다른 형태소이다. 불완전 어근이란 특정 형태소와만 결합하여 제한적으로 쓰이는 어근을 말한다.
- 제정신: 어근 '제'와 어근 '정신(精神)'이 결합한 합성어이다.

**10** ㉠ 자랑 ㉡ -스럽- ㉢ 자랑스럽-

정답 해설

〈보기〉 설명의 문맥을 고려하여 어근과 접사, 어간을 구분하면 된다. '-스럽다'는 일부 어근 뒤에 붙어 '그러한 성질이 있음'의 뜻을 더하고 형용사를 만드는 접미사이다.

## 단어의 형성 2, 새말의 형성 원리-기본 문제

본문 24~26쪽

| | | | | | | | |
|---|---|---|---|---|---|---|---|
| 01 | ⑤ | 02 | ② | 03 | ① | 04 | 해설 참조 |
| 05 | ③ | 06 | 해설 참조 | | | 07 | ⑤ |
| 08 | 해설 참조 | | | 09 | ④ | 10 | ① |

01 ⑤

정답 해설

'눈'과 '사람' 모두 실질적·중심적 의미를 지닌 어근으로, '눈사람'은 합성어이다.

오답 체크

① '병아리'는 단일어이다.

② '겁쟁이'는 어근 '겁'에 접미사 '-쟁이'가 결합한 파생어이다.

③ '어머니'는 단일어이다.

④ '소리꾼'은 어근 '소리'에 접미사 '-꾼'이 결합한 파생어이다.

02 ②

정답 해설

선택지 중 '감자꽃'만 어근과 어근이 결합한 합성어이다.

오답 체크

① 어근 '가위'에 접미사 '-질'이 결합한 파생어이다.

③ 접두사 '날-'에 어근 '강도'가 결합한 파생어이다.

④ 총 3개의 형태소로 이루어진 복합어로, 직접 구성 요소는 용언의 어간이자 어근인 '모내-'와 접미사 '-기'로 분석되므로 파생어로 분류한다. '모'와 '내-'는 각각 어근이다.

⑤ 불완전 어근 '땅딸'에 '그러한 특성을 지닌 사람'의 의미를 더하는 접미사 '-보'가 결합한 파생어이다. 불완전 어근이란 특정 형태소와만 결합하여 제한적으로 쓰이는 어근을 말한다.

03 ①

정답 해설

'새해'는 관형사 '새'가 명사 '해(年)'를 꾸미고 있으므로 국어의 일반적인 문장 형성 방식에 부합하는 통사적 합성어이다.

오답 체크

② '늦더위'는 접사 '늦-'이 결합한 파생어로 볼 수 있다. 용언의 어간 '늦-'이 관형사형 어미 없이 명사 '더위'를 수식하는 것으로 보아 비통사적 합성어로 분석하는 견해도 있으나, 사전에는 접사 '늦-'이 표제어로 등재되어 있다. 합성어로 본다 하더라도 통사적 합성어는 아니므로 ㉠의 예시로 적절하지 않다.

③ 용언의 어간 '검-'이 연결 어미 없이 다른 어간 '붉-'에 직접 결합하고 있으므로, '검붉다'는 비통사적 합성어이다.

④ 용언의 어간 '뛰-'가 연결 어미 없이 다른 어간 '놀-'에 직접 결합하고 있으므로, '뛰놀다'는 비통사적 합성어이다.

⑤ '서늘한 바람이 가볍고 보드랍게 부는 모양'을 의미하는 부사 '산들'이 명사 '바람'을 수식하고 있으므로 비통사적 합성어이다.

04 용언의 어간 '덮-'이 관형사형 어미와의 결합 없이 명사인 '밥'을 직접 수식하고 있기 때문이다.

정답 해설

통사적 합성어이려면 '덮은/덮는/덮을 밥' 등 관형사형 어미가 결합해야 한다. '어미와의 결합이 없다'는 내용이 있으면 정답으로 인정할 수 있다.

05 ③

정답 해설

'앞뒤'는 말 그대로 '앞과 뒤'를 가리키는 말로 두 어근의 본래 의미가 대등하게 유지된 ㉠에 해당한다. '우리, 집, 맑은, 개울, 흐른다'는 모두 어근이 하나인 단일어이다.

오답 체크

① '물걸레, 방바닥'은 종속 합성어이다.

② '옛날, 고무신'은 종속 합성어이다.

④ '밤나무'는 종속 합성어이다.

⑤ '바늘방석'은 '예전에, 부녀자들이 바늘을 꽂아 둘 목적으로 헝겊 속에 솜이나 머리카락을 넣어 만든 수공예품'의 의미일 때는 종속 합성어이다. 그러나 문맥상 '앉아 있기에 아주 불안스러운 자리를 비유적으로 이르는 말'에 해당하므로 원래 어근의 의미가 아닌 새로운 의미를 나타내는 융합 합성어이다.

06 1) 잎

2) 집

3) 보다 또는 '보-'

정답 해설

1) '가랑잎'은 '활엽수의 마른 잎'이라는 의미로, 불완전 어근인 '가랑'이 '잎'을 수식하는 종속 합성어이다.

2) '벽돌집'은 총 3개의 형태소로 이루어져 있는데, 직접 구성 요소는 '벽돌'과 '집'으로 분석된다. '벽돌로 만든 집'이라는 의미이므로, 중심적 의미는 '집'에 있다.

3) 종속 합성어 '돌아보다'는 '고개를 돌려 보다'는 의미이므로

중심 의미가 '보다'에 있다. 단, '지난 일을 다시 생각하다, 관심을 가지고 보살피다' 등의 의미일 때는 융합 합성어로 분류해야 할 것이다.

**07** ⑤

정답 해설

그가 가지런히 모으고 있는 '손발'은 문자 그대로 '손'과 '발'을 아울러 이르는 말로 새로운 의미를 나타내고 있지 않다. 즉, 융합 합성어가 아니라 두 어근의 본래 의미가 대등하게 유지된 대등 합성어이다. 융합 합성어로 분류하려면 '자기의 손이나 발처럼 마음대로 부리는 사람'이라는 비유적 의미로 쓰여야 한다.

오답 체크

① '늘, 항상'이라는 의미이다.

② '매우 적은 것'을 비유하는 말이다.

③ '어른의 나이'를 높여 이르는 말이다.

④ '무엇을 이루기 위하여 애쓰는 노력과 정성'을 비유적으로 이르는 말이다. 문맥에 따라 '피'와 '땀'을 아울러 가리키는 대등 합성어로 쓰이기도 한다.

**08** 손톱, 깎이, 합성어

정답 해설

〈보기〉에서 '손톱깎다'라는 단어가 사전에 표제어로 등재되어 있지 않음에 주목하여, 직접 구성 요소를 '손톱깎-'과 접미사 '-이'로 분석하지 않음에 유의한다.

**09** ④

정답 해설

'새, 집, 증후군(症候群)'은 모두 각각의 실질적 의미가 있는 어근이다.

**10** ①

정답 해설

'멘붕'은 '멘탈(Mental) 붕괴(崩壞)'의 줄임말로, 영어 단어 및 한자어의 앞부분 글자끼리 부분적으로 결합하여 만들어졌다.

오답 체크

② '갓길'은 '노견(路肩)'을 우리말로 순화한 것이다.

③ '꿀잼'은 '꿀처럼 달콤한 재미(~가 있다)'라는 의미의 줄임말이다.

④ '스마트폰(Smart phone)'이라는 새로운 대상이 생겨나면서 만들어진 말로, 외국어를 그대로 빌려서 외래어로 사용하고 있다.

⑤ '누리소통망'은 'SNS'를 우리말로 순화한 것이다.

# 제2강 음운 변동

**음운 변동, 교체 1-기본 문제** 본문 30~32쪽

**01** ③ **02** ② **03** ③ **04** ① **05** ④
**06** ③ **07** ③ **08** ① **09** 해설 참조
**10** 해설 참조

**01** ③

정답 해설

음운변동현상이 일어나는 이유는 크게 2가지가 있다. 첫째는 발음을 편하게 하기 위함인데 이는 곧 효율적이고 경제적으로 발음하고자 함과 같은 말이다. '밥물'을 발음할 때 받침 'ㅂ'으로 공기의 흐름을 폐쇄하는 것보다 'ㅁ'으로 바꾸어 [밤물]로 발음함으로써 공기의 흐름을 코로 이어가면서 편하게 발음하는 것이 그것이다. 둘째는 표현 효과를 높이기 위해서인데, 이는 말의 뜻을 구별하거나 강조하는 것과 관련이 있다. 예를 들어 '고기배'는 물고기의 배(몸의 일부)일 수도 있고 물고기를 잡는 배일 수도 있으므로, 후자를 [고기빼]라고 발음하고 사이시옷을 넣어 '고깃배'라고 적음으로써 둘을 명확하게 구분하는 것이다.

**02** ②

정답 해설

<보기>에 써 있는 대로 앞음절의 끝소리 즉 받침을 다음 음절의 초성으로 이어 발음한 것을 고르면 '팥을'을 [파틀]로 발음한 ②를 쉽게 고를 수 있다. 구개음화 등 다른 음운현상과 혼동하여 [파츨], [파슬] 등으로 바꿔 발음하는 경우를 볼 수 있는데 모두 잘못된 발음이다.

정답 해설

① '놓아'를 [놔]로 발음하는 것은 'ㅎ'탈락과 모음 축약의 결과이다.

③ '꽃이'를 [꼬시]로 발음한 것은 제대로 연음을 하지 않고 받침 소리를 마음대로 'ㅅ'으로 바꾸어 연음한 결과이다.

④ '여덟이'의 받침은 겹받침 'ㄼ'으로 모음으로 시작하는 형식 형태소가 오면 앞에 있는 'ㄹ'은 그대로 두고 뒤에 있는 'ㅂ'만 연음하여 '[여덜비]'라고 발음해야 한다.

⑤ '새벽녘에'는 'ㅋ'을 그대로 연음하여 [새벽녀케]라고 발음해야 한다. 'ㅋ'을 'ㄱ'으로 잘못 연음하여(음절의 끝소리 규칙을 적용했을 수도 있고, 애초에 '녁'으로 생각했을 수도 있다.) [새벽녀게]라고 발음해서는 안 된다.

**03** ③

정답 해설

'국화'는 받침의 예사소리 'ㄱ'과 'ㅎ'이 만나 둘 모두의 성질을 가진 거센소리 'ㅋ'으로 축약된 경우이다. 탈락과 축약은 둘다 음운의 개수가 줄어들지만, 결과적으로 탈락은 둘 중 하나가 남고, 축약은 둘 모두의 성질을 가진 다른 것으로 합쳐진다.

오답 체크

① '볕이'는 구개음화로 인해 'ㅌ'이 'ㅊ'으로 '교체'되어 [벼치]로 발음한다.

② '학문'은 비음화로 인해 비음인 'ㅁ' 앞에서 파열음 'ㄱ'이 'ㅇ'으로 '교체'되어 [항문]으로 발음한다.

④ '남기어'는 3음절이었는데 모음 2개가 합쳐져 '남겨'라는 2음절로 '축약'되었다. 이처럼 모음 축약은 발음이 표기에도 반영이 된다.

⑤ '닭'은 표기상 받침에 자음이 2개이지만 둘 중 하나만 발음하도록 'ㄹ'이 '탈락'하여 [닥]으로 발음한다.

**04** ①

정답 해설

'맡는'이 '만는'이 될 때에는 음절의 끝소리 규칙에 따라 'ㅌ'이 'ㄷ'으로 '교체'된다. 이 파열음 'ㄷ'은 다시 비음 'ㄴ' 앞에서 비음화되어 'ㄴ'으로 '교체'되어 '맡는'은 최종적으로 [만는]으로 발음된다. 그러므로 ⓐ, ⓑ는 모두 '㉠교체'이다.

**05** ④

정답 해설

음절의 끝소리규칙에 따르면 음절 말에서는 자음의 소리(종성)가 7개로만 난다. 'ㄱ, ㄴ, ㄷ, ㄹ, ㅁ, ㅂ, ㅇ'이 그것이다. 'ㅅ'은 음절 말에서 'ㄷ'으로 바뀌어 소리 난다.

**06** ③

정답 해설

음절 말에서 발음되는 자음은 'ㄱ, ㄴ, ㄷ, ㄹ, ㅁ, ㅂ, ㅇ'이며, 'ㅅ'은 음절말에서 'ㄷ'으로 바뀌어 소리 나므로. '밤낮'의 발음은 [밤낟]이다.

오답 체크

①, ④ '안팎'과 '부엌 안'의 받침 'ㄲ'과 'ㅋ'은 음절 말에서 'ㄱ'으로 바뀌어 소리 난다.

②, ④ 뒷말이 모음으로 시작하더라도 '실질 형태소'이면 음절의 끝소리 규칙을 먼저 적용한 후 연음하여 발음한다. 따라

서 '옷 위'는 '옷'을 먼저 [옫]으로 발음한 후 연음하여 [오뒤]로 발음하고, '부엌 안'은 '부엌'을 먼저 [부억]으로 발음한 후 연음하여 [부어간]으로 발음한다.

⑤ '웃음'은 '-음'이 명사파생접미사 또는 명사형전성어미로 형식 형태소이기 때문에 음절의 끝소리 규칙이 적용되지 않고 'ㅅ'을 그대로 연음하여 [우슴]으로 발음한다. 이 경우 일어난 음운 변동은 없다.

**07** ③

정답 해설

표준발음법 제18항은 역행 비음화에 대한 내용이다. 따라서 뒤에 온 비음 'ㄴ'이 앞의 파열음 'ㄱ'(음절의 끝소리규칙에 따라 'ㄲ'은 'ㄱ'으로 변했음)을 비음 'ㅇ'으로 바꾼 '닦는[당는]'이 이에 해당하는 사례이다.

오답 체크

① '설날'의 발음은 [설랄]로 유음화가 일어났다.

② '침략'의 발음은 [침냑]으로 비음화는 맞지만 비음 뒤에서 유음이 비음화되는 경우이므로 〈보기〉와 결과만 같을 뿐 음운환경이나 과정은 차이가 있다.

④ '약밥'의 발음은 [약빱]으로 된소리되기(경음화)가 일어났다.

⑤ '쌓아'의 발음은 [싸아]로 'ㅎ'이 탈락한다.

**08** ①

정답 해설

㉠, ㉡에 적용된 공통 음운 현상은 유음화이다. ㉠의 유음화는 앞의 유음이 뒤에 있는 비음을 유음화하는 순행유음화이고 ([달라라], [칼랄]), ㉡의 유음화는 뒤에 있는 유음이 앞에 있는 비음을 유음화하는 역행유음화이다.([실림], [날로], [펼리]) 따라서 유음의 앞에 있든 뒤에 있는 'ㄴ'이 유음으로 바뀐다는 내용이 정답이다.

오답 체크

② 역행 비음화에 대한 설명이다.

③ 'ㄴ' 첨가(사잇소리 현상)에 대한 설명이다.

④ 구개음화에 대한 설명이다.

⑤ 자음군단순화(받침에서의 자음 탈락)에 대한 설명이다.

**09** [바라미 부러서], 연음되었기 때문이다.

정답 해설

왜냐하면 바뀐 음운이 하나도 없으며, 앞 음절의 끝소리를 다음 음절의 첫소리로 옮겨서 발음한 것이기 때문이다.

**10** 음절의 끝소리규칙, 비음화

정답 해설

'꽃', '놓', '맞'은 음절의 끝소리 규칙에 따라 '꼳', '녿, 맏'으로 발음된다. 이후, 뒤에 있는 자음 'ㅁ, ㄴ'에 의해 비음화가 일어나 'ㄷ'이 전부 비음 'ㄴ'으로 교체되어 '꼰, 논, 만'으로 소리가 난다.

## 교체 2, 축약-기본 문제

본문 35~38쪽

| | | | | |
|---|---|---|---|---|
| 01 ① | 02 ⑤ | 03 ④ | 04 ⑤ | 05 ② |
| 06 ⑤ | 07 ⑤ | 08 ② | 09 해설 참조 | |
| 10 해설 참조 | | | | |

### 01 ①

정답 해설

'솥이'를 발음하면 [소치]로 이는 실질 형태소의 윗잇몸소리(치조음) 받침 'ㅌ'이 형식 형태소 'ㅣ'를 만나 센입천장소리(경구개음) 'ㅊ'으로 바뀐 구개음화의 예시에 해당한다.

오답 체크

②~⑤ '낮이', '덫에', '돛을', '빚이'의 발음은 각각 [나치], [더체], [도츨], [비지]로, 앞 음절의 받침 'ㅈ, ㅊ'이 그대로 연음되어 다음 음절의 초성이 된 경우이다.

### 02 ⑤

정답 해설

사람들이 발음을 구개음화 또는 연음의 결과라고 생각하여 '설건이' 또는 '설겆이' 등으로 잘못 쓰는 경우가 있다. '설거지'는 음운 변동이 일어나지 않고 표기한 그대로 읽으면 되는 단어이다.

오답 체크

① '쇠붙이'는 '붙다'의 어근 '붙-'에 명사파생접미사 '-이'가 붙어 구개음화가 일어나 'ㅌ'이 'ㅣ' 앞에서 'ㅊ'으로 바뀌어 [쇠부치]라고 발음한다.

② '맏이'는 '맏'과 '이'라는 형태소 경계에서 'ㄷ'이 모음 'ㅣ'를 만나 'ㅈ'으로 변하는 현상이다. 학자들마다 '맏'과 '이'가 각각 무엇인지('맏'이 접두사인지 어근인지, '이'가 대명사인지 접미사인지)에 대한 의견은 다양하다. 그러나 형태소 경계가 있는 것, 구개음화 현상이 일어나는 것은 확실하다.

③ '붙이고'는 '붙다'의 어근 '붙-'에 사동접미사 '-이'가 붙어 구개음화가 일어나 'ㅌ'이 'ㅣ' 앞에서 'ㅊ'으로 바뀌어 [부치고]라고 발음한다.

④ '가을걷이'는 '걷-'이라는 어근에 명사파생접미사 '-이'가 붙어 구개음화가 일어나 'ㄷ'이 'ㅣ' 앞에서 'ㅈ'으로 바뀌어 [가을거지]라고 발음한다.

### 03 ④

정답 해설

표준어규정 제5항에서는 한 단어 안에서 뚜렷한 까닭 없이 나는 된소리, 다시 말해 '된소리되기(경음화)' 현상에 의해 된소리가 나는 상황이 아니라면 음절의 첫소리를 예사소리가 아니라 된소리로 적는다고 하였다. 두 모음 사이에서 나는 된소리의 예시는 다음과 같다. 소쩍새, 어깨, 오빠, 으뜸, 아끼다, 기쁘다, 깨끗하다, 어떠하다, 해쓱하다, 가끔, 거꾸로, 부썩, 어찌, 이따금 등

오답 체크

① '줍소[줍쏘]', ② '꽃다발[꼳따발/꼬따발]', ③ '국밥[국빱]'은 앞말의 예사소리(ㄱ, ㄷ, ㅂ)와 뒷말의 예사소리(ㄱ, ㄷ, ㅂ, ㅅ, ㅈ)가 만나 뒷말이 된소리로 발음 나는 경우이다.

⑤ '그럴 수[그럴쑤]'는 관형사형 전성어미 -ㄹ 뒤에 오는 예사소리(ㄱ, ㄷ, ㅂ, ㅅ, ㅈ)가 된소리로 발음 나는 경우이다.

### 04 ⑤

정답 해설

예시가 경음화가 일어나는 다섯 가지 경우 가운데 무엇에 해당하는지를 판단하는 문제이다. ㉠ '어간 받침 'ㄼ, ㄾ' 뒤에 결합하는 어미의 첫소리 'ㄱ, ㄷ, ㅅ, ㅈ'를 된소리로 발음하는 유형'에 해당하는 단어는 ①'넓게', ③'떫다', ⑤'훑다'이다.

㉡ 관형사형 어미 '-[으]ㄹ' 뒤에 연결되는 'ㄱ, ㄷ, ㅂ, ㅅ, ㅈ'를 된소리로 발음하는 유형'에 해당하는 단어는 ②'갈 곳', ⑤'할 수는'이다.

오답 체크

②'껴안다'와 ④'더듬다'는 〈보기〉의 두 번째 유형(어간 받침 'ㄴ(ㄵ), ㅁ(ㄻ)' 뒤에 결합되는 어미의 첫소리 'ㄱ, ㄷ, ㅅ, ㅈ'을 된소리로 발음하는 유형)에 해당하는 단어이다.

①'할걸' ③'할수록' ④'할지라도'에서도 경음화가 일어나는 것은 맞다. 그런데 이는 '-(으)ㄹ로 시작되는 어미의 경우'로 '관형사형 (전성)어미'와는 상황이 다르다. 관련된 예시는 다음과 같다. 할걸[할껄], 할밖에[할빠께], 할세라[할쎄라], 할수록[할쑤록], 할지라도[할찌라도], 할지언정[할찌언정], 할진대[할찐대]

### 05 ②

정답 해설

'낫다'는 음절의 끝소리규칙에 의해 'ㅅ'이 음절말에서 'ㄷ'으로 바뀌고 이 'ㄷ'이 다음에 오는 자음 'ㄷ'과 만나 뒤의 'ㄷ'이 'ㄸ'으로 바뀌었다.(경음화, 된소리되기)

오답 체크

① 받침의 'ㄹ'이 탈락하고(자음군단순화), 남은 'ㄱ'과 'ㅈ'이 만나 ㉡에 따라 된소리가 되었다. 따라서 ㉠과 관련이 없다.

③ 받침의 'ㄹ'이 탈락하고, '어간 받침 'ㄴ(ㄵ), ㅁ(ㄻ)' 뒤에 결합되는 어미의 첫소리 'ㄱ, ㄷ, ㅅ, ㅈ'은 된소리로 발음한다.'는 규칙에 따라 어미 '-다'가 경음화되었다.
④ 받침이 원래 'ㅂ'이어서 ㉠이 일어나지 않았다.
⑤ 'ㄱ'과 'ㅎ'이 만나 'ㅋ'으로 축약된 사례로 ㉠, ㉡ 모두와 관련이 없다.

**06** ⑤

정답 해설

거센소리되기(격음화)의 가장 기본이 되는 내용이다. 예사소리 'ㄱ, ㄷ, ㅂ, ㅈ'과 'ㅎ'이 만나면, 순서에 상관없이 두 음운이 합쳐져 'ㅋ, ㅌ, ㅍ, ㅊ'으로 축약이 된다.

**07** ⑤

정답 해설

음운 축약의 종류는 자음 축약과 모음 축약이 있다. 〈보기〉에 써 있는 내용이 바로 그것이며, 두 음운이 한 음운이 된다는 점에서는 탈락과 유사하지만, 탈락은 둘 중 하나는 완전히 사라지고 하나는 온전히 남는 현상이라면, 축약은 둘 모두의 성질을 가진 하나의 음운이 되는 현상이다. 정리하면 음운이 탈락하거나 축약할 때에 모두 음운의 개수가 줄어든다.

오답 체크

① 두 음운이 만나 음절이 줄어드는 것은 '모음 축약'에만 해당한다. '자음'은 음절에 영향을 주지 않는다.
② 두 음운이 만나 모음이 늘어나는 현상은 국어에 없으며, 굳이 따지면 표준발음으로 인정되는 경우가 거의 없는 '모음 첨가' 현상이 있다. (이오[이요], 아니오[아니요], 되어[되여], 피어[피여])
③ 두 음운이 만나 둘 중 하나만 남는 현상은 '음운 탈락'이다.
④ 두 음운이 만나 새로운 자음이 생기는 현상은 '음운 첨가'이다.

**08** ②

정답 해설

'굶어서'의 발음은 [굴머서]로 겹받침 중 하나가 다음 음절 초성으로 '연음'되기 때문에 아무런 음운 변동이 일어나지 않았다.

오답 체크

① '축하'의 발음은 [추카]로 'ㄱ'과 'ㅎ'이 만나 'ㅋ'으로 축약되었다.
③ '많던'의 발음은 [만턴]으로 'ㅎ'과 'ㄷ'이 만나 'ㅌ'으로 축약되었다.
④ '나눠'는 '나누-'라는 어간과 '-어'라는 어미의 결합으로, 'ㅜ'와 'ㅓ'가 만나 'ㅝ'라는 한 음절로 축약되었다.
⑤ '맞췄네'는 '맞추-'라는 어간에 '-었-'과 '-네'라는 어미가 결합한 것으로, 'ㅜ'와 'ㅓ'가 만나 'ㅝ'라는 한 음절로 축약되었다.

**09** ㉠ 어간 / ㉡ 어미

정답 해설

'ㅁ'과 예사소리가 만난다고 하여 모두 된소리 현상이 일어나는 것이 아니다. 어간과 어미가 만나는 단어적 특성이 있을 때에만 경음화가 일어난다.

**10** 아래 5가지 중 3가지를 쓰면 된다.

① 앞말의 받침 'ㄱ(ㅋ, ㄲ, ㄳ, ㄺ)', 'ㄷ(ㅅ, ㅆ, ㅈ, ㅊ, ㅌ,)', 'ㅂ(ㅍ, ㄼ, ㄿ, ㅄ)'과 뒤 음절의 초성 예사소리가 만나면 뒤 음절의 예사소리가 된소리로 변한다.
② 어간의 받침 'ㄴ(ㄵ), ㅁ(ㄻ)' 뒤에 예사소리로 시작하는 어미가 오는 경우, 뒤의 예사소리가 된소리로 변한다.
③ 어간의 받침이 'ㄼ', 'ㄾ'인 경우 어미 'ㄱ, ㄷ, ㅅ, ㅈ'이 'ㄲ, ㄸ, ㅆ, ㅉ'으로 변한다.
④ 한자어 받침 'ㄹ' 뒤에 예사소리가 오는 경우 뒤 자음이 된소리로 변한다.
⑤ 관형사형 전성어미 '-ㄹ' 또는 '-ㄹ'로 시작하는 어미 뒤에 오는 예사소리는 된소리로 변한다.

## 탈락, 첨가-기본 문제

본문 40~42쪽

01 ③ 02 ③ 03 ⑤ 04 ② 05 ④
06 ② 07 ① 08 ④ 09 해설 참조
10 해설 참조

### 01 ③

정답 해설

'만들다'의 어간 '만들-'에서 'ㄹ'이 'ㄴ'으로 시작하는 어미 앞에서 탈락하였고, '딸'의 받침 'ㄹ'이 'ㄴ'앞에서 탈락하였으며, '기쁘다'의 어간 '기쁘-'의 'ㅡ'가 모음으로 시작하는 어미 앞에서 탈락하였다.

오답 체크

① '나니'는 '날다'의 어간에서 'ㄹ'이 탈락하였고, '부삽'은 명사 '불'의 받침 'ㄹ'이 'ㅅ' 앞에서 탈락하였다. 그러나 '솔방울'에서는 탈락한 음운이 없다.

② '우짖다'는 '울다'와 '짖다'의 합성어로, '울-'의 'ㄹ'이 탈락하였고, '바느질'은 '바늘'의 받침 'ㄹ'이 'ㅈ' 앞에서 탈락한 합성어이다. 그러나 '잃다'는 [일타]로 발음나는 데에서 알 수 있듯 자음축약(거센소리되기)만 일어난다.

④ '다달이'는 '달'+'달'+'이'가 합쳐진 말로 'ㄹ' 탈락의 사례가 맞다. 그러나 '일으켜'는 어간 '일으키-'에 어미 '-어'가 결합하는 과정에서 모음 축약이 일어난 것이고, '굽히다'는 자음 축약이 일어나서 [구피다]로 발음된다.

⑤ '색연필'은 'ㄴ' 소리가 첨가된 후 'ㄱ'이 자음동화(비음화)되어 'ㅇ'이 되므로 결과적으로 [생년필]로 발음된다. '축하해'에서는 자음축약(거센소리되기)이 일어나고, '지난해'에서는 아무런 음운변동이 일어나지 않는다.

### 02 ③

정답 해설

'북한산'의 발음은 [부칸산]으로 'ㄱ'과 'ㅎ'이 축약되어 격음화(거센소리되기)가 일어난 사례이다.

오답 체크

①'말+소', ②'솔+나무', ④'아들+님', ⑤'찰+지다'는 단어가 결합하는 과정에서 'ㄹ'이 공통적으로 탈락했음을 알 수 있다.

### 03 ⑤

정답 해설

'따르다'는 어간의 'ㅡ'가 탈락한 경우이지만, '불러'는 '부르다'의 '르'가 모음 어미 '-어'와 만나 'ㄹㄹ'로 변한 경우이므로 음운 변동의 종류가 서로 다르다. '르 불규칙' 용언이 'ㅡ탈락'과 자주 비교되므로 품사 단원의 활용 단원을 복습해두면 좋다.

오답 체크

①'볕이'와 '굳이'는 [벼치]와 [구지]로 발음되는 구개음화 현상의 예시이다.

②'삶'과 '만듦'은 [삼]과 [만듬]으로 발음되는 '탈락'의 예시이다. 국어는 받침에서 1개만 소리날 수 있기 때문에 둘 중 하나는 탈락하는데, 이를 '자음군 단순화'라고 한다.

③'뜨다'의 활용형 '떠', '끄다'의 활용형 '꺼', ④'고프다'의 활용형 '고파', '바쁘다'의 활용형 '바빠'는 모두 모음 어미와 결합한 어간의 끝모음 'ㅡ'가 탈락한 경우이다.

### 04 ②

정답 해설

'굴렀다'는 '구르다'의 어간의 'ㄹ'이 모음어미 앞에서 'ㄹㄹ'로 변하는 '르 불규칙'의 예시이다.

오답 체크

①잠가(잠그- + -아), ②꺼서(끄- + -어서), ③써서(쓰- + -어서), ④담가(담그-+-아)는 모두 모음 'ㅡ'가 탈락한 예시이다.

### 05 ④

정답 해설

ⓓ'빻아'의 발음은 [빠아]로 발음해보면 음운 'ㅎ'이 탈락했음을 알 수 있다. 그러나 표기할 때에는 어간의 기본형(원형)을 살려 '빻아'라고 적는다.

오답 체크

① ⓐ'끄고'에서 볼 수 있듯 자음 어미 앞에서는 어간 '끄-'가 그대로 유지되는데, 달리 모음 어미 앞에서 'ㅡ'가 탈락했음을 알 수 있다.

② ⓑ'사- + -아 → 사'에서 볼 수 있듯이 어간과 어미에 같은 음운이 왔을 때 어간의 모음 'ㅏ'가 탈락한다는 것을 알 수 있다. 용언은 어간과 어미가 함께 쓰여야 하므로, 둘 중 하나가 탈락한다면 그것은 어간의 어미일 것이다.

③ ⓒ'살- + -니 → 사니'의 예를 통해 어간의 종성 'ㄹ'이 'ㄴ'으로 시작하는 어미 앞에서 탈락함을 알 수 있다.

⑤ ⓒ, ⓓ를 통해 음운의 탈락이 자음에서도 일어남을 알 수 있다.

### 06 ②

정답 해설

'식용유'의 발음은 [시공뉴]이고, '서울역'의 발음은 [서울력]이다. '식용유'는 '먹을 수 있는 기름'이라는 뜻으로 '식용'과 '유' 사이에 'ㄴ'이 첨가된 사례이다. '서울'과 '역'사이에 'ㄴ'이 첨가된 [서울녁]은 순행 비음화에 의해 [서울력]으로 발음된다. 둘의 공통점은 모두 'ㄴ' 소리가 첨가되었다는 것이다.

오답 체크

① '맨입'의 발음은 [맨닙]으로 'ㄴ'이 첨가된 사례가 맞지만, '독약[도갹]'은 음운변동이 일어나지 않는다.

③ '콩엿'의 발음은 [콩녇]으로 'ㄴ'이 첨가된 사례가 맞지만, '불일치[부릴치]'은 음운변동이 일어나지 않는다.

④ '눈요기'의 발음은 [눈뇨기]으로 'ㄴ'이 첨가된 사례가 맞지만, '의기양양[의기양양]'은 음운변동이 일어나지 않는다. 같은 음절이 반복되는 의태어는 'ㄴ'첨가가 일어나지 않는 경우들이 있다. '용용 죽겠지'의 '용용'은 [용뇽]으로 발음되지만 '의기양양'의 '양양'은 [양냥]으로 발음하지 않는다.

⑤ '담요'의 발음은 [담뇨]로 'ㄴ'이 첨가된 사례가 맞지만, '눈인사[누닌사]'는 음운변동이 일어나지 않는다.

**07** ①

정답 해설

'낮일'은 [낟일]-[낟닐]을 거쳐 [난닐]로 발음된다. '꽃잎'의 경우와 마찬가지로 음절의 끝소리규칙(표준발음법 제9항), 'ㄴ' 첨가(표준발음법 제29항), 역행비음화(표준발음법 제18항)를 거친 것이다.

오답 체크

② '부엌문'은 [부억문](음절의 끝소리규칙)을 거쳐 [부엉문](비음화)으로 발음된다.

③ '색연필'은 [색년필]('ㄴ'첨가)을 거쳐 [생년필](비음화)로 발음된다.

④ '옷맵시'는 [옫맵씨](음절의 끝소리 규칙)을 거쳐 [온맵씨](비음화)로 발음된다.

⑤ '못나니'는 [몯나니](음절의 끝소리 규칙)을 거쳐 [몬나니](비음화)로 발음된다.

**08** ④

정답 해설

거센소리되기는 'ㅎ'과 'ㅂ, ㄷ, ㄱ, ㅈ'이 만나 'ㅍ, ㅌ, ㅋ, ㅊ'이 되는 현상으로, ㉡'묻히다[무치다]', ㉢'쌓지[싸치]'는 모두 그 예에 해당한다. 물론, '묻히다'는 'ㄷ'과 'ㅎ'이 만나 '무티다'가 되는 축약이 일어난 후에 구개음화를 거쳐 [무치다]로 발음한다. 또한 'ㄴ' 첨가는 앞말이 자음으로 끝나고 뒷말이 'ㅣ'나 반모음 'ㅣ'[j]로 시작할 때 'ㄴ'이 첨가되는 현상으로, ㉠'집안일[지반닐]', ㉣'깻잎[깬닙]'은 모두 그 예에 해당한다.

**09** '용언에서의 'ㅎ'탈락이 표기에 반영되지 않기' 또는 "나았으면'과 '낳았으면'의 발음이 같기'

**10** 합성어나 파생어에서 자음으로 끝나는 형태소 뒤에 단모음 'ㅣ' 또는 반모음 'ㅣ'로 시작하는 형태소가 올 때(이, 야, 여, 요, 유) 'ㄴ'이 첨가되어 [니, 냐, 녀, 뇨, 뉴]로 발음하는 현상이다.

정답 해설

참고로 '담요'는 '담毯'과 '요'의 합성어로, '담'이라는 한자는 순수한 털이나 털에 솜을 섞은 것을 굵게 짜거나 두껍게 눌러서 깔거나 덮게 만든 것이라는 뜻이고, '요'는 '사람이 누울 때 방바닥에 까는 침구의 한 가지'의 의미이다.

# 제3강 문장표현 I

**종결 표현-기본 문제** 본문 46~48쪽

| | | | | | |
|---|---|---|---|---|---|
| 01 종결어미 | | 02 설명의문문 | | | |
| 03 청유문 | | 04 ② | 05 ③ | 06 ① | |
| 07 ④ | 08 ① | 09 ③ | 10 ⑤ | | |

**01** 종결어미

정답 해설

말하는 이는 자신이 표현하고자 하는 내용에 적합한 종결어미를 선택하여 자신의 생각이나 느낌을 효과적으로 표현한다. 이렇게 종결어미를 사용하여 문장을 끝맺는 것을 종결 표현이라고 한다. 종결 표현의 종류에는 평서문, 의문문, 명령문, 청유문, 감탄문 등이 있다.

**02** 설명의문문

정답 해설

말하는 이가 듣는 이에게 묻는 형식을 취하는 것을 의문문이라고 하는데, 설명을 요구하는 의문문은 설명의문문이라고 하고, 긍정이나 부정의 대답을 요구하는 의문문은 판정의문문이라고 한다. 또, 대답을 요구하지 않고 서술이나 명령, 요청, 감탄 등과 같은 수사적인 표현 효과를 내는 의문문을 수사의문문이라고 한다.

**03** 청유문

정답 해설

'내일 함께 운동을 하러 가자.'는 말하는 이가 듣는 이에게 '운동'이라는 행위를 함께 할 것을 요청하는 문장이므로 청유문에 해당한다.

**04** ②

정답 해설

'오늘부터 매일 채소를 먹자.'는 말하는 이가 듣는 이에게 '채소를 먹는 행위'를 함께 할 것을 요청하는 문장이므로 청유문이라고 할 수 있다.

오답 체크

① '인천에 공항이 있다.'는 공항이 있는 장소를 사실적으로 전달하고 있으므로 평서문이다.

③ '저 사람이 이 가게의 주인이다.'는 '저 사람'이 누구인지 객관적으로 서술하고 있으므로 평서문이다.

④ '우리나라의 기후가 변하고 있다.'는 '기후 변화'라는 정보를 사실적으로 전달하고 있다.

⑤ '선생님께서 과제를 해오라고 하셨다.'는 '선생님'께서 해오라고 한 것이 '과제'임을 전달하는 평서문이다.

**05** ③

정답 해설

〈보기〉에서 ㉠은 종결어미 '-다'를 사용하여 앞으로 할 일에 대한 사실적 정보를 전달하는 평서문이고, ㉡은 종결어미 '-구나'를 사용하여 말하는 이의 느낌을 감탄조로 서술하고 있다. ㉢은 종결어미 '-어라'를 사용하여 듣는 이의 행동 변화를 요구하는 있는 명령문이다.

**06** ①

정답 해설

공기가 탁한 원인을 서술하는 문장이므로 말하는 이가 듣는 이에게 사실을 전달하는 평서문이라고 할 수 있다.

오답 체크

② 이 세상에는 1등이 아닌 사람도 많이 있다는 자신의 생각을 감탄조로 서술한 감탄문이다.

③ 택배를 기다리는 자신의 상황을 진술한 평서문이다.

④ 듣는 이의 행동만을 요구하는 것이 아니라 말 하는 이와 듣는 이가 행동을 함께 하기를 요구하는 청유문이다.

⑤ 말하는 이가 듣는 이에게 소중한 것이 무엇인지 묻고 있는 의문문이다.

**07** ④

정답 해설

'일기 예보를 확인하는 습관을 들이자.'는 종결어미 '-자'를 사용하여 듣는 이의 행동 변화를 요구하는 명령문이다.

오답 체크

① 기후 변화에 대비해야 할 필요성이 있음을 진술한 평서문이다.

② 비가 올 것이라는 일기 예보 내용을 전달하는 평서문이다.

③ 그 사람이 비가 내리는 날을 좋아한다는 정보를 전달하는 평서문이다.

⑤ 이상 기후의 위험성을 전달하는 평서문이다.

**08** ①

정답 해설

긍정이나 부정의 대답을 요구하는 의문문을 판정의문문이라고 한다. '내일 회의가 열리니?'는 회의 개최 여부에 대한 긍정이나 부정의 대답을 요구하고 있으므로 판정의문문이라고 할 수 있다.

오답 체크

② 회의가 열리는 시기에 대한 설명을 요구하는 설명 의문문이다.

③ 회의의 안건이 무엇인지 설명을 요구하는 설명의문문이다.

④ 회의가 끝나는 시간이 몇 시인지 설명을 요구하는 설명의문문이다.

⑤ 누구든 회의 준비를 할 수 있다는 내용을 담고 있으므로 '서술, 명령, 감탄 등의 효과를 나타내는 의문문'인 수사의문문이다.

**09** ③

정답 해설

말하는 이가 듣는 이에게 묻는 형식인 의문문 중에서 서술, 명령, 감탄 등의 효과를 나타내는 수사의문문은 듣는 이의 답을 요구하지 않는다.

오답 체크

① 종결 표현은 종결 어미를 사용하여 문장을 끝내는 것과 관련이 있다.

② 우리말에서 문장의 종결 표현은 평서문, 의문문, 명령문, 감탄문, 청유문 등 다섯 종류가 있다.

④ 청유문은 종결 어미 '-자'를 사용하여 말하는 이가 듣는 이에게 같은 행동을 할 것을 기대하는 문장 형식이다.

⑤ 감탄문은 말하는 이가 듣는 이를 의식하지 않고 자신의 느낌을 표현하는 것이다.

**10** ⑤

정답 해설

기본형 '고르다'에 '-(으)라' 종결 어미가 결합한 간접 명령문이다.

오답 체크

① 서술어 '보다'에 종결어미 '-아라'가 결합한 직접 명령문이다.

② 서술어 '먹다'에 '-어라'가 결합한 직접 명령문이다.

③ 서술어 '고르다'에 '-아라'가 결합한 직접 명령문이다.

④ 서술어 '씻다'에 종결어미 '-어라'가 결합한 직접 명령문이다.

## 높임 표현-기본 문제

본문 51~53쪽

**01** 높고 낮음 **02** 해설 참조
**03** 해설 참조 **04** ③ **05** ⑤ **06** ①
**07** ② **08** ② **09** ⑤ **10** ②

**01** 높고 낮음

정답 해설

말하는 이가 어떤 대상에 대해 높고 낮음의 정도에 따라 언어적으로 구별하는 표현을 높임법 이라고 하며 주체 높임법, 상대 높임법, 객체 높임법의 세 종류가 있다.

**02** 선어말 어미, 특수 어휘, 조사

정답 해설

주체는 높일 때에는 주체 높임 선어말 어미 '-시'를 사용하거나, '계시다'와 같은 특수 어휘를 사용하거나, 조사 '께서'를 사용한다.

**03** 목적어, 부사어

정답 해설

서술어의 대상이 되는 목적어나 부사어를 객체라고 하며 특수한 어휘를 사용하여 객체를 높이는 것을 객체 높임법이라고 한다.

**04** ③

정답 해설

'제출하십시오'는 상대 높임 격식체인 '하십시오체'에 해당한다.

오답 체크

① '많으시다'는 주체 높임 선어말 어미인 '-시-'를 이용하여 주체인 '아버지'를 높이고 있다.

② '드신다'는 주체인 '삼촌'을 특수 어휘를 이용하여 높이고 있다.

④ '아픈신지'는 아픔을 느끼는 주체를 주체 높임 선어말 어미 '-시-'를 이용하여 높이고 있다.

⑤ '주무시는'은 특수 어휘를 이용하여 주체인 '어머니'를 높이고 있다.

**05** ⑤

정답 해설

'여쭈어'는 객체인 '선생님'을 높이고 있다. '드려라'도 동작이 미치는 대상인 '이모님' 즉 객체를 높이는 객체 높임법에 해당한다.

오답 체크

① '가셨다'는 주체인 '할머니'를 높이고 있다.
② '많으시다'는 주체인 '큰아버지'를 높이고 있다.
③ '잡수신다'는 주체인 '할아버지'를 특수 어휘를 사용하여 높이고 있다.
④ '측정하셨다'는 측정의 주체인 '아버지'를 높이고 있다.

**06** ①

정답 해설

상대 높임법은 종결 어미를 사용하여 실현되며, 격식체와 비격식체로 나눌 수 있다.

오답 체크

② 우리말 높임법 중 가장 발달한 높임법은 상대 높임법이다.
③ '계시다', '잡수시다'와 같은 특수 어휘는 주체 높임법에 해당하고, '드리다', '모시다'와 같은 특수 어휘는 객체 높임법에 해당한다.
④ 주체 높임법에서 주체는 문장의 주어이며, 주어가 말하는 이보다 나이가 많거나 사회적 지위가 높을 때 이루어진다.
⑤ 상대 높임법의 격식체는 공적인 자리나 격식을 차리는 상황과 관련이 있으며, '하십시오체, 하오체, 하게체, 해라체' 등 네 종류가 있다. 사적인 자리에서 사용하는 비격식체는 '해요체, 해체'의 두 종류가 있다.

**07** ②

정답 해설

㉠은 주어인 사장님을 높이기 위해 간접 높임의 방법을 사용하여 사장님의 능력이 뛰어나다고 서술한 문장이다. '주역입니다'는 듣는 사람을 높이는 상대 높임법에 해당하며 격식체인 '하십시오체'이다. '드렸다'는 동작의 대상인 할머니를 높이는 객체 높임법이다.

**08** ②

정답 해설

'계시다'는 대상을 직접 높이는 경우에 사용하는 특수 어휘이다. 따라서 '말씀'을 높이는 간접 높임에서는 '있으시겠습니다'로 서술하는 것이 적절하다.

오답 체크

① 선생님의 우산을 높이는 간접 높임에 해당한다.
③ 할아버지의 귀를 높이는 간접 높임에 해당한다.
④ 할머니 소유의 휴대 전화를 높이는 간접 높임에 해당한다.
⑤ 선생님의 아드님을 높이는 간접 높임에 해당한다.

**09** ⑤

정답 해설

'다녀오셨다'는 주체 높임 선어말 어미 '-시-'를 사용하여 주체인 '아버지'를 높이고 있다.

오답 체크

① '오셨다'는 주체인 '아버지 친구 분'을 높이고 있다.
② '예쁘시다'는 주체 높임 선어말 어미 '-시-'를 사용한 간접 높임에 해당한다.
③ '와봐'는 상대 높임 비격식체 '해체'에 해당한다.
④ '드렸다'는 객체인 '부모님'을 높이는 객체 높임에 해당한다.

**10** ②

정답 해설

'모시고'는 객체인 '할머니'를 높이는 객체 높임에 해당한다.

오답 체크

① '가셨다'는 주체인 '아버지'를 높이는 주체 높임에 해당한다.
③ '하시는지'는 주체인 '할머니'를 높이고 있다.
④ '내주신'은 주체인 '국어 선생님'을 높이고 있다.
⑤ '좋아하십니다'는 주체인 '아버지'를 높이고 있다.

## 시간 표현-기본 문제

본문 57~59쪽

**01** 발화시, 사건시 **02** 진행, 완료
**03** 사건시, 발화시 **04** ② **05** ⑤ **06** ①
**07** ④ **08** ② **09** ① **10** ⑤

**01** 발화시, 사건시

정답 해설

시간을 나타내는 언어 표현인 시제는 말하는 시점을 기준으로 사건이 언제 일어났느냐에 따라 과거 시제, 현재 시제, 미래 시제 등으로 나눌 수 있다. 이때 말하는 시점은 발화시이고, 사건이 일어난 시점은 사건시이다.

**02** 진행, 완료

정답 해설

말하는 시점을 기준으로 동작이 완결된 것인지 진행되고 있는 것인지 표현하는 것을 동작상이라고 하며 동작상에는 진행상과 완료상이 있다.

**03** 사건시, 발화시

정답 해설

과거 시제, 현재 시제, 미래 시제로 나누는 기준은 사건시와 발화시인데 사건시는 사건이 일어난 시간을 뜻하고, 발화시는 말하는 시간을 뜻한다.

**04** ②

정답 해설

'피어 있었다'에서 '-었-'은 과거 시제를 나타내는 선어말 어미이고, '할 것이다'에서 '하다'와 결합한 '-ㄹ'은 미래 시제 관형사형 어미이다. 또, '읽는다'의 '-는-'은 동사 '읽다'와 결합하여 사건시와 발화시가 일치한다는 것을 뜻하는 현재 시제 선어말 어미이다.

**05** ⑤

정답 해설

'젖었다'는 과거 시제 '-었'을 사용하고 있고, '떨어진다'는 동사 '떨어지다'와 현재 시재 선어말 어미 '-ㄴ-'이 결합하여 현재 시제를 표현하고 있다. '짖는다'는 '-는-'이라는 현재 시제 선어말 어미와 결합하였고, '놀았다'는 '-았-'이라는 과거 시제 선어말 어미를 사용하였다. '갈 것이다'는 미래 시제를 나타내는 관형사형 어미 '-ㄹ'을 사용하고 있다.

**06** ①

정답 해설

서술어 '좋다'는 형용사 기본형을 사용하고 있으므로 현재 시제에 해당한다. '돈다'는 동사 기본형 '돌다'에 현재 시제 선어말 어미 '-ㄴ-'이 결합하여 현재 시제를 나타내고 있다.

오답 체크

② '주었다'에서 '-었-'은 과거 시제 선어말 어미이다.
③ '내렸어'에서 '-었-'은 과거 시제 선어말 어미이다.
④ '끝내겠다'에서 '-겠-'은 미래 시제 선어말 어미이다.
⑤ '떠오를 것이다'에서는 미래 시제 관형사형 어미 '-ㄹ'을 사용하고 있다.

**07** ④

정답 해설

사건시가 발화시보다 나중인 시제는 미래 시제인데 미래 시제를 실현할 때에는 미래 시제 선어말 어미 '-겠-'을 사용하거나 미래 시제 관형사형 어미 '-(으)ㄹ'을 사용한다. 또, 미래를 나타내는 시간 부사어(내일, 모레 등)를 사용하기도 한다.

오답 체크

① '어제'와 같이 과거를 나타내는 시간 부사어나 '지금'과 같이 현재를 나타내는 시간 부사어, '내일' 과 같이 미래를 나타내는 시간 부사어 등을 통해 시제를 표현할 수 있다.
② 형용사는 현재 시제 선어말 어미를 사용하지 않고, 기본형으로 나타낸다.
③ 시제는 발화시와 사건시의 관계에 따라 결정된다.
⑤ '할 것이다'와 같이 관형사형 어미가 의존 명사를 수식하는 형태로 미래 시제를 표현할 수 있다.

**08** ②

정답 해설

'학교에 가다가'는 아직 학교에 도착하기 전을 뜻하므로 '가는 중'이 적절하다. 또, '갔다가'는 이미 학교라는 장소에 도착이 완료된 후 새로운 동작인 '집으로 돌아 왔다'를 시행했다는 의미이다.

**09** ①

정답 해설

'있다'는 품사가 형용사이므로 시제를 나타내는 선어말 어미와 결합하지 않고 기본형으로 현재 시제를 표현하고 있다.

오답 체크

② '들렸다'는 과거 시제 선어말 어미 '-었-'을 사용하여 시간 표현을 실현하고 있다.

③ '예뻤다'는 과거 시제 선어말 어미 '-었-'을 사용하여 시제를 표현하고 있다.

④ '먹었겠군'은 과거 시제 선어말 어미 '-었-'를 사용하여 과거라는 시간 표현을 나타내고, 미래 시제 선어말 어미 '-겠-'을 사용하여 과거 일에 대한 추측의 의미를 표현하고 있다.

⑤ '선언하셨다'는 과거 시제 선어말 어미 '-었-'을 사용하여 과거 시제를 나타내고 있다.

**10** ⑤

정답 해설

'마무리해 버렸다'는 과제의 마무리가 완료되었다는 의미이다.

오답 체크

① 빨래가 다 말라 가는 중이며 마른 상태로 완료되지 않았다.

② 눈이 내리는 중이다.

③ 못이 박는 행위가 진행 중이다.

④ 밥을 먹는 행위가 완료되지 않았다.

# 제4강 문장 표현 Ⅱ

## 피동 표현-기본 문제

본문 64~67쪽

| | | | |
|---|---|---|---|
| **01** ③ | **02** ① | **03** ③ | **04** ③ |
| **05** 해설 참조 | | **06** ③ | **07** ④ | **08** ② |
| **09** 지워졌다 | | **10** 해설 참조 | |

**01** ③

정답 해설

피동 표현은 주어가 남에게 어떤 동작이나 행위를 당하는 것을 나타내는 표현이다.

오답 체크

① 주동

② 능동

④ 피동사와 능동사 모두 하나의 단어로 인정하여 사전에 등재된다.

⑤ 사동

**02** ①

정답 해설

피동 표현이 주로 사용될 때는 동작의 대상을 강조하고 싶을 때(㉠), 동작의 주체를 밝히지 않으려 할 때(㉡), 동작의 주체가 분명하지 않거나 밝힐 필요가 없을 때(㉢)이다. 따라서 정답은 ①번이다.

오답 체크

㉣ 사건의 결과가 외적인 원인에 의해 발생한 것임을 나타내고 싶을 때는 사동 표현이 주로 사용될 때이다.

**03** ③

정답 해설

<보기>의 ㉠에 사용된 문장 성분은 주어, 목적어, 서술어로 모두 주성분에 해당하지만, ㉡에 사용된 문장 성분은 주어, 부사어, 서술어로 부사어로 쓰인 '개에게'는 부속 성분에 해당한다.

오답 체크

④ ㉡은 능동사의 어근에 피동 접미사 '-히-'가 붙어서 만들어진 파생적 피동문이다.

⑤ '에게'나 '한테'는 모두 부사격 조사이기 때문에 어떤 것을

사용해도 의미상 차이는 없다.

**04** ③

정답 해설

〈보기〉는 능동사의 어근에 피동 접미사가 붙어서 만들어진 경우이므로 이에 해당하지 않는 것은 '먹였다'이다. 이는 '먹였다'의 어근 '먹-'에 사동 접미사 '-이-'가 붙어서 만들어진 사동사이기 때문이다.

오답 체크

① '깔려'는 '깔다'의 어근에 피동 접미사 '-리-'가 붙어서 만들어진 피동사에 해당한다.

② '잡혀서'는 '잡다'의 어근에 피동 접미사 '-히-'가 붙어서 만들어진 피동사에 해당한다.

④ '안긴'은 '안다'의 어근에 피동 접미사 '-기-'가 붙어서 만들어진 피동사에 해당한다.

⑤ '밟혔다'는 '밟다'의 어근에 피동 접미사 '-히-'가 붙어서 만들어진 피동사에 해당한다.

**05** 나는 친구들에게 끌려 오락실에 가게 됐다.

정답 해설

〈보기〉의 문장에서 서술어에 해당하는 부분은 '끌고'와 '갔다'이다. '끌고'의 피동 표현은 '끌다'의 어근에 피동 접미사 '-리-'를 붙여 만들면 된다. 하지만, '갔다'는 접미사에 의한 피동 표현은 가능하지 않기 때문에 '-게 되다'를 붙여 긴 피동으로 만들면 된다. 이렇게 하여 〈보기〉의 문장을 피동문으로 바꾸면, '나는 친구들에게 끌려 오락실에 가게 됐다.'가 된다.

**06** ③

정답 해설

㉢은 관형사절의 서술어로 이것의 주어는 '종이 한 장이'이다. 그리고 ㉣은 문장 전체의 서술어로 이것의 주어 역시 '종이 한 장이'이다.

오답 체크

① '접은'과 '얹으셨다'의 주체는 모두 '어머니'로 맞는 설명이다.

② ㉡이 문장 속에서 꼭 필요로 하는 문장 성분은 주어(어머니는)와 목적어(종이 한 장을)로 모두 나타나 있다. ㉣이 문장 속에서 꼭 필요로 하는 문장 성분은 주어(종이 한 장이)와 부사어(감 위에)로 역시 모두 나타나 있다.

④ '접힌'은 '접다'의 어근에 피동 접미사 '-히-'가 붙어서 만들어진 피동사로 맞는 설명이다.

⑤ '얹혀'는 '얹다'의 어근에 피동 접미사 '-히-'가 붙어서 만들어진 피동사로 맞는 설명이다.

**07** ④

정답 해설

〈보기〉에서 서술어인 '쏟았다'는 접미사가 붙어서 피동사로 바뀌는 것은 가능하지 않고, '-어지다'가 붙어서 만들어진 긴 피동만이 가능하다. 따라서 〈보기〉의 문장을 피동문으로 바꾸면 '물이 동생에 의해 거실에 쏟아졌다.'가 된다.

오답 체크

① 부사어인 '거실에'는 그대로 변함없이 부사어가 된다.

② 주어인 '동생이'는 '동생에 의해'로 바뀐다.

③ 목적어인 '물을'은 주어인 '물이'로 바뀐다.

⑤ 서술어 '쏟았다'는 피동 접미사 '-히-'가 붙어서 피동사가 되는 것은 가능하지 않다.

**08** ②

정답 해설

㉠에 들어갈 피동사는 '섞다'에 피동 접미사 '-이-'가 붙어 만들어진 '섞였다'이다. 그리고 ㉡에 들어가 피동사는 '듣다'에 피동 접미사 '-리-'가 붙어서 만들어진 '들렸다'이다. 따라서 정답은 접미사 '-이-'와 '-리-'가 묶여 있는 ②번이다.

**09** 지워졌다

정답 해설

〈보기〉의 문장에서 능동문의 서술어인 '지웠다'는 접미사가 붙은 피동 표현은 만들어지지 않는다. 따라서 '-어지다'가 붙어 만들어진 긴 피동이 가능하다. 따라서 피동 표현은 '지웠다'에 '-어지다'가 붙어서 만들어진 '지워졌다'가 된다.

**10** 해설 참조

정답 해설

〈보기〉 문장의 밑줄 친 단어는 접미사가 붙어서 만들어진 피동사에 의해 피동 표현이 실현되는 경우에 해당하는데, 피동 접미사 '-리-' 이외에 불필요한 접미사인 '-우-'가 추가되어 있다. 따라서 이를 적절하게 고치면 '불리는'이 된다.

## 사동 표현-기본 문제

본문 72~75쪽

01 ① 02 ⑤ 03 ⑤ 04 ② 05 ②
06 ⑤ 07 ⑤ 08 ④ 09 해설 참조
10 해설 참조

**01** ①

정답 해설

사동 표현은 주어가 남에게 동작을 하도록 시키는 것을 나타내는 표현이다.

오답 체크

② 사동사와 피동사 모두 하나의 단어로 인정하여 사전에 등재된다.

③ 피동

④ 주동

⑤ 능동

**02** ⑤

정답 해설

〈보기〉에서 사동 표현이 주로 사용될 때에 해당하는 것은 행동을 시키는 주체를 강조하고 싶을 때(㉡)와 사건의 결과가 외적인 원인에 의해 발생한 것임을 나타내고 싶을 때(㉢)이다.

오답 체크

㉠ 동작의 대상을 강조하고 싶을 때는 '피동 표현'이 주로 사용될 때이다.

**03** ⑤

정답 해설

㉡과 ㉣의 용언 '녹인다'와 '높였다'에 쓰인 접미사는 '-이-'가 맞지만, ㉥의 용언인 '읽혔다'에 쓰인 접미사는 '-히-'이다.

오답 체크

① ㉡, ㉣, ㉥에는 ㉠, ㉢, ㉤에 없던 새로운 주어인 '난로불이', '아버지가', '선생님이'가 등장한다.

② 주동문의 서술어가 ㉠에서처럼 자동사일 때 ㉠의 주어인 '눈이'는 ㉡에서 목적어인 '눈을'이 된다.

③ 주동문의 서술어가 ㉢에서처럼 형용사일 때 ㉢의 주어인 '담이'는 ㉣에서 목적어인 '담을'이 된다.

④ 주동문의 서술어가 ㉤에서처럼 타동사일 때 ㉤의 주어인 '지영이가'는 ㉥에서 부사어인 '지영이에게'가 된다.

**04** ②

정답 해설

〈보기〉의 예에서 문장의 변화 과정이 ㉢에서 ㉣로 바뀌는 것과 유사한 것은 ⓐ와 ⓒ이다. 문장의 변화 과정이 ㉢에서 ㉣로 바뀌는 것의 유형은 ㉢의 서술어가 형용사일 때이다. ⓐ와 ⓒ의 서술어도 모두 형용사이기 때문에 ㉢에서 ㉣로 바뀌는 문장의 변화 과정과 유사하다.

오답 체크

ⓑ와 ⓓ의 서술어는 '주웠다'와 '접었다'로 품사는 모두 타동사에 해당한다. 이것은 문장의 변화 과정이 ㉤에서 ㉥으로 바뀌는 것과 유사하다.

**05** ②

정답 해설

일반적으로 파생적 사동문은 주어가 객체에게 직접적인 행위를 한 것이고, 통사적 사동문은 간접적인 행위를 한 것으로 알려져 있다. 하지만 늘 그런 것이 아니기 때문에 용언과 그와 함께 나타나는 다른 문장 성분들과의 의미 관계 속에서 파악해야 한다. ㉥과 ㉮는 모두 주어가 객체에게 간접적인 행위를 한 것으로만 해석된다.

오답 체크

① ㉮는 ㉤의 서술어인 '읽는다'의 어간에 '-게 하다'를 붙여서 만든 통사적 사동문에 해당한다.

③ ㉤에서 목적어인 '책을'은 ㉥과 ㉮에서도 변하지 않고 동일하게 목적어로 나타난다.

④ ㉤의 서술어가 필요로 하는 문장 성분의 개수는 주어(지영이가)와 목적어(책을)로 2개이며, ㉮의 서술어가 필요로 하는 문장 성분의 개수는 주어(선생님이)와 필수적 부사어(지영이에게)와 목적어(책을)로 3개이다.

⑤ ㉥과 ㉮의 서술어가 필요로 하는 문장 성분의 개수는 주어(선생님이)와 필수적 부사어(지영이에게)와 목적어(책을)로 모두 3개이다.

**06** ⑤

정답 해설

㉣의 사동사인 '숨겼다'는 주동사 '숨다'의 어간에 접미사 '-기-'가 붙어서 만들어진 것이지만, ㉡의 사동사인 '채웠다'는 주동사 '차다'에 사동 접미사 '-이-'와 '-우-' 두 개가 붙어서 만들어진 것이다.

오답 체크

① ㉠의 주어인 '물이'는 ㉡에서 목적어인 '물을'이 되고, ㉢의

주어인 '민수가'는 ㉣에서 목적어인 '민수를'이 되었다.

② ㉠의 부사어인 '유리잔에'와 ㉢의 부사어인 '문 뒤에'는 ㉡과 ㉣에서도 변하지 않고 그대로 부사어로 나타난다.

③ ㉡에서는 ㉠에 없던 새로운 주어인 '나는'이 나타나고, ㉣에서는 ㉢에 없던 새로운 주어인 '선생님이'가 나타난다.

④ ㉡과 ㉣의 서술어가 필요로 하는 문장 성분은 주어, 목적어, 필수적 부사어로 모두 3개이다. ㉡에서는 '나는', '물을', 그리고 '유리잔에'를 필요로 하고, ㉣에서는 '선생님이', '민수를', 그리고 '문 뒤에'를 필요로 한다.

**07** ⑤

정답 해설

㉡은 주어가 객체에게 직접적인 행위를 한 것이고, ㉢은 간접적인 행위를 한 것이다. 다시 말하면, ㉡은 '어머니께서 동생에게 직접 옷을 입혔다.'는 의미이고, ㉢은 '어머니께서 동생에게 옷을 입으라고 시켜서 동생이 옷을 직접 입었다.'는 의미이다.

오답 체크

① ㉠은 주동문으로 주어인 '동생이' '옷을' 입는 행위를 직접하는 것이다.

② ㉡과 ㉢은 모두 사동문으로 주어가 남에게 동작을 하도록 시키는 것을 나타내는 표현이다.

③ ㉡은 주어가 객체에게 직접적인 행위를 하는 것이기 때문에 동생이 옷을 입지 않는 상황은 성립하지 않는다.

④ ㉡의 서술어인 '입히셨다'는 ㉠의 서술어인 '입었다'의 어간에 사동 접미사 '-히-'를 붙여서 만든 사동사이다.

**08** ④

정답 해설

㉡은 어머니가 동생에게 직접 옷을 입히는 행위와 어머니가 동생에게 옷을 입으라고 말해서 동생이 직접 옷을 입는 행위 두 가지 해석이 모두 가능하다. 하지만, ㉢은 '어머니께서 동생에게 옷을 입으라고 시켜서 동생이 옷을 직접 입었다.'는 의미만이 가능하다. ㉡과 ㉣의 의미로 적절한 것은 ⓐ, ⓑ, ⓓ이다.

오답 체크

㉢은 주체가 객체에게 간접적인 행위를 한 것이기 때문에 '어머니께서 동생에게 옷을 입으라고 시켜서 동생이 옷을 직접 입었다.'는 의미만이 가능하다. 따라서 ⓒ와 같이 어머니가 동생에게 옷을 직접 입히는 직접적인 행위를 하는 것을 나타내는 의미는 적절하지 않다.

**09** 형이 동생에게 신발을 신겼다.

정답 해설

<보기>의 주동문에서 서술어인 '신었다'의 어간에 사동 접미사 '-기-'가 붙어서 만들어진 사동사 '신겼다'를 만들 수 있다. 그러면 '형이'를 주어로 하는 사동문에서 주동문의 주어인 '동생이'는 부사어인 '동생에게'가 되고 목적어인 '신발을'은 그대로 변함없이 목적어가 된다. 따라서 사동문을 정리하면, "형이 동생에게 신발을 신겼다."가 된다.

**10** 새로운 주어가 나타난다. / ㉠의 주어가 ㉡에서 부사어로 바뀐다. / ㉡의 서술어는 ㉠의 서술어 어간에 접미사 '-이-'가 결합된 것이다.

정답 해설

㉠은 주동문으로 사동문인 ㉡으로 바뀔 때, 몇 가지 문법적인 변화가 나타난다. 먼저, 주동문에는 없던 새로운 주어인 '언니가'가 나타난다. 그리고 주동문의 주어인 '강아지가'는 사동문에서 부사어인 '강아지에게'로 바뀐다. 또, 주동문의 서술어인 '먹는다'는 사동문에서 그 어간에 사동 접미사 '-이-'가 붙어서 만들어진 사동사인 '먹인다'로 바뀐다.

## 부정 표현-기본 문제

본문 78~81쪽

| | | | |
|---|---|---|---|
| 01 ④ | 02 ② | 03 ④ | 04 해설 참조 |
| 05 해설 참조 | | 06 ⑤ | 07 ④ |
| 08 해설 참조 | | 09 ② | 10 ③ |

**01** ④

정답 해설

서술어가 형용사일 때뿐만 아니라 서술격 조사문에서도 제약을 받는다.

**02** ②

정답 해설

긴 부정문과 짧은 부정문은 형태만 다를 뿐 의미는 같다.

오답 체크

③ 부정 부사 '못'에 의한 부정은 능력 부정으로 주체의 능력이 부족하거나 외부의 원인 때문에 그 행위가 일어나지 못하는 것을 말한다. 여기서는 주체의 능력이 부족하여 행위를 하지 못함을 나타낸다.

④ 부정 부사 '안'에 의한 부정은 의지 부정으로 주체의 의지로 행위가 일어나지 않는 것을 말한다.

⑤ 명령문이나 청유문에서는 '안'이나 '못' 부정문을 쓸 수 없다. 대신 '말다'를 사용하여 '-지 마라', '-지 말자'의 형태로 부정문을 만들 수 있다.

**03** ④

정답 해설

㉢은 의지에 의한 부정이 맞지만, ㉡은 단순히 사실을 부정하는 의미로 해석되는 상태 부정이다.

오답 체크

② ㉠은 안은 문장과 이어진 문장이 결합된 겹문장이고, ㉡은 겹문장 중 이어진 문장에 해당한다.

③ 부정 부사 '못'에 의한 부정문으로 능력 부정에 해당한다.

⑤ 부정 부사 '못'에 의한 부정문을 짧은 부정문이라고 하고 '-지 못하다'가 붙어서 만들어진 부정문을 긴 부정문이라고 한다.

**04** 일을 시작한 지 얼마 안 됐는데 벌써 힘이 든다.

정답 해설

㉡은 '-지 아니하다'의 형태이기 때문에 긴 부정문에 해당한다. 이를 짧은 부정문으로 바꾸려면 부정 부사 '안'을 사용하여 표현하면 된다.

**05** 해설 참조

정답 해설

부정문은 부정하는 대상이 무엇이냐에 따라 의미가 달라진다. ㉢이 부정하는 대상은 '영희', '밥', '먹었다' 세 가지이다. 첫째, 밥을 먹지 않은 사람이 '영희'라는 의미이고, 둘째, '영희'가 먹지 않은 것이 '밥'이라는 의미이고, 셋째, 영희가 밥을 먹는 행위를 하지 않았다는 의미이다.

**06** ⑤

정답 해설

윗글의 글쓴이인 '고은'이가 불쾌하게 생각한 이유는 '다은'이의 처음 말 때문이다. "고은아, 너는 아직 결혼도 못 하고 뭐 했니?"에서 '못'이라고 하는 부정의 말이 '고은'이의 기분을 상하게 했기 때문이다. 따라서 '자신의 기분을 고려하여 말하지 않았기 때문에'가 적절한 이유이다.

**07** ④

정답 해설

윗글에 사용된 부정 표현은 다음과 같이 총 7개이다. 못 하고, 못 한 게, 안 한 거, 못 했든, 안 했든, 변하지 않는다, 좋지 않겠냐

**08** 짧은 부정문: 나는 어제 다은이를 안 만났다.
긴 부정문: 나는 어제 다은이를 만나지 않았다.

정답 해설

〈보기〉의 조건을 만족하는 부정 표현은 부정 부사 '안'을 사용한 짧은 부정문과 부정 용언 '-지 아니하다'를 사용한 긴 부정문이다. 이에 따라 부정문을 만들면 다음과 같다.
나는 어제 다은이를 안 만났다. / 나는 어제 다은이를 만나지 않았다.

**09** ②

정답 해설

부정 부사 '못'은 능력 부정을 의미하기도 하지만, ㉡의 경우는 드러나지 않은 외부의 어떤 원인 때문에 그 행위가 일어나지 못한 것을 뜻한다.

오답 체크

① 부정 부사 '안'에 의한 부정은 주체의 의지에 따른 부정에

해당한다.

③ ㉠과 ㉢은 모두 의지 부정문으로 짧은 부정과 긴 부정으로 형태만 다를 뿐 의미는 동일하다.

④ 명령문과 청유문에서는 '안'과 '못' 부정문을 사용할 수 없다. 대신 '말다'를 사용하여 '-지 마라', '-지 말자'의 형태로 부정문을 만들 수 있다.

⑤ '말다'를 사용하여 부정문을 만들 때는 문장의 서술어가 반드시 동사일 때만 가능하다.

**10** ③

정답 해설

㉢은 '안'을 사용한 부정문이 아니라 '못' 부정문을 사용해야 한다. '아롱'이와 '다롱'이의 마지막 대화를 보면 '다롱'이가 수영을 할 줄 모른다는 것을 알 수 있다. 그렇기 때문에 주체의 의지에 의한 부정이 아니라, 주체의 능력이 부족해서 어떤 행위를 하지 못하는 능력 부정에 해당한다. 따라서 '안'이 아니라 '못'으로 해야 적절하다.

# 제5강 어문 규정과 어휘 유형

## 한글 맞춤법과 표준어 규정 -기본 문제

본문 97~99쪽

| | | | | | | | |
|---|---|---|---|---|---|---|---|
| 01 | ④ | 02 | 해설 참조 | 03 | ⑤ | 04 | ① |
| 05 | ③ | 06 | 해설 참조 | 07 | ⑤ | 08 | ② |
| 09 | ③ | 10 | 해설 참조 | | | | |

**01** ④

정답 해설

한글 맞춤법 제1장 총칙 제3항에 "외래어는 '외래어 표기법'에 따라 적는다."라고 나와 있다. 외래어는 외래어 표기법을 따로 정하여 그에 따라 적고 있다.

오답 체크

① 한글 맞춤법 제1장 총칙 제2항의 내용이다. 여기에서 단어란, 9품사(명사, 대명사, 수사, 동사, 형용사, 관형사, 부사, 조사, 감탄사)를 가리키는데, 조사는 예외적으로 자립성이 없어 앞말에 붙여 쓴다.

②, ⑤ 한글 맞춤법은 한글로써 우리말을 표기하는 규칙의 전반을 이르는 말이다. 효시는 훈민정음이라고 할 수 있고, 현재의 맞춤법은 1933년의 '한글 맞춤법 통일안'을 기본으로 하여 1988년 1월 문교부가 확정 · 고시한 것이다.

③ 한글 맞춤법 제1장 총칙 제1항의 내용이다. 어법에 맞도록 한다는 것은 뜻을 파악하기 쉽도록 각 형태소의 본모양을 밝혀 적는다는 말이다.

**02** 기역, 디귿, 시옷, 키읔, 히읗

정답 해설

한글 맞춤법 제4항에 "한글 자모의 수는 스물넉 자로 하고, 그 순서와 이름은 다음과 같이 정한다."고 나와 있다. 'ㅏ(아), ㅑ(야), ㅓ(어), ㅕ(여), ㅗ(오), ㅛ(요), ㅜ(우), ㅠ(유), ㅡ(으), ㅣ(이)'처럼 모음의 이름은 모음의 소리 그대로이지만 자음은 그렇지 않다. 그것은 자음은 소리를 낼 때 공기의 흐름이 목 안 또는 입안에서 장애를 받고 나오는 소리로, 모음과 결합하여야 비로소 그 소리가 나타나기 때문이다. 그래서 자음을 부를 이름을 따로 정한 것이다. 자음의 이름은 '니은'처럼 그 자음자에 모음 'ㅣ'를 붙이고 '으'의 받침에 그 자음을 넣는 것이 규칙인데, '기역, 디귿, 시옷'만 예외이다. 이것은 최세진이 지은 한자 학습서 〈훈몽자회〉(1527)에서 훈민정음 자음자의 명칭을 '기역(其役), 니은(尼隱), 디귿(池末)'으로 한 것을 따른 것이다.

03 ⑤

정답 해설

'그어라'의 기본형은 '긋다'이다. '그어라'는 '긋다'에 명령형 어미 '-어라'가 붙은 꼴이다. 한글 맞춤법 제18항 "다음과 같은 용언들은 어미가 바뀔 경우, 그 어간이나 어미가 원칙에 벗어나면 벗어나는 대로 적는다."라고 나와 있는데, "어간의 끝 'ㅅ'이 줄어질 적(긋다-그어/그으니/그었다)"의 경우도 나와 있다.

오답 체크

① '먹은 음식이 위에서 잘 소화되지 아니하여서 생긴 가스가 입으로 복받쳐 나옴. 또는 그 가스'를 가리키는 말은 '트림'이다.

② '매 때마다'를 가리키는 말은 '번번이'이다. 한글 맞춤법 제51항에 "부사의 끝음절이 분명히 '이'로만 나는 것은 '-이'로 적고, '히'로만 나거나 '이'나 '히'로 나는 것은 '-히'로 적는다."라고 나와 있다.('이'로만 나는 것 → 깨끗이, 느긋이, 반듯이, 가까이, 고이, 헛되이, 번번이, 일일이, 틈틈이)

③ '한 개씩 낱으로 셀 수 있는 물건의 수효'를 가리키는 말은 '개수'이다. 한글 맞춤법 제30항에 "사이시옷은 다음과 같은 경우에 받치어 적는다."라며 3가지 조건을 제시하고 있다. 첫째, 사이시옷은 합성어에서 나타나는 현상이므로 합성어가 아닌 단일어나 파생어에서는 사이시옷이 나타나지 않는다. 둘째, 합성어이면서 다음과 같은 음운론적 현상이 나타나야 한다. 뒷말의 첫소리가 된소리로 나거나(바다+가 → [바다까] → 바닷가), 뒷말의 첫소리 'ㄴ, ㅁ' 앞에서 'ㄴ' 소리가 덧나거나(코+날 → [콘날] → 콧날 / 비+물 → [빈물] → 빗물), 뒷말의 첫소리 모음 앞에서 'ㄴㄴ' 소리가 덧나야(예사+일 → [예:산닐] → 예삿일) 한다. 셋째, 이 두 가지 요건과 더불어 합성어를 이루는 구성 요소 중에서 적어도 하나는 고유어이어야 하고 구성 요소 중에 외래어도 없어야 한다는 조건이 덧붙는다. '개수'는 두 글자 모두 한자어이다. 물론 한자어로만 이루어진 것 가운데 '곳간(庫間), 셋방(貰房), 숫자(數字), 찻간(車間), 툇간(退間), 횟수(回數)'는 예외적으로 사이시옷을 적는다.

④ '이름을 숨김. 또는 숨긴 이름이나 그 대신 쓰는 이름'을 가리키는 말은 '익명(匿숨다 닉 名이름 명)'이다. 한글 맞춤법 제10항에 "한자음 '녀, 뇨, 뉴, 니'가 단어 첫머리에 올 적에는, 두음 법칙에 따라 '여, 요, 유, 이'로 적는다."라고 나와 있다. 두음 법칙(頭音法則)이란, 일부 소리가 단어의 첫머리에 발음되는 것을 꺼려 나타나지 않거나 다른 소리로 발음되는 일이다.

04 ①

정답 해설

'아는것이'에서 '것'은 의존 명사이므로 '아는∨것이'처럼 띄어 써야 한다. 한글 맞춤법 제42항에 "의존 명사는 띄어 쓴다."라고 나와 있다. 그리고 조사 '이'는 하나의 단어이지만 독립성이 없어서 다른 단어와는 달리 앞말에 붙여 쓴다.

오답 체크

② '문제없다'는 '문제가 될 만한 점이 없다. 또는 어긋나는 일이 없다'라는 뜻을 가진 하나의 단어이다. '문제∨있다'는 하나의 단어가 아니라서 띄어 쓴다. '상관없다, 관계없다, 재미없다, 상관있다, 관계있다, 재미있다'는 모두 하나의 단어이다.

③ 한글 맞춤법 제47항 "보조 용언은 띄어 씀을 원칙으로 하되, 경우에 따라 붙여 씀도 허용한다." ⇨ 불이 꺼져∨간다.(꺼져간다), 내 힘으로 막아∨낸다(막아낸다), 그릇을 깨뜨려∨버렸다(깨뜨려버렸다), 비가 올∨듯하다.(올듯하다), 그 일은 할∨만하다.(할만하다), 비가 올∨성싶다.(올성싶다), 잘 아는∨척한다(아는척한다)

④ 한글 맞춤법 제2항 "문장의 각 단어는 띄어 씀을 원칙으로 한다." '띄어쓰기'는 '글을 쓸 때, 어문 규범에 따라 어떤 말을 앞말과 띄어 쓰는 일'이라는 뜻을 가진 하나의 단어이므로 붙여 쓰지만, '띄다'와 '쓰다'는 각각의 단어이므로 띄어 쓴다.

⑤ '한글 맞춤법 제48항 "성과 이름, 성과 호 등은 붙여 쓰고, 이에 덧붙는 호칭어, 관직명 등은 띄어 쓴다." ⇨ 김양수(金良洙), 서화담(徐花潭), 채영신∨씨, 최치원∨선생, 박동식∨박사, 충무공∨이순신∨장군

05 ③

정답 해설

글 가운데에서 직접 대화를 표시할 때나, 말이나 글을 직접 인용할 때는 큰따옴표(" ")를 쓴다. 작은따옴표(' ')는 인용한 말 안에 있는 인용한 말을 나타내거나 마음속으로 한 말을 적을 때 쓴다.

06 표준어는 교양 있는 사람들이 두루 쓰는 현대 서울말로 정함을 원칙으로 한다.

정답 해설

표준어 규정은 표준어 사정의 원칙과 표준 발음법을 체계화한 규정을 가리킨다. 표준어 규정 제1부 표준어 사정 원칙 제1장 총칙 제1항의 해설에 다음과 같이 나와 있다. "한 나라 안에서 지역적으로나 사회적으로 여러 형태로 쓰이는 말을 단수 혹은

복수의 표준형으로 제시하는 것은 그 나라 국민들의 효율적이고 통일된 의사소통을 위한 것이다. 이 표준어 규정 제1항에는 표준어를 정하는 사회적, 시대적, 지역적 기준이 제시되어 있다. 첫째, 사회적 기준으로서 표준어는 교양 있는 사람들이 쓰는 언어이어야 한다. 교양이란 '학문, 지식, 사회 생활을 바탕으로 하여 이루어지는 품위'를 뜻하므로 교양 있는 사람이란 사회적 품위를 갖춘 사람을 말한다. 물론 교양 있는 사람이라도 비어, 속어, 은어 등을 쓸 수는 있으므로 표준어의 사회적 기준은 상당히 느슨하다고 할 수 있다. 그러나 비어, 속어, 은어 등은 표준어이기는 하되 언어 예절에 어긋난 말들이므로, 교양 있는 사람이라면 사용을 자제하여야 하는 말들이다. 둘째, 시대적 기준으로서 표준어는 현대의 언어이어야 한다. 여기서 '현대'는 단순히 시간적으로 현재란 뜻이 아니라 역사적 흐름에서 현재와 같은 구획에 있는 시대를 말한다. 다른 사회적, 경제적 시대 구분과는 달리 언어 사용에서 현대를 구분하는 데에는 뚜렷한 객관적 기준이 없다. 20세기 초의 구어가 현대의 말로 간주되곤 하나, 21세기가 상당히 진행된 현재로서는 20세기 초의 구어를 현대의 말로 간주하기에 어려움이 있다. 한 시대에 최대 4세대가 공존할 수 있으므로 세대 간 시간차를 30년 남짓으로 잡으면 넉넉잡아 100년 정도의 시간 차가 있는 말들이 한 시대에 쓰일 수 있다. 그러므로 현대를 100년 전으로부터 현재 시점까지의 기간으로 규정할 수도 있을 것이다. 그러나 이러한 시간 인식은 '현대' 개념의 모호함 때문에 편의상 행할 수 있는 것일 뿐 객관적인 것은 아니다. '현대'는 국어 언중들의 직관으로 이해하여야 한다. 마지막으로, 지역적 기준으로서 표준어는 서울말이어야 한다. 이는 표준어의 공용어적 성격을 가장 크게 드러내 주는 기준이다. 가령, 많은 지역 사람들이 모여서 공식적인 이야기를 나눌 때 각자의 지역어를 사용한다면 의사소통이 어려워질 수 있는데, 이를 방지하기 위해 표준어의 조건으로 서울말을 제시한 것이다. 물론 서울말이라도 비표준적인 요소가 있다. "나두 간다."와 같은 말에서 '두'는 서울말이기는 하지만 표준어는 아니다. 교양 있는 사람은 오랜 문자 언어의 관습적 쓰임에 영향을 받아 '도'라고 쓰는 것이 옳다고 믿기 때문이다. 따라서 서울말은 서울 지역의 말을 바탕으로 하되 언중들의 교양 의식을 반영한 말이라고 할 수 있다."

**07** ⑤

정답 해설

'지붕의 안쪽'을 가리키는 말은 '천장(天障)'이다. 표준어 규정 제1부 제17항 "비슷한 발음의 몇 형태가 쓰일 경우, 그 의미에 아무런 차이가 없고, 그중 하나가 더 널리 쓰이면, 그 한 형태만을 표준어로 삼는다." →귀-고리, 귀-지, 꼭두-각시, -(으)려고, -(으)려야, 본새, 봉숭아('봉선화'도 표준어임), -습니다(모음 뒤에는 '-ㅂ니다'임)

오답 체크

①, ④ 표준어 규정 제1부 제9항 "'ㅣ' 역행 동화 현상에 의한 발음은 원칙적으로 표준 발음으로 인정하지 아니하되, 다만 다음 단어들은 그러한 동화가 적용된 형태를 표준어로 삼는다." ⇨ -내기(서울-, 시골-, 신출-, 풋-), 냄비. 그리고 기술자에게는 '-장이', 그 외에는 '-쟁이'를 붙인다.(미장이, 유기장이, 멋쟁이, 심술쟁이)

② 표준어 규정 제1부 제7항에 "수컷을 이르는 접두사는 '수-'로 통일한다."라고 나와 있다. 그리고 '수-캐, 수-탉, 수-퇘지, 수-평아리'처럼 접두사 다음에서 나는 거센소리를 인정한다. 접두사 '암-'이 결합되는 경우에도 이에 준한다.

③ 표준어 규정 제1부 제6항에 "다음 단어들은 의미를 구별함이 없이, 한 가지 형태만을 표준어로 삼는다."라고 나와 있다. ⇨ 돌(생일, 주기.) / 돐(×), 둘-째('제2, 두 개째'의 뜻.) / 두-째(×), 셋-째('제3, 세 개째'의 뜻.) / 세-째(×), 빌리다(빌려주다, 빌려 오다.) / 빌다(×)

**08** ②

정답 해설

표준어 규정 제1부 제17항 "의미가 똑같은 형태가 몇 가지 있을 경우, 그중 어느 하나가 압도적으로 널리 쓰이면, 그 단어만을 표준어로 삼는다." ⇨ 담배-꽁초 / 담배-꽁치(×) / 담배-꽁추(×), 부각 / 다시마-자반(×), 빠-뜨리다 / 빠-치다(×), 샛-별 / 새벽-별(×), 쌍동-밤 / 쪽-밤(×), 아주 / 영판(×), 안절부절-못하다 / 안절부절-하다(×), 알-사탕 / 구슬-사탕(×), 암-내 / 곁땀-내(×).

한편 복수 표준어도 있다. 표준어 규정 제17항 '다음 단어는 ㄱ(앞)을 원칙으로 하고, ㄴ(뒤)도 허용한다.' ⇨ 네 / 예, 쇠- / 소-(-가죽, -고기, -기름, -머리, -뼈), 괴다 / 고이다(물이 ~, 밑을 ~), 꾀다 / 꼬이다(어린애를 ~, 벌레가 ~), 쐬다 / 쏘이다(바람을 ~), 죄다 / 조이다(나사를 ~), 쬐다 / 쪼이다(볕을 ~). 복수 표준어는 한 가지 의미를 나타내는 형태 몇 가지가 널리 쓰일 때, 이들 가운데 하나만을 표준으로 인정하는 것이 아니라 규범에 맞는 것은 모두 표준으로 인정하는 것을 가리킨다.

**09** ③

정답 해설

표준어 규정 제1부 제26항 "한 가지 의미를 나타내는 형태 몇 가지가 널리 쓰이며 표준어 규정에 맞으면, 그 모두를 표준어로 삼는다." ⇨ 가뭄 / 가물, 가엾다 / 가엽다, 감감-무소식 / 감감-소식, -거리다 / -대다(가물-, 출렁-), 것 / 해(내 ~, 네 ~, 뉘 ~), 게을러-빠지다 / 게을러-터지다, 곰곰 / 곰곰-이, 관계-없다 / 상관-없다, 극성-떨다 / 극성-부리다, 꼬까 / 때때 / 고까(~신, ~옷), 넝쿨 / 덩굴('덩쿨'은 비표준어임), 녘 / 쪽(동~, 서~), 눈-대중 / 눈-어림 / 눈-짐작, 느리-광이 / 느림-보 / 늘-보, 다달-이 / 매-달, 되우 / 된통 / 되게, 들락-날락 / 들랑-날랑, 딴-전 / 딴-청, -뜨리다 / -트리다(깨-, 떨어-, 쏟-), 만큼 / 만치, 멀찌감치 / 멀찌가니 / 멀찍-이, 민둥-산 / 벌거숭이-산, 바른 / 오른[右](~손, ~쪽, ~편), 벌레 / 버러지, 보-조개 / 볼-우물, 보통-내기 / 여간-내기 / 예사-내기, 볼-따구니 / 볼-퉁이 / 볼-때기('볼'의 비속어임), 부침개-질 / 부침-질 / 지짐-질, 서럽다 / 섧다, 성글다 / 성기다, -(으)세요 / -(으)셔요, -스레하다 / -스름하다(거무-, 발그-), 아무튼 / 어떻든 / 어쨌든 / 하여튼 / 여하튼, 어저께 / 어제, 여쭈다 / 여쭙다, 옥수수 / 강냉이, 우레 / 천둥, 책-씻이 / 책-거리, 척 / 체(모르는 ~, 잘난 ~), 철-따구니 / 철-딱서니 / 철-딱지.

오답 체크

① '매우 드물거나 신기하다'를 가리키는 말은 '희한하다'이다.

② '의문문에 쓰여, 수량이나 정도를 물어 보는 데 쓰는 말'인 '얼마만큼'의 줄임말은 '얼마큼'이다.

④ '나누지 아니한 덩어리 전부'를 가리키는 말은 '통째'이다.

⑤ '상대편이 눈치로 알아차릴 수 있도록 미리 슬그머니 일깨워 줌'을 가리키는 말은 '귀띔'이다.

**10** ㉠: 표준어, ㉡: 전통성

정답 해설

표준어 규정 제2부 표준발음법 제1장 총칙 제1항의 해설에 다음과 같이 나와 있다. "표준어의 실제 발음을 따른다는 것은 말 그대로 현대 서울말의 현실 발음을 기반으로 표준 발음을 정한다는 뜻이다. (…) 그렇다고 해서 표준어의 모든 실제 발음을 표준으로 인정하는 것은 아니다. 여기서 표준 발음과 현실 발음의 차이가 나타나게 된다. 전통성과 합리성에 위배된다면 실제 나타나는 발음이라도 표준으로 인정하지 않는 것이다. 전통성을 고려한다는 것은 이전부터 내려오던 발음상의 관습을 감안한다는 의미이다. (…) 전통성 이외에 합리성도 실제 발음을 표준 발음으로 인정할지를 결정하는 데에 중요한 역할을 한다."

## 외래어 표기법과 국어의 로마자 표기법 -기본 문제

본문 106~108쪽

| | | | | | | | |
|---|---|---|---|---|---|---|---|
| **01** | 해설 참조 | | **02** | ③ | **03** | ① | | 
| **04** | 해설 참조 | | **05** | ⑤ | **06** | ② | **07** ① |
| **08** ④ | **09** ④ | | **10** | Yeouido | | | |

**01** '우리말도 아닌데' 부분이 잘못 알고 있는 사실이다. 외래어는 고유어, 한자어와 함께 우리말이다.

정답 해설

외래어는 외국에서 들어온 말로 국어에서 널리 쓰이는 단어이다. 우리말이므로 바르게 쓸 규정이 필요하다. 그것이 바로 '외래어 표기법'이다. 한글 맞춤법 제3항에 "외래어는 '외래어 표기법'에 따라 적는다."라고 나와 있다.

**02** ③

정답 해설

외래어 표기법 제1장 제1항에 "외래어는 국어의 현용 24 자모만으로 적는다."라고 나와 있다. 이것은 [f, v, ʃ, ʧ, ɔ, ə]와 같이 국어에 없는 외국어 소리를 적기 위해 별도의 문자를 만들면 외래어를 표기할 때 무척 복잡해질 수 있기 때문이다. 이때 24 자모란 자음 14개('ㄱ, ㄴ, ㄷ, ㄹ, ㅁ, ㅂ, ㅅ, ㅇ, ㅈ, ㅊ, ㅋ, ㅌ, ㅍ, ㅎ')와 모음 10개('ㅏ, ㅑ, ㅓ, ㅕ, ㅗ, ㅛ, ㅜ, ㅠ, ㅡ, ㅣ')를 가리키는데, 이것은 한글 맞춤법 제4항 "한글 자모의 수는 스물넉 자로 하고"를 따른 것이다. 그리고 붙임 규정에 따르면 24 자모로써 적을 수 없는 소리는 두 개 이상의 자모를 어울러서 적는다(자모 두 개를 어우른 글자인 'ㄲ, ㄸ, ㅃ, ㅆ, ㅉ', 'ㅐ, ㅒ, ㅔ, ㅖ, ㅘ, ㅚ, ㅝ, ㅟ, ㅢ'와 자모 세 개를 어우른 글자인 'ㅙ, ㅞ')고 밝히고 있다.

**03** ①

정답 해설

외래어 표기법 제1장 제2항에 "외래어의 1 음운은 원칙적으로 1 기호로 적는다."라고 나와 있다. 'fighting'을 어떤 사람은 '파이팅'으로, 어떤 사람은 '화이팅'으로, 또 어떤 사람은 '퐈이팅'으로 쓴다면 혼란스러울 것이다. 또 'fighting'은 '파이팅'으로, 'file'은 '화일'로 쓴다면 영어 [f]를 어떻게 표기할지 혼란스러울 것이다. 그래서 1 음운을 1 기호로 적어 혼란을 막고 있다.

**04** ㄱ, ㄴ, ㄹ, ㅁ, ㅂ, ㅅ, ㅇ

정답 해설

외래어 표기법 제1장 제3항에 "받침에는 'ㄱ, ㄴ, ㄹ, ㅁ, ㅂ,

ㅅ, ㅇ'만을 쓴다."라고 나와 있다. 국어의 받침소리로는 'ㄱ, ㄴ, ㄷ, ㄹ, ㅁ, ㅂ, ㅇ'의 7개 자음만 발음한다. 그런데 'robot'의 받침소리는 [t]로 'ㄷ'이다. 하지만 '로봇이'는 [로보시]로, '로봇을'은 [로보슬]로 발음된다는 점을 고려하여 외래어 표기에서는 'ㄷ' 대신 'ㅅ'을 쓰고 있다.

**05** ⑤

정답 해설

외래어 표기법 제1장 제4항에 "파열음 표기에는 된소리를 쓰지 않는 것을 원칙으로 한다."라고 나와 있다. 무성 파열음 [p, t, k]는 영어와 독일어에서는 'ㅍ, ㅌ, ㅋ'에 가깝게 들리고, 프랑스어나 러시아어에서는 'ㅃ, ㄸ, ㄲ'에 가깝게 들린다. 그래서 어떤 경우에는 된소리로, 어떤 경우에는 거센소리로 적으면 혼란스러울 수 있어 파열음 표기에 'bus-버스'처럼 된소리를 쓰지 않는 것을 원칙으로 한다. '텔레비전'은 이 내용과는 관계가 없다. 'television'은 '텔레비젼'이 아니라 '텔레비전'으로 표기한다. 국어에서는 'ㅈ, ㅊ'과 같은 자음 뒤에서는 단모음과 이중 모음이 구분되지 않는다. 곧 'ㅈ, ㅊ'을 지닌 단어를 단모음으로 발음하든 이중 모음으로 발음하든 의미상의 변화는 없다. 따라서 외래어를 적을 때에도 'ㅈ, ㅊ' 뒤에 발음상 구분되지 않는 '쟈, 츄' 등의 이중 모음 표기를 하지 않고 단모음으로 적는다.

오답 체크

① 까스(×)

② 땜(×)

③ 뻐스(×)

④ 께임(×)

**06** ②

정답 해설

'껌', '라디오', '카메라'는 표기법에 따르면 각각 '검', '레이디오', '캐머러'로 표기하는 것이 원어에 가깝다. 하지만 외래어 표기법이 만들어지기 전부터 써 온 외래어 가운데에는 표기법에 맞게 적용하면 부자연스러운 경우도 있다. 그래서 외래어 표기법 제1장 제5항에 "이미 굳어진 외래어는 관용을 존중하되, 그 범위와 용례는 따로 정한다."라는 규정을 두고 있다. 원칙을 지키면서도 현실을 반영한 것이다.

**07** ①

정답 해설

국어의 로마자 표기법 제1장 제1항에 "국어의 로마자 표기는 국어의 표준 발음법에 따라 적는 것을 원칙으로 한다."라고 나와 있다. 기본적으로 국어의 발음대로 로마자로 옮겨 적는다. 하지만 경음화는 국어의 로마자 표기법에 반영하지 않는다.

오답 체크

② 국어를 로마자로 표기할 때에 발음대로 적는 것은, 외국인이 가능하면 국어 발음과 가깝게 발음하도록 하기 위해서이다.

③, ④ 국어의 로마자 표기법 제1장 제2항에 "로마자 이외의 부호는 되도록 사용하지 않는다."라고 나와 있다. 이것은 표기를 쉽게 하기 위한 것이며 아울러 1 음운 1 기호의 대응을 원칙으로 한다. 여기서의 특수 부호는 문장 부호(문장의 의미와 밀접한 관련을 맺는 부호)와는 다르다. '반달표(半-標)'나 '어깻점(--點)' 등과 같은 것이 특수 부호이다. 반달표(半-標)는 로마자 표기에 사용하던 반달 모양 부호 ' ˘ '인데, 'ㅓ', 'ㅡ'를 로마자로 표기할 때 'o', 'u'의 위에 사용하였으나 2000년에 개정된 로마자 표기법에 따라 폐기하였다. 그리고 어깻점(--點)은 국어 자음의 'ㅋ', 'ㅌ', 'ㅍ', 'ㅊ'를 로마자 'k'', 't'', 'p'', 'ch''로 표기하기 위해서 국어의 로마자 표기법에서 이용하였던 ''' 모양의 특수 부호이다. 이것도 컴퓨터로 문자를 입력하는 과정에서 불편하여 2000년 국어 로마자 표기법 개정안에서 폐지되었다.

⑤ 국어를 로마자로 표기하는 것은 단순히 외국인들에게 안내만을 하기 위한 것은 아니다. 좀더 중요한 까닭은 우리의 소중한 정보를 정리하고 보관하여 세계와 서로 교환하기 위해서이기도 하다.

**08** ④

정답 해설

국어의 로마자 표기법 제2장 제1항에 모음 표기 일람이 나와 있다. 이것에 따르면 '보령'은 'Boryeong'이다. '령'의 모음 'ㅕ'는 'yeo'로 표기하여야 한다. 그리고 국어의 로마자 표기법 제3장 제3항에 "고유 명사는 첫 글자를 대문자로 적는다."라고도 나와 있다.

**09** ④

정답 해설

국어의 로마자 표기법 제2장 제2항에 자음 표기 일람이 나와 있다. 이것에 따르면 '부산'은 'Busan'이다. '부'의 자음 'ㅂ'은 'b'로 표기하여야 한다. 'ㄱ, ㄷ, ㅂ'은 모음 앞에서는 'g, d, b'로, 자음 앞이나 어말에서는 'k, t, p'로 적는다.(구미-Gumi, 영동-Yeongdong, 백암-Baegam, 옥천-Okcheon, 합덕-Hapdeok, 호법-Hobeop)

**10** Yeouido

정답 해설

'여의도'는 [여의도]로 발음한다. 국어의 로마자 표기법 제2장 제1항과 제2항의 표기 일람에 따라 'Yeouido'로 표기한다. 이때 제1항에 "'ㅢ'는 'ㅣ'로 소리 나더라도 'ui'로 적는다."라고 나와 있는데, 이것은 국어의 'ㅢ' 발음과 관련이 있다. '여의도'도 [여의도]로 발음하는 게 원칙이지만 [여이도]도 허용을 한다. 표준어 규정 제2부 제5항에 'ㅢ'와 관련한 발음이 자세히 나와 있다. 단어의 둘째 음절 이하에 표기된 '의'는 [ㅢ] 이외에 [ㅣ]로 발음하는 것도 인정한다. 그래서 '주의'와 같은 단어는 [주의]가 원칙이지만 [주이]로 발음해도 표준 발음으로 인정된다.

## 어휘의 유형-기본 문제

본문 111~113쪽

| | | | | | | | | | |
|---|---|---|---|---|---|---|---|---|---|
| **01** | ① | **02** | ② | **03** | ④ | **04** | ⑤ | **05** | 입 |
| **06** | ① | **07** | ③ | **08** | 해설 참조 | | | **09** | ③ |
| **10** | 해설 참조 | | | | | | | | |

**01** ①

정답 해설

어휘는 일정한 기준에 따라 다양하게 분류할 수 있다. 그러다 보니 한 단어가 기준에 따라 여러 유형에 속할 수 있다. 예를 들어 '소변('오줌'을 점잖게 이르는 말)'이라는 단어는 어원에 따라 한자어에 속한다. 그리고 사용 양상에 따라 나누었을 때에는 '오줌'의 완곡어라 할 수 있다. 의미 관계에 따라서는 '소피(所避)'와는 유의어, '약간의 변화'라는 뜻을 지닌 '소변(小變)'과는 동음이의어가 된다.

오답 체크

② '어원'이란 말의 기원을 뜻한다. 예부터 우리말에 있었거나 우리말에 기초하여 새로 만들어진 말을 '고유어'라 하고, 한자에 기초하여 만들어진 말을 '한자어'라 하며, 다른 나라에서 들어온 말 가운데 우리말로 인정되는 말을 '외래어'라고 한다.

③ 단어가 개별적인 단위라면 어휘는 이 단어들이 모인 총체를 가리킨다.

④ 어휘력이 좋으면 글을 읽고 쓰거나 말하고 들을 때에 이해와 표현에 도움이 된다.

⑤ 사용 양상에 따라 방언, 은어, 전문어, 새말, 유행어, 관용 표현, 공대어, 하대어, 비속어, 금기어, 완곡어 등이 있고, 의미 관계에 따라 유의어, 반의어, 상의어, 하의어, 다의어, 동음이의어 등이 있다.

**02** ②

정답 해설

관용 표현은 둘 이상의 단어가 고정적으로 결합하여 새로운 의미를 만들어 낸 경우, 그 단어 구성을 이르는 말이다. 관용 표현은 관습적으로 써 온 말이기 때문에 그 언어를 사용하는 사람들의 문화가 담기기 마련이다.

오답 체크

① 관용 표현은 비유적으로 쓰이는 경우가 많다. 직접적이기보다는 간접적이다.

③ 관용 표현은 굳어져 쓰이기 때문에 단어의 순서를 바꾸거나 있던 말을 빼거나 다른 말을 덧붙이면 의미가 달라질 수 있다.

④ 예로부터 민간에 전하여 오는 쉬운 격언이나 잠언은 속담이라고 한다.

⑤ 관용어는 두 개 이상의 단어로 이루어져 있으면서 그 단어들의 의미만으로는 전체의 의미를 알 수 없는, 특수한 의미를 나타내는 어구(語句)이다.

**03** ④

정답 해설

'눈이 높다'는 '정도 이상의 좋은 것만 찾는 버릇이 있다'라는 뜻의 관용어이다.

**04** ⑤

정답 해설

'귀에 걸면 귀걸이 코에 걸면 코걸이'라는 말은 어떤 원칙이 정해져 있는 것이 아니라 둘러대기에 따라 이렇게도 되고 저렇게도 될 수 있음을 비유적으로 이르는 속담이다.

**05** 입

정답 해설

입에 달고 다니다(관용어): 말이나 이야기 따위를 습관처럼 되풀이하거나 자주 사용하다.

입만 살다(관용어): 말에 따르는 행동은 없으면서 말만 그럴듯하게 잘하다.

입에 쓴 약이 병에는 좋다(속담): 자기에 대한 충고나 비판이 당장은 듣기에 좋지 아니하지만 그것을 달게 받아들이면 자기 수양에 이로움을 이르는 말.

**06** ①

정답 해설

금기어는 관습, 신앙, 질병, 배설 따위와 관련하여 마음에 꺼려서 하지 않거나 피하는 말이다. 쓰면 안 되는 말이 아니라 상황에 따라 피하는 말이다. 금기어와 완곡어는 상황을 고려하여 적절하게 사용하면 된다.

**07** ③

정답 해설

'죽다'는 그 뜻이 너무 무겁고 어두워서 다양한 완곡어로 돌려 말한다. '돌아가다'도 그 완곡어 가운데 하나이다. 하지만 ③에서는 '죽다'의 뜻으로 쓰인 게 아니라 '원래의 있던 곳으로 다시 가거나 다시 그 상태가 되다'라는 뜻으로 쓰였다.

오답 체크

① 죽다(금기어)

② 눈을 감다(완곡어)

④ 잠들다(완곡어)

⑤ 세상을 뜨다(완곡어)

**08** ㉠: 다의어, ㉡: 동음이의어

정답 해설

다의 관계에 놓여 있는 단어는 하나의 표제어 아래에서 뜻만 조금씩 다른 하나의 단어이고, 동음이의 관계에 놓여 있는 단어는 독립된 표제어로 올라간, 우연히 소리만 같은 전혀 다른 단어이다.

**09** ③

정답 해설

③의 '다리'는 '물을 건너거나 또는 한편의 높은 곳에서 다른 편의 높은 곳으로 건너다닐 수 있도록 만든 시설물'이라는 뜻의 단어이다. 나머지는 다의 관계에 놓여 있는 하나의 단어이다.

오답 체크

① 주변적 의미: 2. 물체의 아래쪽에 붙어서 그 물체를 받치거나 직접 땅에 닿지 아니하게 하거나 높이 있도록 버티어 놓은 부분.

② 주변적 의미: 3. 오징어나 문어 따위의 동물의 머리에 여러 개 달려 있어, 헤엄을 치거나 먹이를 잡거나 촉각을 가지는 기관.

④ 중심적 의미: 1. 사람이나 동물의 몸통 아래 붙어 있는 신체의 부분. 서고 걷고 뛰는 일 따위를 맡아 한다.

⑤ 주변적 의미: 4. 안경의 테에 붙어서 귀에 걸게 된 부분.

**10** ㉠과 ㉡, ㉡과 ㉢은 동음이의 관계이다. ㉠과 ㉢은 다의 관계이다.

정답 해설

㉠ 눈: 물체의 존재나 형상을 인식하는 눈의 능력. 눈으로 두 광점을 구별할 수 있는 능력.

㉡ 눈: 대기 중의 수증기가 찬 기운을 만나 얼어서 땅 위로 떨어지는 얼음의 결정체.

㉢ 눈: 사물을 보고 판단하는 힘.

㉠과 ㉢은 '빛의 자극을 받아 물체를 볼 수 있는 감각 기관'의 뜻을 지닌 '눈'의 주변적 의미이다.

# 정답 및 해설

## 연습 문제, 모의고사

# 제1강 단어의 짜임과 형성

## 단어와 형태소

본문 05~07쪽

01 ③ 02 ① 03 ① 04 ③ 05 ②
06 해설 참조 07 ④ 08 ⑤
09 해설 참조 10 해설 참조

**01** ③

정답 해설

문법적 관계를 나타내는 말(예: 조사)도 문법적 · 형식적 의미가 있는 형태소이다.

**02** ①

정답 해설

문장을 이루는 단어의 개수는 어절(띄어쓰기) 단위로 나눈 뒤, 조사를 구분하여 세면 된다. 해당 문장은 '가을 / 하늘 / 이 / 높고 / 푸르다'의 5개로 나머지와 다르다.

오답 체크

② 가수 / 가 / 노래 / 를 / 잘 / 부른다 → 6개
③ 너 / 마저 / 도 / 나 / 를 / 배신하다니 → 6개, 조사가 2개 이상 연속되는 경우 각각의 단어로 구분하여 센다.
④ 내일 / 까지 / 비 / 가 / 오면 / 어쩌지 → 6개
⑤ 오늘 / 하루 / 는 / 참 / 길게 / 느껴졌다 → 6개

**03** ①

정답 해설

'기름'은 '기'와 '름'으로 나눌 수 없는 단일어이다.

오답 체크

② 그칠: '그치- + -ㄹ'과 같이 분석된다.
③ 모르고: '모르- + -고'와 같이 분석된다.
④ 지키는: '지키- + -는'과 같이 분석된다.
⑤ 등불: '등(燈) + 불'과 같이 분석된다.

**04** ③

정답 해설

'거미 / 는 / 작- / -아 / 도 / 줄 / 만 / 잘 / 치- / -ㄴ다'와 같이 10개로 분석된다. '-아도'를 하나의 형태소로 보는 견해가 있을 수 있으나, 그 견해를 따르더라도 형태소의 총 개수는 9개로 가장 많다.

오답 체크

① 낫 / 놓- / -고 / 기역 / 자 / 도 / 모르- / -ㄴ다 → 8개
② 지렁이 / 도 / 밟- / -으면 / 꿈틀 / 하- / -ㄴ다 → 7개
④ 고래 / 싸우- / -(으)ㅁ / 에 / 새우 / 등 / 터지- / -ㄴ다 → 8개
⑤ 개구리 / 올챙이 / 적 / 생각 / 못 / 하- / -ㄴ다 → 7개

**05** ②

정답 해설

〈보기〉를 단어 단위로 분석하면 '발 / 없는 / 말 / 이 / 천 / 리 / 간다'이고, 형태소 단위로 분석하면 '발 / 없- / -는 / 말 / 이 / 천 / 리 / 가- / -ㄴ다'이다. 자립 형태소는 '발, 말, 천, 리' 4개이고 실질 형태소는 '발, 없-, 말, 천, 리, 가-' 6개이므로 두 형태소의 개수는 같지 않다.

오답 체크

① '없는'의 어미 '-는', '말' 뒤에 결합한 조사 '이', '간다'의 어미 '-ㄴ다'는 모두 문법적 의미를 지니는 형식 형태소이다.
③ '거리를 나타내는 단위'인 '리'는 통사적으로는 꾸며 주는 말을 필요로 하는 의존 명사이지만, 단어 자체로는 홀로 쓰일 수 있는 명사인 점을 고려하여 자립 형태소로 분류한다.
④ '발, 없는, 말, 이, 천, 리, 간다' 모두 어근이 1개인 단일어이다.
⑤ 용언의 어간(없-, 가-)과 어미(-는, -ㄴ다)는 모두 의존 형태소이다.

**06**

| 기호 | 바르게 고친 내용 |
|---|---|
| ㉡ | 용언의 어미는 실질 형태소가 아니라 형식 형태소이다. |
| ㉣ | 조사는 단어로 인정되더라도 홀로 쓰일 수 없으므로 의존 형태소로 분류한다. |

**07** ④

정답 해설

〈보기〉 중 실질 형태소는 '내, 건너-, 숲, 고개, 넘-, 마을'으로 총 6개이다.

**08** ⑤

정답 해설

홀로 쓰일 수 없는 의존 형태소이면서 문법적 기능을 나타내

는 형식 형태소인 말은 조사 '는, 로, 에서'와 접사 '맨-', 어미 '-아, -었-, -다'이다. 접사가 형식 형태소라는 점과 '돌아다녔다'가 '돌-, -아, 다니-, -었-, -다'로 분석됨에 유의한다.

**09** 1) 우리, 나라, 의, 구석, 구석, 을, 돌-, -아, 보-, -고, 싶-, -다

2)

| 자립 | 우리, 나라, 구석(중복된 것은 1번만 써도 됨) |
|---|---|
| 의존 | 의, 을, 돌-, -아, 보-, -고, 싶-, -다 |
| 실질 | 우리, 나라, 구석, 돌-, 보-, 싶- |
| 형식 | 의, 을, -아, -고, -다 |

**10** 1) '걷-'과 '걸-'의 의미가 동일하기 때문이다.

2) '걷-'과 '걸-'은 각각 뒤 음절의 초성이 있는 경우(자음 앞)와 없는 경우(모음 앞)에만 쓰이는 상보적 분포를 보이기 때문이다

## 단어의 형성 1

본문 08~09쪽

| | | | | | | | | | |
|---|---|---|---|---|---|---|---|---|---|
| 01 | ⑤ | 02 | ④ | 03 | ⑤ | 04 | ③ | 05 | ⑤ |
| 06 | 해설 참조 | | | 07 | ① | 08 | ② | | |
| 09 | 해설 참조 | | | 10 | 해설 참조 | | | | |

**01** ⑤

정답 해설

'힘쓰다'는 '힘'과 '쓰-' 어근 2개로 이루어진 합성어이다.

오답 체크

① '까맣-' 1개로 단일어이다.
② '되-'는 접사이고, '찾-' 1개만 어근으로 파생어이다.
③ '예쁘-' 1개로 단일어이다.
④ '헛-'은 접사이고, '살-' 1개만 어근으로 파생어이다.

**02** ④

정답 해설

하나의 어근이자 자립 형태소로 이루어진 단일어이다.

오답 체크

① 접두사와는 결합하지 않았다.
② 접미사와는 결합하지 않았고, 품사에도 변화가 없다.
③ 품사는 명사, 부사, 감탄사 등으로 각기 다르지만 모두 단독으로 쓰일 수 있다.
⑤ 1개의 형태소로 이루어졌으며, 더 이상 나누게 되면 뜻이 사라지게 된다.

**03** ⑤

정답 해설

'지우개'는 '지우-'와 '-개'로 분석되는 복합어(파생어)이며, 용언의 어간이자 어근인 '지우-'는 실질 형태소로, 접미사 '-개'는 형식 형태소로 분류한다.

오답 체크

①'감'과 '나무'는 모두 실질 형태소이다. / ② '도시락'은 단일어이다. / ③ '목'과 '소리'는 모두 실질 형태소이다. / ④ '아침'과 '밥'은 모두 실질 형태소이다.

**04** ③

정답 해설

접사는 조사와 달리 앞말과 쉽게 분리되지 않으며, 단어로 인

정되지도 않는다.

**05** ⑤

정답 해설

어근 '첫'과 어근 '사랑'이 결합한 합성어이다.

오답 체크

① 어근 '죽-'에 접미사 '-음'이 결합하였다.

② 어근 '진짜'에 접미사 '-배기'가 결합하였다.

③ 어근과 어근이 결합한 합성어 '손가락'에 접미사 '-질'이 결합하였다. 직접 구성 요소를 보면 '손-가락질'이 아니라 '손가락-질'이므로 파생어로 분석한다.

④ 어근 '둘'에 접미사 '-째'가 결합하였다.

**06** 1) 짓-, 누르-, -고
2) 누르-
3) 짓누르-

정답 해설

'짓-'은 '마구, 함부로, 몹시' 등의 의미를 더하는 접두사이다. 어간에는 포함되지만 어근에는 해당하지 않는다.

**07** ①

정답 해설

'군-'은 '쓸데없는, 가외로 더한, 덧붙은' 등의 의미를 더하는 접두사이다.

**08** ②

정답 해설

'부채'는 명사이고 '부채질'도 명사이므로, 접미사 '-질'이 결합하였지만 품사가 변하지 않았다.

오답 체크

① 형용사 '길-'에 접미사 '-이'가 결합하여 명사 '길이'가 되었다.

③ 형용사 '수줍-'에 접미사 '-음'이 결합하여 명사 '수줍음'이 되었다.

④ 명사 '복'에 접미사 '-스럽다'가 결합하여 형용사 '복스럽다'가 되었다.

⑤ 명사 '평화'에 접미사 '-롭다'가 결합하여 형용사 '평화롭다'가 되었다.

**09** 실질 형태소의 뜻풀이와 달리 접사의 뜻풀이에는 '~의 뜻을 더한다'는 문법적 기능(역할)이 제시되어 있기 때문이다.

정답 해설

유사한 의미를 보이지만 품사와 역할이 다른 두 단어를 비교해 봄으로써, 접사의 문법적 기능을 생각해 보는 문제이다. 실질 형태소인 명사의 뜻풀이에는 해당 단어의 실질적 의미만 그대로 제시된 반면, 접사의 뜻풀이에는 뜻과 함께 문법적 기능까지 제시되었다는 차이점을 언급한 경우 정답으로 인정한다.

**10** '-거리다'는 '잇따라, 반복적으로, 자꾸'의 의미를 더하고, 품사를 동사로 바꾸는 역할을 한다.

정답 해설

부사였던 '반짝, 출렁, 휘청'의 뜻풀이에는 '잠깐, 한 번'이라는 내용이 서술되어 있다. 반면, 동사로 품사가 바뀐 '반짝거리다, 출렁거리다, 휘청거리다'에는 해당 내용이 '잇따라, 자꾸'로 바뀌어 있음을 확인할 수 있다.

## 단어의 형성 2, 새말의 형성 원리 본문 10~12쪽

| | | | |
|---|---|---|---|
| 01 해설 참조 | 02 ③ | 03 ④ | 04 ② |
| 05 ⑤ | 06 해설 참조 | 07 해설 참조 | |
| 08 ② | 09 ③ | 10 ③ | |

**01** ㉠ 단일어, ㉡ 복합어, ㉢ 파생어 ㉣ 어근과 어근이 결합한

정답 해설

㉣은 문맥에 어울리도록 뒤에 이어지는 '말'을 꾸며 주는 형태로 쓴다.

**02** ③

정답 해설

어간 '높-'이 연결 어미 없이 다른 어간 '푸르-'에 직접 결합한 것은 비통사적이다.

오답 체크

① 목적어 '본(을)'과 서술어 '받다'가 결합하고 조사 '을'이 생략된 것은 통사적이다.

②, ④ 관형사형 어미 '-ㄴ'이 어간에 결합하여 뒤에 오는 말을 수식하는 것은 통사적이다.

⑤ 어간 '뛰-'가 연결 어미 '-어'과 결합하여 다른 어간과 이어져 통사적 합성어를 이루었다.

**03** ④

정답 해설

'날아가다'는 어간 '날-'과 '가-'가 연결 어미 '-아'에 의해 결합한 통사적 합성어이다.

오답 체크

① '뒤-'는 어간이 아니라 '몹시, 마구, 온통, 반대로, 뒤집어' 등의 의미를 더하는 접두사이다.

② 어간 '검-'과 '붉-'이 연결 어미 없이 직접 결합한 비통사적 합성어이다.

③ '헛-'은 어간이 아니라 '이유 없는, 보람 없는, 잘못' 등의 의미를 더하는 접두사이다.

⑤ 어간 '오르-'와 '내리-'가 연결 어미 없이 직접 결합한 비통사적 합성어이다.

**04** ②

정답 해설

'논밭'은 '논'과 '밭'을 아울러 이르는 말이며 '오가다'는 '일정한 곳을 오고 가다'의 의미이므로, 두 단어 모두 각 어근의 본래 의미가 유지된 대등 합성어이다.

오답 체크

① '돌다리'는 종속 합성어, '건너다'는 단일어이다.

③ '물고기'는 종속 합성어, '마리'는 단일어이다.

④ '손가락, 방아쇠'는 모두 종속 합성어이다.

⑤ '손수건, 눈물'은 모두 종속 합성어이다.

**05** ⑤

정답 해설

'울음바다'는 '한자리에 있는 많은 사람이 한꺼번에 울음을 터뜨리어 온통 울음소리로 뒤덮인 상태'라는 비유적이고 새로운 의미를 나타내므로 융합 합성어라고 할 수 있다.

오답 체크

① '꽃'을 꽂아두는 '병'이므로 중심 의미가 '병'에 있는 종속 합성어이다.

② '금'으로 만들어진 '반지'이므로 중심 의미가 '반지'에 있는 종속 합성어이다.

③ '유리'로 만들어진 '문'이므로 중심 의미가 '문'에 있는 종속 합성어이다.

④ '책'을 넣는 '가방'이므로 중심 의미가 '가방'에 있는 종속 합성어이다.

**06** 문맥에 따라 달라질 수 있다.

정답 해설

'종이호랑이'가 1번과 같이 쓰일 때에는 '종이로 만든 호랑이 모양'이라는 뜻이므로 종속 합성어이다. 반면 2번의 경우 비유적이고 새로운 의미를 나타내고 있으므로 융합 합성어가 된다.

**07** 1) 새로운 의미를 나타낼 수 있는가?
2) 어근 사이에 다른 말이 들어갈 수 있는가?

정답 해설

합성어 '큰집'의 경우, 크기가 큰 집이 아니라 '집안의 맏이가 사는 집'이라는 새로운 의미를 나타내고 있다. 또한 '큰넓은집*'과 같이 합성어의 어근 사이에는 다른 말이 들어갈 수 없다.

**08** ②

정답 해설

ㄱ. 접사 '늦-'이 결합한 파생어이다. 용언의 어간이자 어근인

'늦-'이 비통사적으로 결합한 합성어라고 보는 견해도 있다. 어느 쪽이든 직접 구성 요소 분석 결과는 동일하다.

ㄴ. 직접 구성 요소는 그 말을 '직접' 구성하고 있는 요소를 2개로 나누어 보는 것이다. '떡'과 '볶이'로 분석한다.

ㄷ. 어근 '발'과 어근 '자국'으로 이루어진 합성어이다.

ㄹ. '살얼다'라는 용언이 존재하지 않으므로 '살'과 '얼음'으로 분석하는 것이 자연스럽다. '살'은 '온전하지 못함'의 뜻을 더하는 접두사이다.

**09** ③

정답 해설

'갑자기 분위기 싸해지다'라는 문장에서 일부 글자(각 어절의 머릿글자)만 골라 결합하는 방식으로 만들어졌다.

오답 체크

① 접사 '비-'에 외래어 '매너'가 결합하였다.

② 어근 '꽃'와 어근 '미남'이 결합하였다.

④ 외국어 '이모티콘(Emoticon)'을 그대로 외래어로 받아들여 썼다. 참고로 'Emoticon'은 'Emotion'과 'Icon'이 합쳐진 말이다.

⑤ 'SNS'를 순화하여 우리말로 바꾼 말이다.

**10** ③

정답 해설

줄임말이 아니며, 각 단어들의 머릿글자를 따서 만들어지지도 않았다.

오답 체크

① 외국어 단어들을 우리말로 고쳤으므로 국어 순화의 예시가 될 수 있다.

② 모두 기존 우리말 단어(고유어, 한자어 등)를 활용하였다.

④ 신어(新語) 또는 신조어(新造語)라고 한다.

⑤ 고치기 전의 단어들은 모두 영어이므로, 우리말로 바꾼다면 외국어에 익숙하지 않은 사람들은 더 쉽게 이해할 수 있을 것이다.

## 모의고사

본문 13~18쪽

| | | | | |
|---|---|---|---|---|
| 01 ③ | 02 ④ | 03 ② | 04 ① | 05 ④ |
| 06 ⑤ | 07 ⑤ | 08 ③ | 09 ② | 10 ③ |
| 11 ② | 12 ④ | 13 ④ | 14 ③ | 15 ④ |
| 16 ③ | 17 ⑤ | 18 ② | 19 ③ | 20 ④ |

**01** ③

정답 해설

하나의 자립 형태소(어근)로 단어가 만들어질 수 있다. 이를 단일어라고 한다.

오답 체크

① 조사는 앞말과 쉽게 분리되는 점을 고려하여 단어로 인정한다.

② 형태소가 결합하여 단어가 만들어지므로, 형태소가 단어보다 더 작은 말의 단위이다.

④ 단어가 아니라 형태소에 대한 설명이다.

⑤ 단어는 홀로 쓰일 수 있는 가장 작은 말의 단위로 정의된다.

**02** ④

정답 해설

ⓒ은 '별 / 을 / 노래하는 / 마음 / 으로' 총 5개의 단어로 구성되어 있다.

오답 체크

① 죽는 / 날 / 까지 / 하늘 / 을 / 우러러 → 6개

② 한 / 점 / 부끄럼 / 이 / 없기 / 를 → 6개

③ 잎새 / 에 / 이는 / 바람 / 에 / 도 → 6개

⑤ 나 / 한테 / 주어진 / 길 / 을 / 걸어가야겠다 → 6개

**03** ②

정답 해설

'-다'는 어미로 문법적 · 형식적 의미를 지니며 하나의 형태소로 분석한다.

**04** ①

정답 해설

〈보기〉는 '호랑이 / 도 / 제 / 말 / 하- / -면 / 오- / -ㄴ다'로 분석할 수 있다. 그 중 자립 형태소는 '호랑이, 제, 말'이고

의존 형태소는 '도, 하-, -면, 오-, -ㄴ다'이다. 실질 형태소는 '호랑이, 제, 말, 하-, 오-'이고 형식 형태소는 '도, -면, -ㄴ다'이다. 한편 '-ㄴ다'는 '-ㄴ-'와 '-다'로 한 번 더 분석할 수도 있다.

오답 체크

② 조사 '도'는 의존 형태소이다. '말'은 자립 형태소, '하-'는 의존 형태소, '-면'은 의존 형태소로 각각 분석한다.

③ '제'는 '저'에 관형격 조사 '의'가 결합하여 줄어든 말로, 자립 형태소로 분류한다.

④ '오-'는 실질 형태소이다.

⑤ '말하-'는 실질 형태소이지만, '말'과 '하-'로 분석해야 한다.

## 05 ④

정답 해설

'차마'는 '부끄럽고 안타까워서 감히'의 의미를 지닌 부사이고, '고개'는 '사람이나 동물의 목을 포함한 머리 부분'이라는 의미의 명사이다. 모두 자립적이면서 실질적 의미를 지닌 형태소이다.

오답 체크

㉠ 조사 '은'은 의존 · 형식 형태소이다.

㉡ 어미 '-건만'은 '-건마는'의 준말로 '-건'과 '만(마는)'으로 분석되며 의존 · 형식 형태소이다.

㉤ 용언의 어간 '들-'은 의존 · 실질 형태소이다.

## 06 ⑤

정답 해설

조사 '이 / 가', 용언의 어간 '걷- / 걸-'과 어미 '-었- / -였-'은 모두 홀로 쓰일 수 없는 의존 형태소이다.

오답 체크

① '걷- / 걸-'은 용언의 어간으로 문법적 관계를 나타내 주는 말이 아니다.

② 조사 '이 / 가'는 생략되는 경우도 있지만, 용언의 어간이나 어미는 생략되는 경우가 비통사적이며 문장이 어색해질 수 있다.

③ '이 / 가'에만 해당하는 설명이다. '-였-'은 앞말의 받침 유무와는 무관하며, 어간 '하-'와만 결합하는 상보적 분포를 보이는, '-었-'의 형태론적 이형태이다. '걷- / 걸-'은 앞말이 아니라 뒤 음절의 초성 유무과 관련된 이형태이다.

④ '-었- / -였-'이나 '걷- / 걸-'은 조사와 달리 앞말이나 뒷말과 쉽게 분리되지 않는다.

## 07 ⑤

정답 해설

'꽃꽂다'라는 합성 용언은 사전에 등재되어 있지 않으므로, 어간 '꽃꽂-'은 존재하지 않는다. 어간 '꽂-'에 명사를 만드는 접미사 '-이'가 결합하여 파생어 '꽂이'가 먼저 형성된 후에, 단일어 '꽃'과 결합한 합성어 '꽃꽂이'가 만들어진 것이다.

오답 체크

① '꽃, 꽂-, -이' 3개의 형태소로 분석할 수 있다.

② 단일어 '꽃'은 자립 · 실질 형태소이며, 용언의 어간 '꽂-'은 의존 · 실질 형태소, 접미사 '-이'는 의존 · 형식 형태소이다.

③ 표제어의 줄표는 복합어의 최종 분석 경계를 표시한 것으로, 직접 구성 요소는 '꽃'과 '꽂이'이다.

④ 파생어 정보를 통해 '꽃꽂이-하다'라는 단어가 만들어질 수 있음을 알 수 있다.

## 08 ③

정답 해설

(가)는 단일어, (나)는 파생어, (다)는 합성어이다.

오답 체크

① '우리'는 단일어, '군침'은 접두사 '군-'이 결합한 파생어이다.

② '큰형(크- + -ㄴ + 형)'은 합성어, '삼켰다(삼키다)'는 단일어이다.

④ '소문난(소문 + 나- + -ㄴ)'은 합성어, '밤고구마(밤 + 고구마)'는 합성어이다.

⑤ '먹보'는 접미사 '-보'가 결합한 파생어이다.

## 09 ②

정답 해설

'푸르-'는 어근이면서 어간이다. 접사가 결합한 경우에는 어근과 어간이 일치하지 않는다.

오답 체크

① 접두가 '덧-'이 결합하였으므로 어근 '대-'와 어간 '덧대-'는 일치하지 않는다.

③ 접미사 '-답다'가 결합하였으므로 어근 '정'과 어간 '정답-'은 일치하지 않는다.

④ 접두사 '새-'가 결합하였으므로 어근 '파랗-'과 어간 '새파랗-'은 일치하지 않는다.

⑤ 접미사 '-스럽다'가 결합하였으므로 어근 '사랑'과 어간 '사랑스럽-'은 일치하지 않는다.

**10** ③

정답 해설

'멍청하다'의 어근인 '멍청'에 '사람, 사물'이라는 뜻을 더하고 명사를 만드는 접미사 '-이'가 결합한 파생어이다.

오답 체크

① 자립 형태소인 어근 '옛'과 '날'이 결합하여 만들어진 합성어이다.

② 어근 '된(어간 '되-' + 관형사형 어미 '-ㄴ')'과 어근 '소리'가 합쳐진 합성어이다.

④ '옛날'은 관형사가 명사를 수식하고, '된소리'는 어간이 관형사형 어미와 결합하여 이어지는 명사를 수식하므로 둘 다 통사적 합성어이다.

⑤ '된-소리(되- + -ㄴ + 소리)'는 합성어, '멍청-이'는 파생어이므로 둘 다 복합어이지만 단어의 짜임은 다르다.

**11** ②

정답 해설

'느림보'는 용언의 어간이자 어근인 '느리-'에 명사를 만드는 접미사 '-(으)ㅁ'이 결합하여 만들어진 말에, '그것을 특성으로 지닌 사람'의 뜻을 더하는 접미사인 '-보'가 한 번 더 결합하여 만들어진 파생어이다.

오답 체크

① 어근 '칼'에 접미사 '-질'이 결합한 파생어이다.

③ 어근과 어근이 결합한 '벽돌'에 다시 어근 '집'이 결합한 합성어이다.

④ 어근 '위'와 어근 '아래'가 결합한 합성어이다.

⑤ 용언의 어간이자 어근인 '걸-(걷-)'에 명사를 만드는 접미사 '-(으)ㅁ'이 결합한 것까지는 동일하나, 접두사 '헛-'이 결합하였기에 짜임이 달라졌다.

**12** ④

정답 해설

(가)는 접두사, (나)는 접미사가 결합한 예시 단어들이다. (나)에도 '*' 표시된 단어들이 제시되어 있으므로, (가)와 달리 결합할 수 있는 말에 제한이 없다는 내용은 적절하지 않다.

**13** ④

정답 해설

'겨눈 곳에 맞지 아니하고 어긋나게 잘못 맞다'는 의미이므로 나머지와 다르게 2번 의미로 쓰였다.

오답 체크

① '비스듬하게 그은 줄'이므로 1번 의미이다.

② '옆으로 조금 비뚤어지게 물다'이므로 1번 의미이다.

③ '방향을 조금 틀어서 세우다'이므로 역시 1번 의미이다.

⑤ '움직임이 똑바르지 아니하고 비뚜로(한쪽으로 기울거나 쏠리게) 나가다'이므로 1번 의미로 쓰였다. 단, '빗나가다'는 '예상이 빗나가다' 등 문맥에 따라 '바른 데로 가지 않고 잘못된 길로 가다'라는 2번 의미로 쓰일 수도 있다.

**14** ③

정답 해설

- '많이'는 형용사의 어근 '많-'에 부사를 만드는 접미사 '-이'가 결합하여 부사가 되었다.
- '젊음'은 형용사의 어근 '젊-'에 명사를 만드는 접미사 '-음'이 결합하여 명사가 되었다.
- '딸꾹질'은 부사인 어근 '딸꾹'에 '그런 소리를 내는 행위'의 뜻을 더하는 접미사 '-질'이 결합하여 명사가 되었다.
- '첫째'는 관형사이자 어근인 '첫'에 '차례, 등급'의 의미를 더하는 접미사 '-째'가 결합하여 수사가 되었다.

오답 체크

① 접사는 실질 형태소가 아니다.

② 모두 접두사가 아니라 접미사가 결합하였다.

④ '많-, 젊-'은 용언의 어근과 어간이 일치하지만 '딸꾹, 첫'은 용언이 아니다.

⑤ '-(으)ㅁ'의 경우 앞말의 받침 유무에 따라 상보적 분포를 보이는 음운론적 이형태라고 볼 수 있으나, 나머지 단어는 무관하다. 〈보기〉의 예문으로는 알 수 없는 내용이기도 하다.

**15** ④

정답 해설

'감싸다'는 '전체를 둘러서(감아서) 싸다'라는 의미인데, 어간 '감-'이 연결 어미 없이 다른 어간 '싸-'에 결합하고 있으므로 ㉠의 예시이다. '꺾쇠'는 '양쪽 끝을 꺾어 'ㄷ'자 모양으로 만든 쇠토막'을 의미하는데, 관형사형 어미 없이 어간 '꺾-'이 명사를 직접 수식하고 있으므로 ㉡의 예시이다. '척척박사'는 '무엇이든지 묻는 대로 척척 대답해 내는 사람'으로 ㉢의 예시이다.

오답 체크

① '굶주리다'는 어간인 어근 '굶-'과 '주리-'가 연결 어미 없이 결합하였으므로 ㉠의 예시이다. '늙은이'는 어근 '늙-'이 관형사형 어미 '-은'과 결합하여 명사를 수식하는 통사적 합

성어로 ㉡의 예시가 아니다. '새신랑'의 '새'는 관형사로 통사적 합성어이므로 ㉢의 예시가 아니다.

② '나아가다'는 연결 어미 '-아'가 결합한 통사적 합성어로 ㉠의 예시가 아니다. '비빔밥'은 관형사형 어미가 아니라 접미사 '-(으)ㅁ'이 결합하여 만들어진 파생명사 '비빔'에 어근 '밥'이 결합한 통사적 합성어로 ㉡의 예시가 아니다. '온종일'의 '온'은 관형사로, ㉢의 예시가 아니다.

③ '얕보다'는 어미 없이 어근 '얕'이 다른 어근에 직접 결합한 비통사적 합성어로 ㉠의 예시이다. 문맥상 '얕게 보다'의 의미이므로 연결 어미가 아닌 부사형 어미(-게)가 결합하여야 자연스러울 것이다. '접칼'은 관형사형 어미 없이 어간이 직접 명사와 결합하였으므로 ㉡의 예시이다. '한겨울'은 접두사 '한-'에 어근이 결합한 파생어로 ㉢의 예시가 아니다.

⑤ '찾아보다'는 어간 '찾-'과 '보-'에 연결 어미 '-아'가 결합한 통사적 합성어로 ㉠의 예시가 아니다. '작은형'은 어근 '작-'이 관형사형 어미 '-은'과 결합하여 명사를 수식하는 통사적 합성어로 ㉡의 예시가 아니다. '부슬비'는 부사성 어근 '부슬(눈이나 비가 조용히 성기게 내리는 모양)'이 명사를 수식하므로 ㉢의 예시이다.

**16** ③

정답 해설

앞 어근에 어떤 조사가 생략되었는지 고려하여 합성어 내부의 구성 방식을 구분한다. '앞서다'는 '앞에 서다'는 의미이므로, 나머지와 달리 '부사어+서술어'의 구성 방식에 해당한다.

오답 체크

① 겉(이) 늙다: 주어+서술어 구성이다.
② 낯(이) 설다: 주어+서술어 구성이다.
④ 혼(이) 나다: 주어+서술어 구성이다.
⑤ 힘(이) 들다: 주이+서술어 구성이다.

**17** ⑤

정답 해설

'코웃음'의 직접 구성 요소는 '코'와 '웃음'으로, 어근 '코'와 파생명사인 '웃음'이 결합한 합성어이다. 합성동사 '코웃다'는 존재하지 않는다.

**18** ②

정답 해설

'오르내리다'는 '올라갔다 내려갔다 하다'의 의미이므로 '오르다'와 '내리다' 두 어근의 의미가 대등하게 유지된 대등 합성어이다. '산들바람'은 '시원하고 가볍게 부는 바람'이라는 뜻으로, 부사 '산들(사늘한 바람이 가볍고 보드랍게 부는 모양)'이 명사인 '바람'을 꾸미고 있는 종속 합성어이다.

오답 체크

① '바늘방석'은 '바늘을 꽂아 둘 목적으로 헝겊에 솜을 넣어 만든 공예품'의 의미일 경우 종속 합성어이고, '앉아 있기에 아주 불안스러운 자리를 비유적으로 이르는 말'일 때에는 융합 합성어이다. '햇병아리'는 접두사 '햇-'이 결합한 파생어이다.

③ '손톱깎이'는 '손톱을 깎는 기구'라는 의미이므로 종속 합성어이다. '종이호랑이'는 '종이로 만든 호랑이 형상'의 의미이면 종속 합성어, '겉보기에는 힘이 셀 것 같으나 사실은 아주 약한 것'을 의미할 때에는 융합 합성어이다.

④ '이리저리 뛰어다니며 놀다'라는 의미의 '뛰놀다'와 '높고 푸르다'는 의미의 '높푸르다' 모두 대등 합성어이다.

⑤ '밧줄 따위를 엮어서 양쪽에 매어 놓은 다리, 건널 때마다 출렁거리며 흔들리는 다리'인 '출렁다리'와, '아버지의 결혼한 남동생을 이르거나 부르는 말'인 '작은아버지' 모두 종속 합성어이다.

**19** ③

정답 해설

'새로, 오다(오신), 꾸중, 듣다(들었다)'는 단일어이고, '선생님'은 접미사 '-님'이 결합한 파생어이다. '첫날'이 합성어이기는 하지만 원래 어근과 다른 새로운 의미를 나타내지는 않으므로 융합 합성어라고 보기 어렵다.

오답 체크

① '하루아침'은 '갑작스러울 정도의 짧은 시간'을 의미한다.
② '입방아'는 '어떤 사실을 화제로 삼아 이러쿵저러쿵 쓸데없이 입을 놀리는 일'을 의미한다.
④ '쥐뿔'은 '아주 보잘것없거나 규모가 작은 것'을 비유적으로 이르는 말이다.
⑤ '돌아가시다'는 '(사람이) 생명을 잃은 상태가 되다'를 높여 이르는 말이다.

**20** ④

정답 해설

'-세권'은 '어떤 것의 세력이 미치는 범위'라는 의미를 더해주기는 하지만, 품사를 바꾸지는 않는다.

오답 체크

① 2개 이상의 형태소로 이루어진 말이므로 복합어이다.
② 신조어는 기존의 단어들을 활용하거나 단어의 일부끼리 결합하여 만들어질 수 있다.

③ 단어의 뜻풀이를 통해 유추할 수 있다.

⑤ 어종의 구분 없이 한자어인 '역(驛)', 고유어인 '숲', 외래어 인 '슬리퍼'의 일부 글자와 모두 결합할 수 있음을 확인할 수 있다.

# 제2강 음운 변동

## 음운 변동, 교체 1

본문 21~24쪽

01 ① 02 ③ 03 ⑤ 04 ② 05 ④
06 ② 07 ⑤ 08 ② 09 해설 참조
10 해설 참조

**01** ①

정답 해설

'늪앞'은 음절의 끝소리 규칙에 따라 2개의 'ㅍ'이 모두 'ㅂ'으로 바뀌어 [느밥]으로 발음해야 한다.

오답 체크

②~⑤ 예시 모두 뒤에 모음으로 시작하는 실질 형태소(아래, 위, 웃음, 옷)가 오기 때문에 음절의 끝소리 규칙을 먼저 적용한 후 연음한다. 따라서 '밭'은 [받], '꽃'은 [꼳], '헛'은 [헏], '겉'은 [걷]으로 모두 'ㄷ' 소리로 바뀐 후 연음하여 발음하면 된다.

**02** ③

정답 해설

㉠은 뒤에 모음으로 시작하는 형식 형태소(조사)와 결합하므로 제13항에 따라 그대로 연음하여 [아페]로 발음한다.

㉡은 자음 'ㄷ' 앞에서 제9항에 따라 '앞'의 받침 'ㅍ'을 'ㅂ'으로 바꾸어 발음한다. 뒤에 오는 자음이 'ㄸ'으로 바뀐 것은 '된소리 되기' 때문이다.

㉢도 역시 ㉡처럼 제9항에 따라 'ㅁ'이라는 자음 앞에서 '앞'의 받침 'ㅍ'을 'ㅂ'으로 바꾸어 발음한다. 그런데 제18항에 따라 'ㅁ' 앞에 오는 'ㅂ'은 비음화되어 'ㅁ'으로 발음하기 때문에 [암만]으로 발음한다.

**03** ⑤

정답 해설

비음화에 대한 문제이다. '식탁 놓니'를 쉬지 않고 발음하면 '탁'의 'ㄱ'은 'ㄴ' 앞에서 'ㅇ'으로 비음화되고, '놓'의 'ㅎ'은 음절의 끝소리 규칙에 따라 'ㄷ'으로 변한 뒤 'ㄴ' 앞에서 'ㄴ'으로 비음화된다. 따라서 [식탕논니]로 발음하는 것이 옳다.

오답 체크

① '책 넣는다'에서 'ㅎ'받침이 'ㄷ'으로 교체되는 것은 맞지만 'ㄴ' 앞에서 'ㄱ'은 'ㅇ'으로 비음화되고, 'ㄴ' 앞에서 'ㄷ'은

'ㄴ'으로 비음화되어 [챙넌는다]로 발음해야 한다.

② '옷 맞추다'에서 '옷'은 음절의 끝소리규칙에 따라 [옫]으로 바뀌는데 뒤에 오는 'ㅁ'이 받침 'ㄷ'을 비음화하여 [온마추다]로 발음해야 한다.

③ '밥 먹는다'에서 받침 'ㅂ'은 'ㅁ' 앞에서 비음화되어 'ㅁ'으로 발음하고, 받침 'ㄱ'은 'ㄴ' 앞에서 비음화되어 'ㅇ'으로 발음해야 하므로 최종 발음은 [밤멍는다]가 된다.

④ '잘 맞는다'에서 'ㅈ'은 음절 말에서 'ㄷ'으로 교체된다. 이후 'ㄴ' 앞에서 'ㄷ'은 'ㄴ'으로 비음화되기 때문에 [잘만는다]라고 발음해야 한다.

**04** ②

정답 해설

음절 끝에서 발음할 수 있는 소리는 'ㄱ, ㄴ, ㄷ ,ㄹ, ㅁ, ㅂ, ㅇ'의 7개이다. '벚꽃'의 'ㅈ'은 'ㄷ'으로 바꾸어 발음하는데 이를 통해 예사소리인 받침도 대표음으로 바꾸어 발음해야 함을 알 수 있다.

오답 체크

① 음절 끝에서 자음이 바뀌지 않는 경우는 지금 예시에서는 울림소리뿐이다. 따라서 '수달, 섬, 창틀'이 그 예시가 된다.

③ 음절 끝의 자음이 바뀌는 경우는 표준발음법 제9항을 참고한다(받침 'ㄲ, ㅋ', 'ㅅ, ㅆ, ㅈ, ㅊ, ㅌ', 'ㅍ'은 어말 또는 자음 앞에서 각각 대표음 [ㄱ, ㄷ, ㅂ]으로 발음한다.)

④ 음절의 끝소리 규칙의 예시로 '밖'의 'ㄲ'은 'ㄱ'으로 교체되어 [박]으로 발음하고, '밑'의 'ㅌ'은 'ㄷ'으로 교체되어 [믿]으로 발음하기 때문에 해당 예시라고 볼 수 있다.

⑤ 음절의 끝소리 규칙의 내용 그대로에 해당한다. 국어의 받침에서 소리나는 자음은 모두 쓰여있는 7개가 맞다.

**05** ④

정답 해설

사람들은 대부분의 상황에서 자연스럽게 규칙을 지켜 발음하면서도, 많은 사람들이 특정한 버릇을 반복하는 경우가 있다. '끝을'은 자음으로 끝난 명사 뒤에 모음으로 시작하는 형식 형태소가 온 경우이므로 음운변동이 일어나지 않으므로 받침을 자연스럽게 연음하여 [끄틀]이라고 발음하면 된다. 언어를 사용하는 사람들은 '끝이[끄치]'와 같이 구개음화 된 경우를 함께 접하면서 [끄츨]이라고 발음할 가능성이 높다.

오답 체크

① 'ㅌ'과 'ㅊ'은 모두 안울림소리이므로 둘의 구분과는 관련이 없다.

② 'ㅌ'과 'ㅊ'은 자음이므로, 모음의 발음과 관련이 없다.

③ 'ㅌ'은 거센소리가 맞으며, 이를 뒤 음절의 첫소리로 그대로 연이어 발음하면 옳은 발음을 했을 것이다.

⑤ 소리의 장단은 '모음'과 관련 있는 것이며, 〈보기〉는 분절음운의 발음에 관련된 것으로 비분절 음운인 장단은 상관이 없다.

**06** ②

정답 해설

'훈련'의 발음은 [훌련]으로 'ㄴ'이 'ㄹ' 앞에서 유음화된 경우이다. 나머지는 전부 비음화의 사례이다.

오답 체크

① '밥물'의 발음은 [밤물]로 'ㅂ'이 'ㅁ' 앞에서 비음화되었다.

③ '강릉'의 발음은 [강능]으로 유음 'ㄹ'이 비음 'ㅇ' 뒤에서 비음화되었다.

④ '앞날'의 발음은 [암날]로 음절 말에서 'ㅂ'이 'ㅁ'으로 비음화되었다.

⑤ '맏며느리'의 발음은 [만며느리]로 'ㄷ'이 'ㅁ' 앞에서 비음화되었다.

**07** ⑤

정답 해설

〈보기〉의 음운 변동은 '교체'이며 'a'는 'X'나 'Y'의 영향을 받아 변동되기 전의 음운을 가리킨다. '월남쌈'의 발음은 [월람쌈]로 'ㄹ' 뒤에서 'ㄴ'이 'ㄹ'로 교체(유음화)되었으므로 'a'는 'ㄹ'이 아니라 'ㄴ'이어야 한다.

오답 체크

① '숯도 → [숟또]'는 'ㅊ'이 'ㄷ'(자음) 앞에서 'ㄷ'으로 변한 교체 현상으로 음절의 끝소리 규칙이다.

② '밥물 → [밤물]'은 'ㅂ'이 'ㅁ'으로 변한 교체 현상으로 비음화이다.

③ '권력 → [궐력]'은 'ㄴ'이 'ㄹ'로 변한 교체현상으로 유음화이다.

④ '국자 → [국짜]'는 'ㅈ'이 'ㅉ'으로 변한 교체현상으로 된소리되기(경음화)이다.

**08** ②

정답 해설

'산란기'에서 'ㄹ' 앞에 오는 'ㄴ' 받침이 'ㄹ'로 유음화되어 [살란기]라고 발음되는 것을 알 수 있다. 이는 〈자음 체계표〉에서 보았을 때 '윗잇몸'이라는 조음 위치는 그대로인데, 조음 방법만 비음에서 유음으로 바뀐 것이다.

오답 체크

① 'ㄴ'은 파열음이 아니며, 'ㄹ'도 경구개음이 아니다.

③ 'ㄴ'은 파열음이 아니며, 탈락하여 덧난 것이 아니라 'ㄴ'이 'ㄹ'로 교체된 것이다.

④ 'ㄴ'은 입술소리가 아니다. 'ㄴ'과 'ㄹ'은 모두 윗잇몸 소리이기 때문에 조음 위치의 변동이 없다.

⑤ 'ㄹ'과 'ㄱ'은 만난 적이 없다. '산란기'에서 서로 만나는 자음은 'ㄴ'과 'ㄹ', 'ㄴ'과 'ㄱ' 이렇게 두 경우이다.

**09** '편리'의 발음은 [펼리]이고, 역행동화(또는 '뒤에서 앞')이다.

정답 해설

앞 음절의 받침 'ㄴ'이 뒤 음절의 첫소리 'ㄹ'의 영향을 받아 'ㄹ'로 변하는 유음화이기 때문에 역행동화이다. 따라서 음운 변동의 방향은 뒤에서 앞이다.

**10** 앞 자음의 조음 방식

정답 해설

자음체계표를 잘 생각하고 공부해야 할 필요가 여기에 있다. 바뀌기 전 자음과 후 자음은 조음위치에서는 바뀐 바가 없고 조음방법만 바뀜을 확인할 수 있다.

## 교체 2, 축약

본문 25~27쪽

**01** ③ **02** ② **03** ② **04** ① **05** ③
**06** ② **07** ① **08** ③ **09** 해설 참조
**10** 해설 참조

**01** ③

정답 해설

'숯이'는 받침소리 뒤에 모음으로 시작하는 형식 형태소가 온 경우이므로 [수치]로 연음하여 발음하면 된다. 구개음화가 일어난 것이 아니다.

오답 체크

①'붙여주면', ⑤'꽃밭이'에서는 'ㅌ'이 각각 어미의 반모음 'ㅣ', 조사의 단모음 'ㅣ'와 만나 'ㅊ'으로 변한 것을 알 수 있다.

②'턱받이', ④'미닫이'에서는 'ㄷ'이 접사의 단모음 'ㅣ'와 만나 'ㅈ'으로 변한 것을 알 수 있다.

**02** ②

정답 해설

'걷히다'에서 먼저 'ㄷ'과 'ㅎ'이 만나 'ㅌ'으로 축약된다.(자음 축약), 이후 'ㅌ'이 피동접미사 'ㅣ'를 만나 'ㅊ'으로 구개음화된 것이다.

**03** ②

정답 해설

'달맞이[달마지]'는 단순히 연음된 것이다.

오답 체크

①'같이', ③'여닫이', ④'굳이', ⑤'묻히다'의 발음은 각각 [가치], [여다지], [구지], [무치다]로 실질 형태소의 받침 'ㄷ, ㅌ'이 형식 형태소인 접미사 '이' 또는 '히'를 만나서 'ㅈ, ㅊ'으로 변한 구개음화의 예시에 해당한다.

**04** ①

정답 해설

'굳혔다'에서 받침 'ㄷ'과 다음 음절의 'ㅎ'이 만나면 'ㅌ'으로 자음축약(거센소리되기)이 일어난다. 그 'ㅌ'이 사동접미사 '-히-' 안의 'ㅣ'와 만나면 'ㅊ'으로 구개음화되어 최종적으로 [ㅊ]으로 발음된다.

오답 체크

② 실질 형태소 '같-'과 형식 형태소(접미사) '-이'라는 형태소 경계에서 구개음화가 일어나므로 'ㅌ'은 'ㅊ'으로 발음된다.

③ ②와 마찬가지 상황이다.

④ '밭'과 '이랑'은 모두 실질 형태소로 발음할 때 'ㄴ' 소리가 덧난다. 그래서 '밭이랑'은 [받니랑]을 거쳐 역행비음화 되어 [반니랑]으로 발음된다.

⑤ ④와 마찬가지 상황이다.

**05** ③

정답 해설

받침의 'ㄱ'과 다음 음절의 'ㄷ'이 만나면 'ㄷ'이 'ㄸ'으로 변하는 된소리되기(경음화)의 예시이다.

오답 체크

①, ②, ④, ⑤ : 표준어규정 제5항에서는 한 단어 안에서 뚜렷한 까닭 없이 나는 된소리, 다시 말해 '된소리되기(경음화)' 현상에 의해 된소리가 나는 상황이 아니라면 음절의 첫소리를 예사소리가 아니라 된소리로 적는다고 하였다. 두 모음 사이에서 나는 된소리의 예시는 다음과 같다. 소쩍새, 어깨, 오빠, 으뜸, 아끼다, 기쁘다, 깨끗하다, 어떠하다, 해쓱하다, 가끔, 거꾸로, 부썩, 어찌, 이따금 등

**06** ②

정답 해설

'국밥'은 'ㄱ'과 'ㅂ'이 만나 'ㅂ'이 된소리 'ㅃ'이 되므로 ㉠에 부합하는 사례이다. '일시'는 한자어가 맞고, 'ㄹ' 받침 뒤에서 'ㅅ'이 된소리 'ㅆ'이 되므로 ㉡에 부합하는 사례이다.

오답 체크

① '작곡'은 'ㄱ'과 'ㄱ'이 만나 뒤에 있는 'ㄱ'이 된소리 'ㄲ'이 되므로 ㉠에 부합하는 사례이다. 그러나 '책상'도 'ㄱ'과 'ㅅ'이 만나 'ㅅ'이 된소리 'ㅆ'이 되므로 ㉠에 맞는 사례이다.

③ '얹다'는 어간 받침 'ㄵ' 뒤에서 어미 'ㄷ'이 된소리 'ㄸ'이 되므로 〈보기〉의 두 번째 경우에 해당한다. '불법'은 ㉡에 부합하는 사례이다.

④ '뻗대다'는 'ㄷ'과 'ㄷ'이 만나 뒤에 온 'ㄷ'이 된소리 'ㄸ'이 되므로 ㉠에 부합하는 사례이다. 그러나 '일기'는 발음이 [일기]로, 앞 음절이 'ㄹ'로 끝나는 한자어는 맞지만 뒤에 결합한 자음이 'ㄱ'이고 된소리되기도 일어나지 않으므로 ㉡에 해당하지 않는다.

⑤ '핥다'는 어간 받침 'ㄾ' 뒤에서 어미 'ㄷ'이 된소리 'ㄸ'이 되므로 〈보기〉의 세 번째 경우에 해당한다. '몰상식[몰쌍식]'은 ㉡에 부합하는 사례이다.

**07** ①

정답 해설

'절절하다'의 '절절'도 '절도'도 모두 한자어이면서 동시에 'ㄹ' 받침 뒤에 'ㄷ', 'ㅈ'이 연결되는 상황이기 때문에 해당 규정만으로는 둘의 차이를 알기 어려우므로 질문에 답할 수 없다. 답을 알기 위해서는 같은 조항의 예외 규정인 '같은 한자가 겹쳐진 단어의 경우에는 된소리로 발음하지 않는다.'를 알아야만 한다.

오답 체크

② '여덟'은 명사이고 '도'는 조사이므로, 표준발음법에서 설명하고 있는 '어간-어미'의 관계에 해당하지 않기 때문에 예사소리로 발음한다는 것을 알 수 있다.

③ '큰집'과 '밥집'은 각각 'ㄴ'과 'ㅈ', 'ㅂ'과 'ㅈ'이 만나는 경우이므로 어떤 자음이 만나야 된소리가 되는지에 대한 설명을 보고 각각 된소리되기가 나타나는지 아닌지를 판단할 수 있다.

④ '물다'와 '삼다'는 모두 동사이지만, '삼다'의 어간 '삼-'의 받침 'ㅁ' 뒤에 결합하는 어미의 첫소리는 된소리로 발음한다는 규정을 통해, 같은 어미의 발음이 달라질 수 있음을 확인할 수 있다.

⑤ '안기다'는 '안다'의 사동사로 접미사 '-기-'는 된소리로 발음하지 않는다는 규정을 통해 된소리되기가 일어나지 않는 이유를 알 수 있다.

**08** ③

정답 해설

㉠'않던걸'은 'ㅎ'과 'ㄷ'이 만나 'ㅌ'으로 축약되어 [안턴걸], ㉡'그렸어'는 '그리-'의 'ㅣ'와 '-었-'이 만나 이중모음으로 축약되어 [그려써], ㉢'됐어'는 '되-'의 'ㅚ'와 '-었-'이 만나 이중모음 '됐'이 되는 모음축약에 해당한다.

오답 체크

㉣ '가주었으면'을 축약하면 '가줬으면'이 된다. 예문은 축약이 되지 않은 원형(기본형)을 보여주고 있다.

㉤ '썼으면'에는 '쓰다' 어간의 'ㅡ'가 모음 어미와 결합하면서 탈락하는 모음 탈락을 볼 수 있다.

**09** [바치], [바틀], [바다래]. '밭이[바치]'에는 구개음화, '밭을[바틀]'에는 음운변동이 없고, '밭아래[바다래]'에는 음절의 끝소리규칙이 적용되었다.

정답 해설

'밭이[바치]' 받침 'ㅌ'이 조사(형식 형태소) 'ㅣ'를 만나 'ㅊ'으로 바뀌는 '구개음화'가 일어났다. '밭을' [바틀] 음운 변동이 일어나지 않고 받침이 연음되었다. '밭아래' [바다래] 음절의 끝소리규칙에 따라 'ㅌ'이 음절 말에서 'ㄷ'으로 발음되었다.

**10** ㉠ - ⓐ, ⓒ / ㉡ - ⓓ, ⓔ

정답 해설

㉠에 속하는 단어는 ⓐ입학[이팍], ⓒ좋다[조타]이다. 자음 'ㅂ'과 'ㄷ'이 순서에 상관없이 'ㅎ'을 만나면 'ㅍ'과 'ㅌ' 즉 거센소리가 된 것을 확인할 수 있다.

㉡에 속하는 단어는 ⓓ'덤비-'+'-어라', ⓔ'남기-'+'-어'로 분석할 수 있는데, 어간의 모음과 어미의 모음이 만나 축약된 경우이다. ⓑ의 '열여섯'의 '열'은 모음 축약의 결과가 아니라 원래 이중모음을 지닌 명사이다.

## 탈락, 첨가

본문 28~30쪽

| | | | | |
|---|---|---|---|---|
| 01 ① | 02 ② | 03 ② | 04 ② | 05 ② |
| 06 ④ | 07 ④ | 08 ② | 09 해설 참조 | |
| 10 해설 참조 | | | | |

**01** ①

정답 해설

'여닫다'는 '열다'와 '닫다'의 합성어이다. 어간의 'ㄹ'이 'ㄷ' 앞에서 탈락한 것을 볼 수 있다.

오답 체크

③'하얗다'는 [하야타]로 발음되므로 음운 축약이 보인다.

④'걷히다'는 [거티다]를 거쳐 [거치다]로 발음되는 음운 축약과 교체가 드러나 있다.

②'가지어'와 ⑤'맞추어'는 아무런 음운변동이 일어나지 않았다. 이 세 음절을 두 음절로 줄여서 '가져[가저]', '맞춰[맏춰]'로 발음하면 [가저]에는 축약과 탈락이, [맏춰]에는 교체와 축약이 일어난다.

**02** ②

정답 해설

'전화기'는 명사이기 때문에 〈보기〉에서 말한 용언에서의 'ㅎ 탈락'에 해당하지 않는다. '전화기'는 [전화기]라고 발음해야 하며, 명사를 발음할 때 [저놔기]와 같이 'ㅎ'을 탈락시킨 경우는 표준발음으로 인정하지 않는다.

오답 체크

표준발음법 제12항 받침 'ㅎ'의 발음 가운데 4번 항목을 보면 'ㅎ(ㄶ, ㅀ)' 뒤에 모음으로 시작된 어미나 접미사가 결합되는 경우에는, 'ㅎ'을 발음하지 않는다고 되어 있다. 따라서 '않-', '놓-', '앓-', '낳-'과 같은 어간에 모음으로 시작하는 어미가 연결된 경우에는 선택지에 써 있는 것과 같이 'ㅎ'을 탈락시키고 그대로 발음하면 된다.

**03** ②

정답 해설

㉠ '않아'는 어간의 끝소리 'ㅎ'이 모음어미와 만나 탈락하여 [아나]로 발음된다. ㉢ '좋아하는'도 어간의 끝소리 'ㅎ'이 모음어미와 만나 탈락하여 [조아하는]로 발음된다.

㉡ '넣고'의 발음은 [너코]로 자음축약(거센소리 되기)이 일어난다. ㉣ '씹히다니'의 발음은 [씨피다니]로 '넣고'와 같은 경우이다. ㉤ '닿지'는 받침 'ㅎ'이 자음으로 시작하는 어미 앞에서

음절의 끝소리 현상에 의해 [닫지]로 바뀌고 다시 [닫찌 / 다찌]로 경음화(된소리되기)된다. 같은 'ㅎ' 받침이어도 음운 환경에 따라 소리가 달라지므로 유의하여 공부해야 한다.

**04** ②

정답 해설

② '물들일'은 '물들다'의 어근에 사동접미사 '-이-'가 붙어 '물들이다'라는 새로운 단어가 된 것으로 'ㄹ'이 탈락하는 〈보기〉의 사례들과 차이가 있다.

오답 체크

①'울으니까', ③'시들은', ④'내밀은', ⑤'부풀은' 등의 사례들은 모두 활용 과정에서 어미 앞에 '으'를 잘못 붙인 것들이다. 옳게 고치면 각각 '우니까', '시든', '내민', '부푼'이다.

**05** ②

정답 해설

거센소리되기(격음화)는 음운변동 가운데 축약에 속하는데 'ㅎ'과 'ㅂ, ㄷ, ㄱ, ㅈ'이 만나 'ㅍ, ㅌ, ㅋ, ㅊ'이 되는 현상만을 일컫는다.

오답 체크

① 음절은 모음의 개수와 일치한다. 자음 축약은 음절의 개수에 영향을 주지 않지만. 모음이 축약되면 음절의 개수가 줄어든다.
③ '바느질', '소나무', '우니'는 단어가 만들어지거나 활용하는 과정에서 '바늘', '솔', '울-'의 'ㄹ'이 탈락한 사례에 해당한다.
④ 첨가는 음운 변동 후 'ㄴ'이나 반모음과 같은 음운이 추가되어 음운의 개수가 늘어나고, 축약은 음운 변동 후 음운의 개수가 2개에서 1개로 줄어든다.
⑤ 'ㄴ' 첨가의 경우 앞말이 자음으로 끝나고 뒷말이 'ㅣ'나 반모음 'ㅣ'[j]로 시작할 때 'ㄴ'이 첨가되며 음운의 개수가 늘어난다. 예를 들어 '논일', '생엿'이 그러하다.

**06** ④

정답 해설

'맨입[맨닙]', '구급약[구금냑]'은 'ㄴ' 첨가가 일어나는 단어이다. 첨가가 일어나면 음운의 개수는 늘어난다.

오답 체크

㉠'국화[구콰]', ㉡'법학[버팍]', ㉣'좁히다[조피다]'는 거센소리되기(자음 축약)가 일어나는 단어이다. 축약이 일어나면 음운이 1개 줄어들게 된다.

**07** ④

정답 해설

음운변동을 공부할 때에 어떤 음운끼리 만나는지 살피는 것만큼 중요한 것이 '단어(형태소)의 조건'이다. 음운의 첨가와 관련된 제29항은 '합성어 및 파생어'에 적용되는 것이므로, 단일어에는 적용되지 않는다.(물론 원래 '색연필'은 원래 합성어가 맞다.)

오답 체크

① '먹물'은 'ㄱ'과 'ㅁ'이 만나 비음화가 일어나고 [멍물]로 발음하는 것이 맞다.
② '한 입'은 제29항의 붙임2에서 말하고 있듯 두 단어를 이어서 발음할 때에 'ㄴ'을 첨가하여 [한닙]이라고 발음하는 것이 맞다.
③ '집일'은 제29항에 따르면 합성어에서 앞말이 자음으로 끝나고 뒷말이 'ㅣ'이기에 'ㄴ'을 첨가하여 '집닐'이 되고 제18항에 따라 비음화가 일어나 [짐닐]로 발음해야 한다.
⑤ '물약'은 제29항에 따라 'ㄴ'을 첨가하여 '물냑'이 되는데 '붙임 1'에서 설명하듯이 유음화에 따라 [물략]으로 발음해야 한다.

**08** ②

정답 해설

'홑이불'은 음절의 끝소리 규칙에 의해 'ㅌ'이 'ㄷ'으로 소리나고, 'ㄴ' 첨가 후 다시 비음화에 의해 '혼니불'로 발음된다. 글에 음절의 끝소리 규칙과 관련된 내용은 없으므로 ⓑ, ⓓ를 고르면 된다.

오답 체크

①'맨입'은 'ㄴ'이 첨가된 것으로 ⓑ의 적용만 받는다.
③'물엿'과 ⑤'휘발유'는 'ㄴ' 첨가 후 유음화가 일어났으므로 ⓑ, ⓒ의 적용을 받는다.
④'내복약'은 'ㄴ' 첨가 후 비음화가 일어났으므로 ⓑ, ⓓ의 적용을 받는다.

**09** 담갔다, 치러 'ㅡ' 탈락

정답 해설

'담그다'와 '치르다'의 어간에 모음으로 시작하는 어미('-았-', '-어')가 결합하면서 어간의 모음 'ㅡ'가 탈락하였다.

**10** 제18항, 제20항, 제29항, [항녀울력]

정답 해설

'학여울역'은 '학', '여울', '역'의 합성어로 'ㄴ'첨가(제29항)가 일어나 '학녀울녁'이 되고, 역행비음화(제18항)와 순행유음화(제20항)가 일어나 [항녀울력]으로 발음한다.

## 모의고사

본문 31~36쪽

| | | | | |
|---|---|---|---|---|
| 01 ② | 02 ④ | 03 ② | 04 ⑤ | 05 ① |
| 06 ④ | 07 ③ | 08 ⑤ | 09 ① | 10 ③ |
| 11 ④ | 12 ⑤ | 13 ② | 14 ③ | 15 ④ |
| 16 ① | 17 ⑤ | 18 ⑤ | 19 ④ | 20 ⑤ |

### 01 ②

정답 해설

'ㅅ, ㅈ, ㅊ, ㅌ, ㅎ' 등은 음절 말에서 [ㄷ]으로 발음한다. 음절의 끝소리에 오는 7개의 자음 가운데 [ㅅ]은 없다.

### 02 ④

정답 해설

'넓히기'에서 받침 'ㅂ'이 다음 음절의 'ㅎ'과 만나면 'ㅍ'으로 발음되는 거센소리되기(격음화, 자음 축약)가 일어난다. 따라서 '넓히기'는 [널피기]로 발음한다.

오답 체크

①'난리 났어'에서 '난리'는 'ㄴ'이 'ㄹ' 앞에서 유음화되어 [날리]라고 발음해야 한다.

②'빛이'와 ③'솥에'는 음운 변동 없이 앞말의 받침을 그대로 뒤로 옮겨 [비치], [소테]라고 발음해야 한다.

⑤'북녘에서'는 'ㄱ'이 'ㄴ' 앞에서 비음화 되어 'ㅇ'으로 발음되고 'ㅋ'은 연음하여 [붕녀케서]라고 발음해야 한다.

### 03 ②

정답 해설

'대통령'의 발음은 [대통녕]이다. 비음 'ㅇ' 뒤에서 유음 'ㄹ'이 비음 'ㄴ'으로 바뀌는 것을 볼 수 있다. 앞의 음운이 뒤의 음운에 영향을 주기 때문에 '순행동화'라고 한다. 이 단어는 두 자음 가운데 뒤에 오는 자음만 바뀐 경우이다.

오답 체크

①'협력'의 발음은 [혐녁], ③'백로'의 발음은 [뱅노], ④'막론'의 발음은 [망논], ⑤'격류'의 발음은 [경뉴]이다. 'ㅂ, ㄷ, ㄱ'(파열음)과 'ㄹ'(유음)이 만나면 두 음운이 모두 비음이 되는 것을 확인할 수 있다. 양쪽이 모두 비슷한 음운이 되기 때문에 '상호동화'라고 부른다.

### 04 ⑤

정답 해설

'줄넘기'의 발음은 [줄럼끼]로 된소리되기를 제외하면 '동화'는 'ㄴ'이 'ㄹ'에 의해 'ㄹ'이 되는 순행유음화 하나뿐이다.

오답 체크

①'학문'은 'ㅁ'에 의해 'ㄱ'이 'ㅇ'이 되는 역행비음화, ②'걷는'은 'ㄴ'에 의해 'ㄷ'이 'ㄴ'이 되는 역행비음화, ③'해돋이'는 'ㅣ'에 의해 'ㄷ'이 'ㅈ'이 되는 구개음화(뒤에 있는 모음이 앞의 자음에 영향을 끼침), ④'훈련'은 'ㄹ'에 의해 'ㄴ'이 바뀌는 역행비음화이다.

### 05 ①

정답 해설

결과적으로 비음화가 되더라도, '어떤 음운이 어떤 환경에서 비음화가 되는지' 그 구체적인 상황에 따라 비음화를 구분할 수 있다. '종로'는 비음 'ㅇ' 뒤에서 유음 'ㄹ'이 비음 'ㄴ'으로 변하는 유음의 비음화이다.

오답 체크

②~⑤는 모두 비음화의 사례는 맞지만 그 대상이 파열음(ㄱ, ㄷ, ㅂ)이므로 '파열음의 비음화'로 정리할 수 있다. 구체적인 발음은 다음과 같다. ②식민지[싱민지], ③숯내[순내], ④어두육미[어두융미], ⑤아랍문자[아람문자]

### 06 ④

정답 해설

국어의 받침에는 자음이 하나만 소리날 수 있기 때문에 둘 중 하나가 탈락한다. 이를 자음군단순화라고 하는데, 이를 모른다고 하더라도 '값'이 [갑]으로 발음되는 데에서 두 자음 중 'ㅅ'이 탈락하고 'ㅂ'만 남았다는 것을 알 수 있다. 이후 'ㅂ'과 'ㅈ'이 만나 'ㅈ'이 'ㅉ'이 되는 된소리되기 즉 교체 현상을 볼 수 있다. 따라서 ⓐ는 탈락, ⓑ는 교체이다.

오답 체크

⑤ 'ㅈ'이 'ㅉ'으로 교체되는 것을 첨가(ㄴ)로 착각하지 않도록 유의한다.

### 07 ③

정답 해설

'물약'이 '물냑'이 되는 것은 'ㄴ' 첨가, '물냑'이 [물략]이 되는 것은 유음화이므로 교체이다.

'숱한'이 '숟한'이 되는 것은 음절의 끝소리 규칙 때문이므로 '교체', '숟한'이 [수탄]이 되는 것은 거센소리되기이므로 자음 '축약'이다.

08 ⑤

정답 해설

'서른여덟[서른녀덜]'은 '서른'과 '여덟'을 연이어 발음하는 과정에서 반모음 'ㅣ' 앞에서 'ㄴ'이 '첨가'된다. '여덟'의 받침 'ㄼ' 가운데 'ㅂ'이 '탈락'하고 'ㄹ'만 발음되는 것을 볼 수 있다. 따라서 'ⓒ탈락'과 'ⓔ첨가'가 일어났음을 확인할 수 있다.

오답 체크

① '흙냄새[흥냄새]'에서는 받침 'ㄺ' 가운데 'ㄹ'이 '탈락'하고 남아 있는 'ㄱ'이 뒤에 오는 'ㄴ'과 만나 비음 'ㅇ'으로 '교체'된다.
② '값없다[가법따]'에서는 받침 'ㅄ' 가운데 'ㅅ'이 '값'은 모음으로 시작하는 실질 형태소 '없다' 앞에서 탈락하며, '없'다의 받침 'ㅄ' 가운데 'ㅅ'은 자음 'ㄷ' 앞에서 '탈락'한다.
③ '낮잡다[낟짭따]'는 'ㅈ'이 음절의 끝소리 규칙에 따라 'ㄷ'으로 '교체'되고, 이 'ㄷ' 때문에 뒤에 오는 'ㅈ'이 된소리로 '교체'된다. '잡'의 받침 'ㅂ' 역시 뒤에 오는 'ㄷ'을 된소리로 '교체'한다. 따라서 이 단어에서는 세 번의 교체만 일어난다.
④ '벋놓다[벋노타]'에서는 'ㅎ'과 'ㄷ'이 만나 'ㅌ'으로 '축약'되는 거센소리되기만 일어난다. 참고로 '벋놓다'는 '잠을 자야 할 때 자지 않고 지내다'는 뜻이다.

09 ①

정답 해설

'물난리'는 '물'과 '난리'의 합성어로 '난리'는 역행유음화에 의해 [날리]로 발음되며 '물'과 '난리'에서 'ㄹ'과 'ㄴ'이 만나 순행유음화에 의해 결과적으로 [물랄리]로 발음된다. '향신료'는 순행비음화에 의해 [향신뇨]로 발음된다. 향신료란 향기(향)와 매운맛(신)이 있는 식재료(료)라는 뜻으로 합성어 형성과정에서 'ㄹ'이 비음화된 것이다.

오답 체크

② '실내화[실래화]'는 순행유음화, '산란기[살란기]'는 역행유음화의 사례이다.
③ '줄넘기[줄럼끼]'는 순행유음화와 된소리되기, '전라도[절라도]'는 역행유음화의 사례이다.
④ '대관령[대괄령]'은 역행유음화, '의견란[의견난]'은 순행유음화의 사례이다.
⑤ '광한루[광할루]'는 역행유음화, '표현력[표현녁]'은 순행유음화의 사례이다.

10 ③

정답 해설

〈보기〉에 있는 내용으로는 'ㄴ'과 'ㄹ'이 만나는 상황에서의 비음화를 설명할 수 없다. 표준발음법 제20항에는 다음과 같은 내용이 있다. 'ㄴ'은 'ㄹ'의 앞이나 뒤에서 [ㄹ]로 발음한다. 다만, 다음과 같은 단어들은 'ㄹ'을 [ㄴ]으로 발음한다. 의견란[의:견난] 임진란[임:진난] 생산량[생산냥] 결단력[결딴녁] 공권력[공꿘녁] 동원령[동:원녕] 상견례[상견녜] 횡단로[횡단노] 이원론[이:원논] 입원료[이뷘뇨] 구근류[구근뉴]. 유음화가 일어날 상황에 비음화가 일어나는 해당 예시들의 공통점은 'ㄴ' 받침을 가진 말이 자립적으로 쓰일 수 있다는 것이다. '신라'나 '대관령'에서 '신'이나 '대관'은 자립성이 없는 말인데 비해 '의견란', '생산량'의 '의견', '생산'은 독립적인 단어로 쓰이는 것으로 보아 자립성이 있는 말이다. 자립성이 있는 말들은 원래의 형태를 유지하려는 성질이 있어서 뒤에 'ㄹ' 소리가 올 경우에 뒤 소리에 동화되지 않고 뒤 소리를 동화시켜 [ㄴㄴ]이 되는 것이다.

오답 체크

① '신라'의 발음은 제20항과 관련이 있다.
② '한류'의 발음은 [할류]로 제20항과 관련이 있다.
④ '실눈'의 발음은 [실룬]으로 표기 그대로 발음할 수 없다.
⑤ '국민'의 'ㄱ'을 [ㅇ]으로 발음하는 이유는 제18항과 관련이 있다.

11 ④

정답 해설

'굽는'은 받침 'ㅂ'이 'ㄴ' 앞에서 비음화되어 'ㅁ'으로 발음된 것이다. '신출내기'에서 '출'의 받침 'ㄹ' 뒤에서 'ㄴ'이 'ㄹ'로 유음화 되어 [신출래기]로 발음되는 것을 확인할 수 있다.

오답 체크

① '묵밥'은 된소리되기, '막내'는 ㉠에 의해 비음화가 일어난다.
② '쌀눈'은 유음화, '입원료'는 비음화가 일어난다. '입원료'가 [이뷘뇨]가 되는 것은 비음 뒤에서 유음이 비음화된 것으로, 예사소리가 비음 앞에서 비음화된 것과는 종류가 다르다.
③ '중력'이 [중녁]으로 발음되는 것은 비음 뒤에서 유음이 비음화된 것으로, 예사소리가 비음 앞에서 비음화된 것과는 종류가 다르다.
⑤ '색연필'은 'ㄴ' 소리가 첨가 후 ㉠에 의해 비음화가 일어난다. '실내화'는 ㉡에 의해 유음화가 일어난다.

12 ⑤

정답 해설

'ㄴ' 소리가 첨가되면서 동시에 사이시옷 표기까지 있는 단어를 골라야 한다. '배'의 앞부분을 뜻하는 '머리'가 합친 단어 '배+머리'를 발음하면 앞말이 모음으로 끝나고 뒷말이 'ㅁ'으로 시작할 때 'ㄴ' 소리가 덧남을 알 수 있다. 이때 [배머리]로 발음하는 것을 막기 위하여 'ㅅ'을 표기하고, [밴머리]로 발음한다. '색연필'은 'ㄴ'이라는 사잇소리가 첨가된 단어는 맞지만, 앞말이 모음이 아니라 'ㄱ'이라는 자음으로 끝났고, 뒷말은 'ㄴ, ㅁ'이 아니라 반모음 'ㅣ'로 시작함을 알 수 있다. 또한 앞말에 받침이 있어서 사이시옷을 적지 않았다.

오답 체크

① '옷깃'은 음절의 끝소리 규칙에 따라 '옫긷', 이후 된소리 되기에 의해 [옫낀]으로 발음한다.

② '깻잎'은 '깨'와 '잎'이 만날 때에 'ㄴ' 소리가 첨가되는 것이 맞다. 하지만 이는 합성어에서 뒷말이 'ㅣ'로 시작될 때의 첨가현상으로, 〈보기〉에서 설명하고 있는 'ㄴ' 소리가 첨가되는 경우와는 다르다.

③ '칫솔'은 음절의 끝소리 규칙에 따라 '칟솔', 이후 된소리되기에 의해 [칟쏠 / 치쏠]로 발음한다.

④ '색연필'도 '깻잎'과 마찬가지로 '색'과 '연필'이 만날 때 반모음 'ㅣ'로 시작하는 'ㅕ' 앞에서 'ㄴ'소리가 첨가된 것이다. 이후 비음화가 일어나 [생년필]로 발음한다.

## 13 ②

정답 해설

'물받이'는 끝소리가 'ㄷ, ㅌ'인 형태소가 모음 'ㅣ'로 시작하는 형식 형태소와 만나면 'ㄷ, ㅌ'이 'ㅈ, ㅊ'으로 바뀐다는 구개음화라는 교체 현상 하나만 일어났다.

오답 체크

① '넓다'는 받침에는 한 개의 소리만 날 수 있기 때문에 'ㄼ' 가운데 'ㅂ'이 '탈락'한다. 어간 받침 'ㄹ'이 어미의 첫소리 'ㄷ'을 된소리로 바꾸어(교체), [널따]로 발음된다.

③ '꽃잎'은 먼저 음절의 끝소리 규칙에 따라 'ㅊ'은 'ㄷ'으로 'ㅍ'은 'ㅂ'으로 '교체'된다. '꽃'과 '잎'이 한 단어가 되는 과정에서 'ㄴ'이 '첨가'되고, 첨가된 'ㄴ' 앞에서 'ㄷ'이 'ㄴ'이라는 비음으로 '교체'되어 결과적으로 [꼰닙]으로 발음된다.

④ '홑이불'은 '홑'의 받침 'ㅌ'이 음절의 끝소리규칙에 따라 'ㄷ'으로 '교체'되고, '홑'과 모음으로 시작하는 '이불'이 한 단어가 되는 과정에서 'ㄴ'이 '첨가'되고, 첨가된 'ㄴ' 앞에서 'ㄷ'이 'ㄴ'이라는 비음으로 '교체'되어 결과적으로 [혼니불]로 발음된다.

⑤ '발야구'는 'ㄴ'이 첨가되어 [발냐구]가 된 후 'ㄹ' 뒤에서 'ㄴ'이 유음화되어 'ㄹ'로 교체되면서 [발랴구]로 발음된다.

## 14 ③

정답 해설

㉠은 'ㅎ' 탈락이고, ㉡은 파열음(ㄱ, ㄷ, ㅂ)의 비음화(역행비음화)이다. 'ㅎ'탈락이 일어난 사례는 '않아서[아나서]'('않-'처럼 'ㅎ'으로 끝난 어간에 '-아서'와 같이 모음으로 시작하는 어미가 결합한 경우)뿐이고, 비음화가 일어난 사례는 '육학년('ㄴ'앞에서 'ㄱ'(파열음)이 'ㅇ'(비음)이 되어 [유캉년]으로 발음함)'뿐이다.

오답 체크

'밟아'는 음운변동이 일어나지 않는다. '앉히다'와 '밥하다'는 자음 축약(거센소리되기)이 일어나 [안치다]로 발음하는 것이다.

## 15 ④

정답 해설

'굳이[구지]'는 앞말의 받침 'ㄷ'과 뒷말의 가운뎃소리인 모음과 만나 'ㄷ'이 'ㅈ'으로 바뀌었으므로 ㉡이면서 ⓐ에 해당한다.

오답 체크

① '국론[궁논]'은 앞말의 받침 'ㄱ'과 뒷말의 첫소리 'ㄹ'이 만나 앞의 음운은 'ㅇ'으로 뒤의 음운은 'ㄴ'으로 양쪽이 모두 비음화되었으므로 ㉠이면서 ⓒ에 해당한다.

② '욕망[용망]'은 앞말의 받침 'ㄱ'과 뒷말의 첫소리 'ㅁ'이 만나 앞의 음운 'ㄱ'만 'ㅇ'으로 변했으므로 ㉠이면서 ⓐ에 해당한다.

③ '약밥[약빱]'은 앞말의 받침 'ㄱ'과 뒷말의 첫소리 'ㅂ'이 만나 뒤의 음운 'ㅂ'만 'ㅃ'으로 변했으므로 ㉠이면서 ⓑ에 해당한다.

⑤ '땀받이[땀바지]'는 받침 'ㄷ'과 뒷말의 가운뎃소리인 모음과 만나 'ㄷ'이 'ㅈ'으로 바뀌는 구개음화의 예시이다. 그러므로 ㉡이면서 ⓐ에 해당한다.

## 16 ①

정답 해설

㉠에는 구개음화, ㉣에는 비음화라는 교체 현상이 나타난다.

㉠ '벼훑이'에서는 'ㅌ'과 'ㅣ'가 만나 'ㅊ'이 되어 [벼훌치]로 소리나는 구개음화(교체) 현상을 볼 수 있다.

㉡ '넓둥글다'에서는 겹받침 가운데 'ㄹ'이 탈락하여 'ㅂ'이 남고, 'ㅂ'과 'ㄷ'이 만나 'ㄷ'이 'ㄸ'이 되는 된소리되기(교체) 현상을 볼 수 있다.

㉢ '법학'에서는 'ㅂ'과 'ㅎ'이 만나 'ㅍ'으로 축약되는 거센소리되기를 볼 수 있다.

㉣ '낮일'에서는 음절의 끝소리 규칙에 의해 'ㅈ'이 'ㄷ'으로 교체되는 현상과, 'ㄴ' 첨가, 'ㄴ'에 의한 'ㄷ'의 비음화(교체)를 볼 수 있다.

오답 체크

② ㉡에서는 탈락, 교체가 나타나고 ㉢에는 축약이 나타나므로 공통되는 음운 변동이 없다.

③ ㉠의 'ㅊ'은 교체의 결과이고, ㉢의 'ㅍ'은 축약의 결과이다.

④ ㉠에서 'ㅌ'이 'ㅊ'이 될 때에는 구개음화 현상 한 번이지만, ㉣에서 'ㅈ'이 'ㄴ'이 될 때에는 음절의 끝소리 규칙과 비음화, 총 두 번('ㄴ' 첨가를 포함하면 세 번)의 음운변동이 일어난다.

⑤ ㉠에서 'ㄾ'이 'ㄹ', ㉡에서 'ㄻ'이 'ㅂ'으로 발음되는 것은 모두 겹받침 가운데 하나가 탈락하는(자음군 단순화) 현상의 결과이다. 그러므로 둘다 음운변동의 횟수는 1회이다.

**17** ⑤

정답 해설

㉠은 음절의 끝소리 규칙, ㉡은 'ㄴ' 첨가, ㉢은 된소리되기(경음화), ㉣은 축약(자음, 모음)이다. '비어서'의 발음은 [비어서]인데 이를 [비여서]라고 발음하는 것은 반모음 'ㅣ'를 첨가하여 이중모음이 만들어졌기 때문이다.

오답 체크

① '꽃잎'은 음절의 끝소리 규칙에 의한 교체 'ㅊ→ㄷ', 'ㄴ'첨가, 비음화에 의한 교체 'ㄷ→ㄴ'가 일어난다. 따라서 ㉠과 ㉡이 모두 일어나는 것이 맞다.

② ㉠음절의 끝소리 규칙, ㉢된소리되기(경음화)는 모두 음운의 교체 현상이 맞다.

③ '벗다'에는 음절의 끝소리 규칙에 의한 교체 'ㅅ→ㄷ', 된소리되기에 의한 교체 'ㄷ→ㄸ'가 나타난다. 따라서 '벗다'는 ㉠과 ㉢이 모두 적용된 사례가 맞다.

④ '좋다'는 두 개의 자음 'ㅎ'과 'ㄷ'이 만나 한 개의 자음 'ㅌ'이 되는 자음 축약이 맞고, '봐서'는 'ㅗ'와 'ㅏ' 두 모음이 만나 'ㅘ'라는 한 음절의 모음이 되었으므로 모음 축약이 맞다.

**18** ⑤

정답 해설

'㉤설날'의 발음은 [설랄]로 유음화가 일어났다. '전라도[절라도]', '단련[달련]'은 이와 관련된 예시가 맞다.

오답 체크

① '㉠먹히는'의 발음은 [머키는]으로 자음 축약(거센소리되기)이 일어났다. '특혜'의 발음은 [트켸]이므로 자음 축약의 사례가 맞지만 '들키다'에는 아무 음운 변동이 없다.

② '㉡닭똥'의 발음은 [닥똥]으로 받침의 자음이 '탈락'하였다. '삶다'의 발음은 [삼따]로 탈락이 일어난 것이 맞지만, '짚다'의 발음은 [집따]로 음절의 끝소리 규칙과 된소리되기가 일어났다.

③ '㉢군센'의 발음은 [군쎈]으로 된소리되기가 일어났다. '잡고'의 발음은 [잡꼬]로 된소리되기가 일어난 것이 맞지만 '흙까지'의 발음은 [흑까지]로 자음 탈락만 일어난 경우이다.

④ '㉣겁내더라'의 발음은 [검내더라]로 파열음 'ㅂ'의 비음화가 일어났다. '듣는다'의 발음은 [든는다]로 비음화가 맞지만, '따님'은 '딸'과 '님'이 만나는 과정에서 'ㄹ'이 탈락한 사례이다.

**19** ④

정답 해설

'꿇어야'의 발음은 [꾸러야]로 'ㅎ'이 탈락하고 나머지 음운들은 다음 음절로 연음된다. 따라서 축약과 관련이 없다.

오답 체크

①'갈겨'는 '갈기-+-어', ②'휩쓸려'는 '휩쓸리-'+'-어', ③'지쳐'는 '지치-+-어'에서 어간의 끝소리 '이'와 어간의 첫소리 '어'가 만나서 '여'로 줄어든 것을 볼 수 있다. ⑤의 '생각해'는 '생각하여'가 줄어든 것으로 '단어(품사)의 활용'에서 '하여'가 줄어 '해'가 되는 것을 공부해야 이 내용을 이해할 수 있을 것이다. 'ㅏ'와 'ㅕ'가 만나 왜 'ㅐ'라는 모음으로 바뀌는지의 과정에 대해서는 학자들마다 의견이 나뉘기 때문에, 두 음절이 만나 새로운 한 음절로 줄었든 것을 보고 축약에 해당한다는 것을 이해하면 된다.

**20** ⑤

정답 해설

'㉤굽히지'의 발음은 [구피지]로 자음축약(거센소리되기)이 일어났음을 알 수 있다. ㉤의 '축하', '듬직하다'의 발음은 [추카], [듬지카다]로 두 단어 모두에서 'ㄱ'과 'ㅎ'이 만나 'ㅋ'으로 축약되는 것을 확인할 수 있다.

오답 체크

① '㉠굶기도록'의 발음은 [굼기도록]으로 겹받침에서 ㄹ이 탈락함을 볼 수 있다. '곪다'의 발음은 [곰따]로 탈락이 보이지만, '급하다'의 발음은 [그파다]로 자음 축약만 보인다.

② 'ⓛ굳이'의 발음은 [구지]로 구개음화에 의한 교체현상이 드러난다. '미닫이'의 발음은 [미다지]로 구개음화가 나타난 것이 맞지만, '꿈같아서'의 발음은 [꿈가타서]로 아무런 음운변동이 일어나지 않았다.

③ 'ⓒ익는다'의 발음은 [잉는다]로 비음화가 나타난다. '각막'의 발음은 [강막]으로 비음화가 나타나지만, '맏형[마텽]'에서는 자음 축약만 나타난다.

④ 'ⓔ뻗댔다'의 발음은 [뻗때따 / 뻐때따]로 된소리되기가 나타난다. '숨기다'의 발음은 [숨기다]로 아무런 음운변동이 일어나지 않는다. '삽살개'의 발음은 [삽쌀개]로 된소리되기가 일어나는 것이 맞다.

# 제3강 문장 표현 Ⅰ

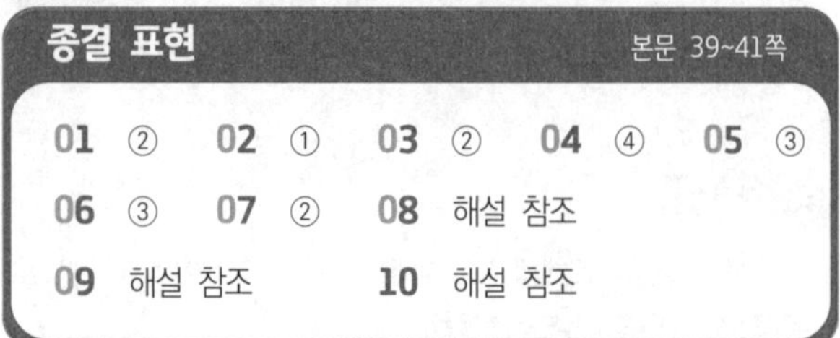
종결 표현 본문 39~41쪽

01 ② 02 ① 03 ② 04 ④ 05 ③
06 ③ 07 ② 08 해설 참조
09 해설 참조 10 해설 참조

**01** ②

정답 해설

'물이 얼음이 되었다.'는 종결 어미 '-다'를 사용하여 사실을 전달하고 있으므로 평서문이고, '물과 얼음의 차이는 무엇일까?'는 종결 어미 '-까'를 사용하여 듣는 이에게 차이에 대한 설명을 요구하는 의문문이다. 두 문장은 말하는 이가 표현하고자 하는 것에 따른 다른 종결 어미를 사용하고 있다.

오답 체크

문장의 종결 표현을 결정하는 문법 요소는 문장의 종결 어미이므로 문장 성분의 순서나 주어와 서술어의 관계가 종결 표현의 종류를 정하는 문법적 요소라는 진술은 적절하지 않다.

**02** ①

정답 해설

〈보기〉는 종결 어미 '-다'를 사용하여 그 사람의 연주 실력에 대한 정보를 전달하는 평서문이다. '그는 돈보다 명예를 택했다.'도 종결 어미 '-다'를 사용하여 그의 선택에 대한 정보를 제공하는 평서문이다.

오답 체크

② 종결 어미 '-어라'를 사용한 명령문이다.

③ 듣는 이에게 그가 이 정도의 일을 할 수 있는지를 물어보는 의문문이다.

④ 듣는 이에게 청소를 함께 하자고 권하는 청유문이다.

⑤ 한국의 사계절에 대해 말하는 이의 감탄을 드러낸 감탄문이다.

**03** ②

정답 해설

문장의 종결 표현은 종결 어미에 따른 달라진다. 말하는 이의 생각을 객관적으로 전달하는 문장 종결 표현은 평서문인데 평서문은 종결 어미 '-다'를 사용하여 실현된다.

말하는 이가 듣는 이에게 어떤 행동을 요구하거나 무엇을 시키는 문장 종결 표현은 명령문인데 명령문은 주로 '-(아 / 어)라' 등의 종결어미로 실현된다. 말하는 이가 듣는 이를 의식하지 않고 자신의 느낌을 감탄조로 표현하는 문장 종결 표현은 감탄문인데 감탄문은 주로 '-(는)구나', '-(는)군', '-로구나', '-(아 / 어)라' 등의 종결어미로 실현된다.

오답 체크

말하는 이가 듣는 이에게 같이 행동할 것을 요청하는 문장 종결 표현은 청유문인데 청유문은 '-자', '-(으)ㅂ시다', '-세' 등의 종결어미로 실현된다.

**04** ④

정답 해설

ⓐ는 문장의 내용을 평범하고 단순하게 표현한 것이므로 평서문이고, ⓑ는 듣는 이에게 쓰레기통에 쓰레기를 버리라고 요구하고 있으므로 명령문이다. ⓒ는 말하는 이와 듣는 이가 도로교통법을 준수하는 행동을 같이 해야 하므로 청유문이다.

**05** ③

정답 해설

'-자', '-(으)ㅂ시다', '-세' 등의 종결어미로 실현되는 것은 청유문인데 청유문은 말하는 이가 듣는 이에게 동일한 행동을 하도록 요청하는 문장 종결 표현이다. '다음 회의에서는 시작 시간을 준수합시다.' 라는 문장은 종결 어미 '-(으)ㅂ시다'를 사용하여 말하는 이와 듣는 이가 함께 회의 시간의 준수라는 행동을 해야 하므로 청유문이라고 할 수 있다.

오답 체크

① 종결 어미 '-다'를 사용하여 시험 시간에 주의해야 할 사항을 전달하고 있으므로 평서문이다.
② 수능 고사장에 들어갈 때의 기분을 듣는 이에게 질문하고 있으므로 의문문이다.
④ 종결 어미 '-다'를 사용하여 말하는 이가 자신의 소망을 진술하고 있으므로 평서문이다.
⑤ 종결 어미 '-로구나'를 사용하여 말하는 이의 느낌을 감탄조로 진술한 감탄문이다.

**06** ③

정답 해설

종결 어미 '-다'를 사용하여 사건의 내용을 객관적으로 표현하고 있는 ㉠, ㉡, ㉢은 평서문이고, 종결 어미 '-자'를 사용하여 듣는 이에게 함께 행동할 것을 요구하는 ㉣은 청유문이다.

오답 체크

㉠은 종결 어미 '-다'를 사용한 평서문이다.
㉡은 종결 어미 '-다'를 사용한 평서문이다.
㉢은 종결 어미 '-다'를 사용한 평서문이다.
㉣은 종결 어미 '-자'를 사용한 청유문이다.

**07** ②

정답 해설

"잘한다, 잘해."의 경우 문장의 표면적인 의미 그대로 잘했다는 칭찬이 아니라 물을 쏟은 것에 대한 비난의 의도가 있으므로 문장의 형식과 표현 의도가 일치하지 않는다.

오답 체크

① 종소리가 들릴 때 수업 종인지 물어 보는 것은 사실을 확인하려는 의문문이다.
③ 원하는 생일 선물을 받고 고마움을 표현하는 내용이므로 문장의 형식과 표현 의도가 일치한다.
④ 학생증을 잃어버린 장소를 궁금해 하는 문장이므로 문장의 형식과 표현 의도가 일치한다.
⑤ 무거운 물건을 함께 들고 가자고 요청하고 있으므로 문장의 형식과 표현 의도가 일치한다.

**08** 명령문은 듣는 이만 행동을 하는데 비해, 청유문은 말하는 이와 듣는 이가 모두 행동을 한다.

정답 해설

명령문과 청유문은 듣는 이에게 어떤 행동을 요구한다는 공통점이 있지만 명령문은 듣는 이가 행동을 하지만 청유문은 말하는 이와 듣는 이가 같은 행동을 한다는 것을 전제로 한 종결 표현이다.

**09** 이 책의 작가는 어느 나라 사람이니?

정답 해설

객관적 사실을 전달하는 종결 표현은 평서문이고, 듣는 이에게 묻는 형식을 취하는 종결 표현은 의문문이다. '프랑스 사람이다'라는 정보를 모른다는 것을 전제로 듣는 이에게 정보를 물어보는 의문문으로 바꾸면 '이 책의 작가는 어느 나라 사람이니?'가 된다.

**10** ㉠ 청유문 / 종결 어미 '-(으)ㅂ시다'
㉡ 평서문 / 종결 어미 '-다'

정답 해설

㉠은 종결 어미 '-(으)ㅂ시다'를 사용하여 건강을 지키는 일에 동참하도록 요구하는 청유문이다. ㉡은 종결 어미 '-다'를 사용하여 객관적 사실을 전달하는 평서문이다.

## 높임 표현

본문 42~44쪽

| | | | | | | | | | |
|---|---|---|---|---|---|---|---|---|---|
| **01** | ② | **02** | ⑤ | **03** | ③ | **04** | ② | **05** | ③ |
| **06** | ④ | **07** | ① | **08** | 해설 참조 | | | | |
| **09** | 해설 참조 | | | **10** | 해설 참조 | | | | |

**01** ②

정답 해설

'보시다'는 특수 어휘를 이용한 높임법이 아니라 주체 높임 선어말 어미 '-시-'를 이용한 높임법이다.

오답 체크

① '계시다'는 '아버지께서 공원에 계신다'와 같이 주체를 높일 때 사용하는 특수 어휘이다.
③ '편찮다'는 '그 분이 편찮으십니다.'와 같이 주체를 높일 때 사용하는 특수 어휘이다.
④ '잡수다'는 '먹다'의 높임말이다.
⑤ '주무시다'는 '아버지께서 주무신다.'와 같이 주체를 높일 때 사용한다.

**02** ⑤

정답 해설

객체인 '할머니'는 높임의 대상이므로 '데리고'가 아니라 '모시고'를 사용해야 한다.

오답 체크

① '많으시다'를 사용하여 선생님의 책을 높이는 간접 높임에 해당한다.
② '좋아하신다'는 주체인 아버지를 높이고 있다.
③ 회의는 공식적인 자리이므로 격식체 상대 높임을 사용하고 있다.
④ '드셨는지'는 주체 높임에 해당하고 '알려 주십시오.'는 상대 높임에 해당한다.

**03** ③

정답 해설

〈보기〉는 객체 높임에 대한 설명이며 '드렸다'는 객체인 '어머니'를 높이고 있으므로 객체 높임에 해당한다.

오답 체크

① '하셨다'는 행위의 주체인 아버지를 높이는 주체 높임이다.
② '크십니다'는 할아버지의 손을 높이고 있으므로 주체 높임 중 간접 높임에 해당한다.

④ 말 듣는 사람인 '할아버지'보다 문장의 주체인 '삼촌'이 나이가 어린 사람이므로 높임법을 사용하지 않는다. 이것을 압존법이라고 한다.

⑤ '전화하셨어'는 동작의 주체인 선생님을 높이고 있다.

**04** ②

정답 해설

'많으시다'는 주체 높임 선어말 어미 '-시-'를 사용하여 교수님이 집필한 책을 높이고 있으므로 간접 높임에 해당한다.

오답 체크

① '가셨다'는 문장의 주체인 어머니를 직접 높이고 있다.

③ '하셨다'는 승진의 주체인 어머니를 직접 높이고 있다.

④ '되셨다'는 마을 이장인 할아버지를 직접 높이고 있다.

⑤ '부르셨다'는 부르는 행위의 주체인 선생님을 직접 높이고 있다.

**05** ③

정답 해설

'예쁘십니다'에서 주체 높임 선어말 어미 '-시-'를 사용하고 있지만 제품은 높임의 대상인 고객에게 속한 것이 아니므로 간접 높임을 사용하는 경우에 해당하지 않는다. 따라서 ㉠에서 사용된 주체 높임법은 적절하지 않다고 할 수 있다.

오답 체크

① ㉠~㉢에서는 말 듣는 사람인 고객님, 선생님, 회의에 참석한 학생회 임원들을 높이는 상대 높임법을 사용하고 있다.

② ㉠과 ㉡은 '님'이라는 접미사를 사용하여 말 듣는 사람을 높이고 있다.

④ 동작이 미치는 대상인 '선생님'을 높이기 위해 특수 어휘인 '여쭈다'를 사용하고 있다.

⑤ 학생회 회의는 공적인 상황이므로 상대높임법 중 격식체인 '하십시오체'를 사용하고 있다.

**06** ④

정답 해설

'해라체'의 청유문은 '가자'가 적절하다.

오답 체크

① '하십시오체'의 평서문은 '갑니다'를 사용한다.

② '하오체'의 청유문은 '갑시다'를 사용한다.

③ '하게체'의 명령문은 '가게'가 적절하다.

⑤ '해요체'의 평서문은 '가요'가 적절하다.

**07** ①

정답 해설

주체인 교장 선생님을 높이기 위해 '께서'라는 조사를 사용하고 있고, '하시겠습니다'에서 주체 높임 선어말 어미를 사용하였다. 또, '말씀'이라는 높임 어휘를 사용하고 있다.

**08** ㉠-[C] / ㉡-[B] / ㉢- [A]

정답 해설

㉠은 '드렸다'라는 어휘와 조사 '께'를 사용하여 객체인 '할머니'를 높이고 있고, ㉡은 조사 '께서'와 특수 어휘 '계시다'를 사용하여 주체인 '선생님'을 높이고 있다. ㉢은 '가셨다'에서 주체 높임 선어말 어미 '-시-'를 사용하여 주체인 '어머니'를 높이고, '모시고'를 사용하여 객체인 '이모할머니'를 높이고 있다.

**09** 지금부터 총장님의 인사 말씀이 있으시겠습니다 / 계시다는 주어를 직접 높일 때 쓰는 어휘이다

정답 해설

간접 높임은 높여야 할 대상의 신체, 소유물, 생각 등과 관련된 말을 주체 높임 선어말 어미 '-(으)시'를 이용하여 높이는 방법이므로 높임 어휘인 '계시다'를 사용할 수 없다.

**10** 할머니 / 주격조사'께서', 선어말어미 '-시-' / 주체 높임법, 큰어머니 / 종결 어미 / 상대 높임법

정답 해설

'할머니께서'의 조사 '께서'와 '들어오셨습니다'의 주체 높임 선어말 어미 '-시'는 주체인 '할머니'를 높이는 역할을 하고 있다. 또한, '지내셨습니까'는 '하십시오체'의 의문문에 해당하므로 종결 어미를 사용한 상대 높임법이 드러난다.

## 시간 표현

본문 45~47쪽

| 01 ① | 02 ⑤ | 03 ⑤ | 04 ⑤ | 05 ③ |
|---|---|---|---|---|
| 06 ② | 07 ⑤ | 08 해설 참조 | | |
| 09 해설 참조 | | 10 해설 참조 | | |

**01 ①**

정답 해설

〈보기〉는 과거 시제에 대한 설명이다. 과거 시간 부사 '어제'와 과거 시제 선어말 어미 '-았-'을 이용하여 사건시가 발화시보다 앞서 있음을 나타낸다.

오답 체크

② 미래 시제를 나타내는 관형사형 어미 '-ㄹ'을 사용하고 있다.

③ 미래 시제를 나타내는 관형사형 어미 '-ㄹ'을 사용하고 있다.

④ 미래를 나타내는 '내일'을 사용하여 미래 시제를 나타내고 있다.

⑤ 현재 시제 관형사형 어미 '-(으)ㄴ'을 사용하고 있다.

**02 ⑤**

정답 해설

평년보다 기온이 높았던 10월은 11월이 시작되는 오늘보다 과거이므로 '높다'는 과거 시제 선어말 어미를 사용하여 '높았지만'으로 쓰는 것이 적절하다. 날씨가 쌀쌀해지는 것은 일기예보를 하는 지금 시점 이후에 일어날 일이므로 미래 시제 선어말 어미를 사용하여 '지겠습니다'로 표현하는 것이 적절하다. 또, '그동안'은 과거를 뜻하므로 '심했던'을, '맑다'는 미래에 해당되므로 미래 시제 관형사형 어미를 사용하여 '맑을'로 서술하는 것이 적절하다.

오답 체크

'높아서'와 '높지만'은 형용사 기본형에 해당하므로 현재 시제이고, '진다'는 현재 시제 선어말 어미를 사용하고 있다. '심한'과 '맑은'은 현재 시제 관형사형 어미와 결합한 형태이다.

**03 ⑤**

정답 해설

지금 붙이는 행위를 하면 내일 도착할 것이라고 생각하는 것은 의지가 아니라 앞으로 일어날 일을 추측하는 진술이다.

오답 체크

① 삼척동자가 그 정도의 일을 안 하는 것은 가능성이나 능력에 해당한다.

② 특정 시점을 정해서 성적 향상에 대해 언급하는 것은 의지와 관련이 있다.

③ 어떤 일을 해내겠다는 것은 가능성이나 능력과 관련이 있다.

④ 쇼핑을 가겠다고 한 것은 동생의 의지에 해당한다.

**04 ⑤**

정답 해설

말하는 시점보다 사건이 먼저 일어나는 것은 과거 시제에 해당하므로 ㉢이 아니라 ㉠이 적절하다.

오답 체크

① 시제는 말하는 시점과 사건이 일어난 시점의 관계에 따라 정해진다.

② 시간 부사어는 '어제'는 과거 시제를 표현한다.

③ ㉡에서는 국어 숙제가 진행 중이다.

④ ㉢에서는 미래 시제를 나타내는 관형사형 어미 '-ㄹ'을 사용하고 있다.

**05 ③**

정답 해설

(다)에서는 시간을 나타내는 부사어 '지금'을 사용하고 있다. 현재 시제 선어말 어미 '-는- / -ㄴ-'을 사용하지 않으며, '-고'는 연결어미이다.

오답 체크

① '내렸다'에서 과거 시제 선어말 어미 '-었-'을 통해 과거 시제를 표현하고 있다.

② 시간을 나타내는 부사어 '내일'을 사용했고 '끝낼 것이다'에서 미래 시제 관형사형 어미 '-(으)ㄹ'을 활용하여 미래 시제를 표현하고 있다.

④ '-어 버리다'를 통해 빵을 먹는 동작이 완료되었음을 드러내고 있다.

⑤ '-고 있다'를 통해 축제가 펼쳐지는 동작이 진행 중임을 드러내고 있다.

**06 ②**

정답 해설

비바람이 세게 내려고 있다는 것을 근거로 삼을 수 있으므로 농사를 다 지었다고 추측하는 것이 막연하다고 보기 어렵다.

오답 체크

① '2주 후'라는 명확한 시점이 제시되어 있으므로 확정된 미래를 표현한다고 볼 수 있다.

③ '지금쯤' 일어났을 일에 대해 언급하고 있으므로 '-겠-'을 사용하여 추측한 내용을 표현한다고 볼 수 있다.

④ '기부하겠다'는 것은 나의 의지로 일어날 일이라고 할 수 있다.

⑤ 을지 문덕이 살수 대첩에서 승리한 과거의 사실을 현재 시제로 표현함으로써 현장감 있게 제시되었다고 할 수 있다.

**07** ⑤

정답 해설

그가 요리를 하는 동작이 완료가 되지 않았으므로 동작의 진행에 해당한다.

오답 체크

① 과거 시간을 나타내는 부사 '어제'와 과거 시제 선어말 어미 '-었'을 사용하여 과거 시제를 나타내고 있다.

② '지금'의 상황을 서술하고 있으므로 현재 시제에 해당한다.

③ 미래 시제를 나타내는 '내일'을 통해 미래의 일을 서술하고 있다.

④ 아침부터 시작된 청소가 진행 중임을 나타내고 있다.

**08** (가) 추측 / (나) 의지

정답 해설

(가)는 숙제가 끝나는 시점을 추측하고 있고, (나)는 광고 기획자가 되겠다고 하는 나의 의지를 드러내고 있다.

**09** (가) 현재 시제, 진행상 / (나) 과거 시제 , 완료상

정답 해설

(가)는 점심을 먹는 중이다로 바꾸어도 문장이 자연스럽게 이어지므로 동작의 진행을 나타내는 현재 시제에 해당한다.

(나)는 '버렸다'에서 과거 시제 선어말 어미 '-었-'을 사용하여 과거 시제를 나타내고 있으며, 먹는 행위가 마무리되었으므로 완료에 해당한다.

**10** (가): ⓒ / (나): ⓐ / (다): ⓑ

정답 해설

영희가 안경을 쓰고 있다는 것은 안경을 쓰는 동작이 완료된 것으로 해석할 수도 있고, 안경을 쓰는 동작이 지금 진행 중이라고 해석할 수도 있다. 예를 들어, 'A: 영희를 찾으려면 어떻게 하면 될까요? B: 영희는 안경을 쓰고 있다.' 의 경우에는 안경을 쓰는 동작이 완료된 것이다. 또, 'A: 1층에서 영희를 기다리고 있는데 왜 내려오지 않아? B: 영희는 안경을 쓰고 있어.'의 경우에는 안경을 쓰는 동작이 지금 진행중이라고 할 수 있다.

(나)에서 '철수가 피자를 먹는 중이야'로 문장을 교체해도 의미가 통하므로 동작이 진행 중이라고 해석할 수 있다. (다)에서는 '-고 있-'을 '-는 중이-'로 교체하면 부자연스러운 문장이 되므로 상태가 지속된다고 볼 수 있다.

## 모의고사 본문 48~54쪽

| | | | | | | | | | |
|---|---|---|---|---|---|---|---|---|---|
| 01 | ④ | 02 | ⑤ | 03 | ④ | 04 | ⑤ | 05 | ② |
| 06 | ⑤ | 07 | ⑤ | 08 | ④ | 09 | ② | 10 | ③ |
| 11 | ③ | 12 | ④ | 13 | ④ | 14 | ② | 15 | ③ |
| 16 | ② | 17 | ③ | 18 | ③ | 19 | ③ | 20 | ④ |

### 01 ④

정답 해설

방이 지저분해서 정신이 없다는 것은 평서문 형식이지만 실질적으로는 상대방에게 치울 것을 요청하고 있다.

오답 체크

① 숙제를 다 했는지 확인하는 의문문이다.

② 시험 기간을 확인하는 의문문이다.

③ 청소한 것을 칭찬하는 평서문이다.

⑤ 어제 낮과 오늘의 기온 차이에 대해 자신의 생각을 밝힌 평서문이다.

### 02 ⑤

정답 해설

'먹어라'에서는 종결 어미 '-어라' 가 명령문을 만들고 있지만, '싫어라'에서는 감탄의 의미를 드러내고 있다.

오답 체크

① '크다'와 '흐리다'의 종결 어미 '-다'는 평서문을 실현하고 있다.

② '아름답구나'와 '부럽구나'는 모두 감탄의 의미를 표현하고 있다.

③ '돌려줄게'와 '알려줄게'에서 종결 어미는 약속의 의미를 드러내는 종결 표현이다.

④ '생활화합시다'와 '지킵시다'에서 '-ㅂ시다'는 청유문의 형식에 해당한다.

### 03 ④

정답 해설

㉠은 판정 의문문, ㉡은 설명 의문문, ㉢은 수사 의문문이다. ④는 '누가'에 대한 설명이 필요한 의문문이므로 ㉢의 예시로 적절하지 않다.

오답 체크

① 공부를 했으면 긍정의 대답을 하지 않았으면 부정의 대답을 하면 되므로 대답을 요구하는 의문문의 예시로 적절하다.

② '무엇'에 대한 설명이 필요한 의문문이다.

③ '언제'에 대한 설명이 필요한 의문문이다.

⑤ 슬픈 상황임을 강조하는 수사의문문으로 판정이나 설명을 요구하지 않는다.

### 04 ⑤

정답 해설

떠드는 아이들 때문에 시끄러워서 밥을 먹을 수 없다는 의미이므로 청자의 행동만을 요구하는 예시라고 볼 수 없다.

오답 체크

① 아버지가 전화로 말씀하시는 '외식하자'는 화자와 청자를 모두 포함하는 것이므로 ㉠의 예시로 적절하다.

② 하차벨을 누른 사람인 화자만 하차를 하므로 ㉡의 예시로 적절하다.

③ 상대방의 말이 길어지자 화자가 자신도 말을 하고 싶다는 의미로 한 발화이므로 ㉡ 의 예시로 적절하다.

④ 약은 아픈 아이만 먹는 것이므로 ㉢의 예시로 적절하다.

### 05 ②

정답 해설

조사 '께'를 사용하여 목적어가 아니라 부사어를 높이고 있다.

오답 체크

① '드려라'는 상대 높임 비격식체인 '해라체'를 사용하고 있으므로 종결 어미를 사용하여 듣는 이를 낮추고 있다.

③ 특수 어휘인 '드리다'를 사용하여 객체를 높이고 있다.

④ '말씀하셨습니다'는 상대 높임 격식체인 '하십시오체'를 사용하여 듣는 사람을 높이고 있다.

⑤ '님'이라는 접미사를 사용하여 듣는 이를 높이고 있다.

### 06 ⑤

정답 해설

선생님의 말씀을 전할 때에는 '오라셨어'라고 서술하는 것이 높임법에 적합한 표현이다. ⑤는 '저'라고 자신을 겸손하게 표현하고 있으므로 높임의 어휘인 '여쭈어'가 아니라 '물어'를 사용하는 것이 적절하다.

오답 체크

① '띄고'가 아니라 '띠고'가 적절하다. 맞춤법이 잘못된 예시이다.

② 짐은 실어야 하고 사람은 태우는 것이므로 목적어와 서술어의 호응이 적절하지 않다.

③ '키가 큰' 사람이 '그' 인지 '친구' 명확하지 않은 문장이다.

④ '결코'는 '아니다', '없다', '못하다' 등의 부정어와 함께 사용하는 부사이다.

**07** ⑤

정답 해설

'돌아가주시겠어요'는 돌아가라는 요청을 강하게 말하지 않고 완곡하게 표현하고 있으므로 '-겠-'이 주체의 의지를 나타내는 사례라고 보기 어렵다.

오답 체크

① 겨울방학의 시작은 발화시보다 한 달 후의 일이므로 현재 시제 선어말 어미를 사용했지만 가까운 미래를 나타낸다고 볼 수 있다.

② 역사적 사실을 현재 시제로 표현함으로써 현장감을 높이는 효과를 거두고 있다.

③ 방청소를 하지 않은 것이 명확한 사실이므로 엄마한테 혼이 나는 것을 정해진 일이라고 볼 수 있다.

④ 습도를 근거로 미래의 일을 추측하고 있다.

**08** ④

정답 해설

'주무시다'는 높임 선어말 어미를 사용한 것이 아니라 높임의 의미를 지닌 특수 어휘에 해당한다.

오답 체크

① '아버지'는 서재로 들어간 주체이다.

② '당신'은 듣는 사람이므로 상대에 해당한다.

③ '손님'은 직원이 모시는 대상이므로 객체이다.

⑤ '드리다'는 객체 높임을 실현하는 특수 어휘이다.

**09** ②

정답 해설

'말씀'은 '점원'이 '손님'에 대해 자신을 낮추기 위해 사용한 어휘이다.

오답 체크

① 객체인 '부님'을 높이기 위해 객체 높임 어휘인 '드렸어'를 사용하고 있다.

③ 공식적인 자리이므로 청자인 '여러분'을 높이기 위해 '-ㅂ니다'를 사용하여 격식체 '하십시오체'로 표현하고 있다.

④ '작가님'은 모시는 대상이므로 객체에 해당한다.

⑤ 드시는 주체가 할아버지이므로 높임 어휘인 '진지'와 '드시다'를 사용하였다.

**10** ③

정답 해설

주체인 '담임 선생님께서'를 높이기 위해 조사 '께서'를 사용하였고, '오셨다'에서 주체 높임 선어말 어미 '-시-'를 사용하였으며, 객체인 '손님'을 높이기 위해 특수 어휘인 '모시고'를 사용하였다.

**11** ③

정답 해설

'할아버지'는 주체인 '아버지'가 말씀을 드리는 대상이므로 객체이다.

오답 체크

① 높임 특수 어휘인 '계시다'의 주체는 '할아버지'이다.

② '보이세요'는 표에 제시된 '해요'처럼 비격식체인 '해요체'에 해당한다.

④ '어머니'는 철수가 문의하는 대상이므로 객체 높임 어휘 '여쭈다'를 사용하고 있다.

⑤ 공식적인 관계일 때는 격식체를 사용할 수 있으므로 '하십시오체'에 해당하는 '찾아보겠습니다'로 바꿀 수 있다.

**12** ④

정답 해설

'할아버지'는 잡수시는 행위를 하는 주체이다.

오답 체크

① '많으시다'는 선어말 어미 '-시-'를 이용한 높임 표현인데 어머니와 관련된 것인 '걱정'을 높이고 있으므로 간접 높임에 해당한다.

② '아버지'는 '할머지'를 모시고 고향에 내려간 주체이며, '할머니'는 '모시'는 행위의 대상이므로 객체이다.

④ 문장의 부사어나 목적어가 객체가 되는데 이 문장에서 '동생'은 부사어인 객체지만 주체인 '언니'보다 나이가 어리므로 높임 표현을 사용하지 않았다.

⑤ '나'가 대답을 한 상대방이 '어머니'에게 혼이 난 상황이므로 격식을 갖추어 '하십시오체'를 사용하여 상대를 높인 것이라고 볼 수 있다.

**13** ④

정답 해설

듣는 사람인 엄마를 높이기 위해 '해요체'를 사용하였고, 허리가 아픈 주체인 '할머니'를 높이기 위해 '하셨어요'에서 주체 높임 선어말 어미 '-시-'를 사용하였다. 이 문장에서는 객체가 존재하지 않는다.

오답 체크

① 듣는 사람인 '아버지'를 높이기 위해 종결 어미를 이용하여 '해요체'로 표현하고 있다.

② 말씀을 한 주체인 '선생님'을 높이기 위해 조사와 주체 높임 선어말 어미 '-시-'를 사용하였다.

③ 말하는 이가 듣는 이보다 높아서 '해체'를 사용하고 있으며, 객체인 '선생님'을 높이기 위해 조사를 사용하였다.

⑤ 미술관에서 열리는 공식적인 행사를 안내하는 문장이므로 '있습니다'에서 알 수 있듯이 격식체인 '하십시오체'를 사용하고 있다.

**14** ②

정답 해설

㉠은 영희가 장갑을 끼는 동작을 하고 있는 중인 것과 낀 상태가 지속되는 것의 두 가지로 해석할 수 있다. ㉡은 그녀가 안경을 쓰는 동작을 하고 있는 중인 것과 안경을 쓴 상태가 지속되는 것의 두 가지로 해석할 수 있다. ㉢은 철수가 지금 자전거를 타는 동작을 하고 있는 중이거나 자전거 위에 이미 탄 상태가 지속되는 것의 두 가지로 해석할 수 있다.

오답 체크

㉤은 그가 넥타이를 매는 동작이 완료되지 않았고 진행 중이라는 의미이다. ㉢은 내가 할 일을 미리 완료한 것을 의미한다.

**15** ③

정답 해설

㉠은 '갈 것이다'에서 미래 시제를 나타내는 관형사형 어미 '-ㄹ'을 사용하고 있다.

㉡은 '있었다'에서 과거 시제 선어말 어미 '-었-'을 사용하고 있다.

㉢은 내가 도서관에서 친구를 만나는 동작이 진행 중이므로 발화시와 사건시가 일치하는 현재 시제이다.

**16** ②

정답 해설

과거 시제를 나타낼 때 사용하는 관형사형 어미는 '-(으)ㄴ'이고 현재 시제를 나타낼 때 사용하는 관형사형 어미는 동사와 형용사일 때 차이가 있다. 동사가 서술어일 때는 관형사형 어미 '-는'을 쓰고, 형용사가 서술어일 때는 '-(으)ㄴ'을 쓰거나 선어말 어미 없이 현재 의미를 나타낸다.

오답 체크

〈보기〉의 예문에서 밑줄 친 '추다'와 '울다'는 모두 품사가 동사이며 '춘'은 과거 시제, '추는'은 현재 시제이다. 또, '운'은 과거 시제이고, '우는'은 현재 시제이다.

**17** ③

정답 해설

비가 내려서 차가 막힐 것이라고 추측하고 있는 문장이므로 추측의 의미를 지닌 '-겠-'이다.

오답 체크

① '지금'이라는 시점이 시험이 끝날 시간이라고 추측하고 있다.

② 짜장면을 먹겠다는 것은 동생의 의지이다.

④ 들어가도 되겠느냐고 양해를 구하고 있으므로 완곡한 태도라고 할 수 있다.

⑤ 열심히 노력했으므로 대학 합격이라는 결과를 거둘 것이라고 추측하고 있다.

**18** ③

정답 해설

'학습한'은 동사 '학습하다'에 과거 시제 관형사형 어미 '-ㄴ'을 결합하여 과거 시제를 나타내고 있다.

오답 체크

① '즐겼다'는 '즐기다'에 과거 시제 선어말 어미 '-었-'이 결합한 형태이다.

② '있었었다'에서 '-었었-'을 사용함으로써 과거에는 이곳에 우체국이 있었지만 지금은 우체국이 없다는 의미를 드러낸다.

④ '가더라'에서 '-더-'를 사용하여 어제 그가 참석하러 가는 모습을 회상하고 있다.

⑤ '하겠다'에 사용한 '-겠-'은 나의 의지를 드러낸다.

**19** ③

정답 해설

사람들이 음식을 먹은 것은 말하는 시점보다 이전에 일어난 사건이어서 과거 시제인데 과거 시제 관형사형 어미 '-은'으로 실현되고 있다. '났다'는 기본형 '나다'에 과거 시제 선어말 어미 '-았-'이 결합한 형태이고, '먹는'은 현재 시제 선어말 어미 '-는'이 결합한 형태이다.

**20** ④

정답 해설

과제 때문에 오늘 밤에 잠을 자기 어렵다는 것을 확정적인 사실로 받아들이고 있다.

오답 체크

① 어제 숙제를 했다는 단순한 과거를 나타낸다.
② 보쌈을 만들어 저녁으로 먹었다는 과거의 사실을 나타낸다.
③ 어제 선물을 사러갔다는 과거의 사실을 나타낸다.
⑤ 간밤에 내린 비의 영향으로 강물이 불어난 상태가 현재까지 지속되고 있음을 나타낸다.

# 제4강 문장 표현 II

## 피동 표현

본문 57~58쪽

| | | | |
|---|---|---|---|
| 01 해설 참조 | 02 ⑤ | 03 ④ | 04 ③ |
| 05 해설 참조 | 06 ③ | 07 ③ | 08 ③ |
| 09 해설 참조 | 10 ② | | |

**01** ㉠ 모기가 팔뚝을 물었다. ㉡ 팔뚝이 모기한테 물렸다.

정답 해설

사진에서 '모기가 초점일 때'는 모기가 팔뚝을 무는 행위를 제 힘으로 하는 것이기 때문에 능동문에 해당된다. 따라서 ㉠에 들어갈 문장은 "모기가 팔뚝을 물었다."이다. 한편, '팔뚝이 초점일 때'는 팔뚝이 모기한테 물리는 행위를 당하는 것이기 때문에 피동문에 해당한다. 따라서 ㉡에 들어갈 문장은 "팔뚝이 모기한테 물렸다."이다.

**02** ⑤

정답 해설

㉠에서 '물었다'는 능동사로 서술어에 해당한다. ㉡에서 '물렸다'는 피동사로 서술어에 해당한다. 따라서 능동사에서 피동사로 형태만 달라졌을 뿐 서술어는 그대로 유지된다.

오답 체크

① ㉠의 주어인 '모기가'는 ㉡에서 목적어가 아니라 부사어(모기한테)가 된다.
② ㉠에는 부사어가 없으므로 틀린 설명이다.
③ ㉠에서 목적어인 '팔뚝을'은 ㉡에서 주어인 '팔뚝이'가 되기 때문에 부사어가 된다는 설명은 적절하지 않다.
④ ㉠의 주어인 '모기가'는 ㉡에서 그대로 주어가 되는 것이 아니라 부사어인 '모기한테'로 바뀐다.

**03** ④

정답 해설

<보기>의 설명은 피동 표현을 사용할 때의 특징에 해당한다. 피동 표현에 해당하지 않는 것은 선택지 ④번이다. '감겨'는 '감다'의 어근에 사동 접미사 '-기-'가 붙어서 만들어진 사동사이기 때문에 ④번의 문장은 사동 표현에 해당한다.

오답 체크

① '팔렸다'는 '팔다'의 어근에 접미사 '-리-'가 붙어서 만들어진 피동사이다.

② '쌓여'는 '쌓다'의 어근에 접미사 '-이-'가 붙어서 만들어진 피동사이다.
③ '닫혀서'는 '닫다'의 어근에 접미사 '-히-'가 붙어서 만들어진 피동사이다.
⑤ '덮인'은 '덮다'의 어근에 접미사 '-이-'가 붙어서 만들어진 피동사이다.

**04** ③

정답 해설

지문에서 ㉠은 능동사의 어간에 피동 접미사가 붙어서 만들어지는 피동사에 대한 설명이다. 이의 예로 적절하지 않은 것은 선택지 ③번 '안겨'이다. '안겨'는 '안다'의 어근에 사동 접미사 '-기-'가 붙어서 만들어진 사동사이다.

오답 체크

① '막혀'는 '막다'의 어근에 접미사 '-히-'가 붙어서 만들어진 피동사이다.
② '밀려'는 '밀다'의 어근에 접미사 '-리-'가 붙어서 만들어진 피동사이다.
④ '밟혔다'는 '밟다'의 어근에 접미사 '-히-'가 붙어서 만들어진 피동사이다.
⑤ '섞여'는 '섞다'의 어근에 접미사 '-이-'가 붙어서 만들어진 피동사이다.

**05** 오랜 공사를 벌인 끝에 마침내 터널이 만들어졌다.

정답 해설

지문에서 ㉡은 피동사를 만드는 방법 중 '-어지다'를 붙여서 만드는 긴 피동에 해당한다. 〈보기〉의 문장을 피동문으로 바꿀 때, 서술어인 '만들었다'의 어근 '만들-'에 '-어지다'를 붙이면 된다. 이렇게 해서 만들어진 피동문은 "오랜 공사를 벌인 끝에 마침내 터널이 만들어졌다."이다.

**06** ③

정답 해설

㉡과 ㉢은 모두 주어가 제힘으로 동작을 한 것이 아니다. ㉡의 '덮였다'는 '덮다'의 어근에 피동 접미사 '-이-'가 붙어서 만들어진 피동사이고, ㉢의 '덮어졌다'는 '덮다'의 어근에 '-어지다'가 붙어서 만들어진 피동 표현이다.

오답 체크

① ㉠은 능동문으로 주어가 어떤 동작이나 행위를 제힘으로 하는 것을 뜻하는 문장이다.
② ㉡은 피동문으로 ㉠과 달리 문장 성분의 변화가 나타난다. ㉠의 주어인 '눈이'는 ㉡에서 부사어인 '눈에'가 되고, ㉠의 목적어인 '세상을'은 ㉡에서 주어인 '세상이'가 된다.
④ ㉡과 ㉢은 모두 피동 표현으로 서술어의 형태만 다를 뿐 의미는 같다.
⑤ ㉠~㉢은 바라보는 초점만 다를 뿐 일이 일어난 상황은 결과적으로 같다.

**07** ③

정답 해설

㉠과 ㉡에서 서술어가 필요로 하는 문장 성분의 개수는 모두 2개씩으로 같다. ㉠에서는 주어(눈이)와 목적어(세상을)를 필요로 하고, ㉡에서는 주어(세상이)와 부사어(눈에)를 필요로 한다.

오답 체크

① ㉠의 주어인 '눈이'는 ㉡에서 부사어인 '눈에'로 바뀐다.
② ㉠의 목적어인 '세상을'은 ㉡에서 주어인 '세상이'가 된다.
④ ㉡과 ㉢의 서술어가 문장에서 꼭 필요로 하는 문장 성분의 개수는 각각 2개로 동일하다.
⑤ ㉠에서 ㉡으로 바뀔 때 변하지 않는 문장 성분은 '다'와 '덮였다' 두 개다.

**08** ③

정답 해설

제시문에서 피동 표현에 해당하는 것은 '예상됩니다', '지켜질', '보입니다' 총 3개이다.

**09** 객관성을 높이고자 함. 동작의 주어를 밝히지 않고자 함. 책임을 회피하고자 함.

정답 해설

뉴스 보도문이기 때문에 객관성을 높이고자 하는 의도에서 피동 표현을 사용한다. 그리고 책임 소재를 따지는 상황을 회피하고자 동작의 주어를 밝히지 않는 것이 피동 표현의 일반적인 특징이다.

**10** ②

정답 해설

②번의 '풀리지'는 '풀다'의 어근에 피동 접미사 '-리-'가 붙어서 만들어진 것으로 자연스러운 문장에 해당한다.

오답 체크

① '열려져'는 이중 피동 표현으로 적절하지 않은 표현이다.

'열려'가 적절한 표현이다.

③ '보여집니다'는 이중 피동 표현으로 적절하지 않은 표현이다. '보입니다'로 해야 적절한 표현이 된다.

④ '쓰여졌는지'는 이중 피동 표현으로 적절하지 않은 표현이다. '쓰였는지'로 해야 적절한 표현이 된다.

⑤ '바뀌어져야'는 이중 피동 표현으로 적절하지 않은 표현이다. '바뀌어야'로 해야 적절한 표현이 된다.

## 사동 표현

본문 59~60쪽

| | | | |
|---|---|---|---|
| **01** ③ | **02** 해설 참조 | **03** ④ | **04** ② |
| **05** 해설 참조 | **06** ⑤ | **07** ④ | **08** ⑤ |
| **09** ③ | **10** 해설 참조 | | |

**01** ③

정답 해설

〈보기〉의 ㉠은 '학생들은 허름한 옷을 입었다.'와 '학생들은 등교했다.'가 이어진 문장이다. 그리고 '학생들은 (옷이) 허름한 옷을 입었다.'는 관형절을 안은 문장이다. 따라서 ㉠은 안은 문장과 이어진 문장이 함께 나타난 문장이다. ㉡은 '학부모들은 학생들에게 허름한 옷을 입혔다.'와 '학부모들은 학생들을 등교하게 했다'가 이어진 문장이다. 그리고 '학부모들은 학생들에게 (옷이) 허름한 옷을 입혔다.'는 관형절을 안은 문장이다. 따라서 ㉡은 안은 문장과 이어진 문장이 함께 나타난 문장이다.

오답 체크

① ㉠은 주동문으로 서술어인 '입고'와 '등교했다'의 주체가 '학생들'이기 때문에 '학생들'의 행동에 초점이 맞추어져 있다는 설명은 적절하다.

② ㉡은 사동문으로 서술어인 '입혀서'와 '등교하게 했다'의 주체가 '학부모들'이기 때문에 '학부모들'의 행동에 초점이 맞추어져 있다는 설명은 적절하다.

④ ㉡은 '학부모들은 학생들에게 허름한 옷을 직접 입혔다.'와 '학부모들은 학생들에게 허름한 옷을 입으라고 말해서 학생들이 직접 허름한 옷을 입었다.'처럼 두 가지 의미를 가지고 있기 때문에 적절한 설명이다.

⑤ ㉡은 '학부모들은 학생들에게 허름한 옷을 입혔다.'와 '학부모들은 학생들을 등교하게 했다'가 이어진 문장이다. 앞 문장은 '입다'의 어근에 사동 접미사 '-히-'가 붙어서 만들어진 파생적 사동문이고, 뒤 문장은 '-게 하다'가 붙어서 만들어진 통사적 사동문이다.

**02** 소개하겠습니다.

정답 해설

〈보기〉의 문장에서 적절한 것은 '소개하겠습니다'이다. 이유는 '소개시키다'는 '소개하게 하다'의 의미이기 때문에 제시된 문장에서는 '소개하겠습니다'가 적절한 말이다.

**03** ④

정답 해설

'환기시키다'는 '환기하게 하다'의 의미가 되기 때문에 제시된 문장에서는 '환기하다'가 적절한 말이다.

**04** ②

정답 해설

〈보기〉의 ㉠은 사동 접미사가 붙어서 만들어진 사동사에 대한 설명이므로 ㉠의 예로 적절하지 않은 것은 ②번의 밑줄 친 '감기는'이다. 이는 '감다'의 어근에 피동 접미사 '-기-'가 붙어서 만들어진 피동사이다.

오답 체크

① '절이셨다'는 '절다'의 어근에 사동 접미사 '-이-'가 붙어서 만들어진 사동사이다.

③ '읽히곤'는 '읽다'의 어근에 사동 접미사 '-히-'가 붙어서 만들어진 사동사이다.

④ '깨웠다'는 '깨다'의 어근에 사동 접미사 '-우-'가 붙어서 만들어진 사동사이다.

⑤ '물리다'는 '물다'의 어근에 사동 접미사 '-리-'가 붙어서 만들어진 사동사이다.

**05** 선생님이 이번 임무는 나에게 직접 맡게 했다.

정답 해설

㉡의 '-게 하다'가 붙어서 만들어진 사동문은 통사적 사동문이다. 〈보기〉의 문장을 통사적 사동문으로 바꾸면 목적어인 '임무는'은 그대로 목적어가 되고 주어인 '내가'는 부사어인 '나에게'가 되고 서술어인 '맡는다'는 어간에 '-게 하다'가 붙어서 '맡게 했다'로 바뀐다. 그리고 주동문에는 없던 새로운 주어가 나타나는데 새로운 주어는 〈보기〉에 '선생님이'로 제시되어 있다. 따라서 사동문을 정리해보면, "선생님이 이번 임무는 나에게 직접 맡게 했다."이 된다.

**06** ⑤

정답 해설

㉠에서 뒤 절의 목적어인 '기쁨을'은 ㉡에서도 목적어로 변함이 없지만, ㉠에서 앞 절의 목적어인 '꽃을'은 ㉡에서 주어인 '꽃이'로 바뀌었다.

오답 체크

① ㉠에서 앞 절의 주어와 뒤 절의 주어는 생략되어 있지만 동일하다.

② ㉠은 '(주어) 활짝 핀 꽃을 보다.'와 '(주어) 기쁨을 느낀다.'가 이어진 문장이다. 앞 절에서 '(주어) (꽃이) 활짝 핀 꽃을 보다.'는 명사절을 안은 문장이 아니라 관형절을 안은 문장이다.

③ ㉡에서 주체의 행동이 미치는 대상은 '활짝 핀 꽃'이 아니라 생략되어 있다.

④ ㉠의 '느낀다'가 문장에서 꼭 필요로 하는 문장 성분은 주어(생략)와 목적어(기쁨을)이다. 따라서 ㉠의 서술어는 두 자리 서술어이다. ㉡의 '느끼게 한다'가 문장에서 꼭 필요로 하는 문장 성분은 주어(꽃이), 부사어(생략), 목적어(기쁨을)이다. 따라서 ㉡의 서술어는 세 자리 서술어이다.

**07** ④

정답 해설

㉠의 서술어가 꼭 필요로 하는 문장 성분은 주어('높이가')이고, ㉡의 서술어가 꼭 필요로 하는 문장 성분은 주어('나는')와 목적어('높이를')이다.

오답 체크

① ㉠의 주어인 '높이가'가 ㉡에서 목적어인 '높이를'로 바뀌었다.

② ㉡에는 ㉠에 없던 새로운 주어인 '나는'이 나타난다.

③ ㉠의 서술어인 '낮다'는 형용사이고, ㉡의 서술어인 '낮추다'는 동사이다.

⑤ ㉡의 서술어인 '낮추었다'는 ㉠의 서술어인 '낮다'의 어간에 사동 접미사 '-추-'가 결합하여 만들어진 것이다.

**08** ⑤

정답 해설

'재워'는 '자다'에 사동 접미사 '-이-'와 '-우-'가 결합하여 만들어진 사동사이다.

오답 체크

① 〈보기〉는 명사절을 안은 문장이 아니라 관형절을 안은 문장이다. '(아기가) 칭얼거리는'이 관형절에 속한다.

② '재워 놓았다'의 대상은 '아빠'가 아니라 '아기'이다. '아빠'는 아기를 재우는 주체이다.

③ 문장 전체의 서술어인 '재워 놓았다'가 문장에서 꼭 필요로 하는 문장 성분은 주어(아빠가)와 목적어(아기를)이다. 따라서 '재워 놓았다'는 두 자리 서술어이다.

④ 〈보기〉의 문장은 사동문이다. 이 문장이 주동문으로 바뀔 때 목적어인 '아기를'은 주어인 '아기가'로 바뀐다.

**09** ③

정답 해설

㉠은 '자는 학생이 깼다.'와 같이 주동문으로 바꿀 수 있다.

오답 체크

① ㉠은 관형절((학생이) 자는)을 안은 문장이다. 그리고 ㉡은 '그 배우는 많은 관객을 웃기다.'와 '그 배우는 많은 관객을 울렸다.'가 이어진 문장이다.

② ㉠에는 '깨웠다'가 사동사이고, ㉡에서는 '웃기다'와 '울렸다'가 사동사이다.

④ ㉠의 서술어는 주어(선생님은)와 목적어(학생을)를 필요로 하는 두 자리 서술어이고, ㉡의 서술어는 주어(배우는)와 목적어(관객을)를 필요로 하는 두 자리 서술어이다.

⑤ ㉠의 '깨웠다'는 '깨다'에 사동 접미사 '-우-'가 붙어서 만들어진 것이고, ㉡의 '웃기다'는 '웃다'에 사동접미사 '-기-'가 붙어서 만들어진 사동사이고 '울렸다'는 '울다'에 사동 접미사 '-리-'가 붙어서 만들어진 사동사이다.

**10** 국회는 그 국회의원을 뇌물수수 혐으로 사퇴하게 했다. / 국회는 그 국회의원을 뇌물수수 혐으로 사퇴시켰다.

정답 해설

〈보기〉의 문장은 용언의 어간에 접미사가 붙어서 만들어진 파생적 사동문으로는 바꿀 수 없고, '-게 하다'와 '-시키다'가 붙어서 만들어진 사동문으로는 바꿀 수 있다. 따라서 서술어인 '사퇴했다'에 '-게 하다'와 '-시키다'를 붙여서 '국회는 그 국회의원을 뇌물수수 혐의로 사퇴하게 했다.'와 '국회는 그 국회의원을 뇌물수수 혐의로 사퇴시켰다.'와 같이 사동문을 만들 수 있다.

## 부정 표현

본문 61~62쪽

**01** ⑤ **02** ② **03** ① **04** ②
**05** 해설 참조 **06** ③ **07** 해설 참조
**08** ① **09** ④ **10** 해설 참조

**01** ⑤

정답 해설

㉠에는 주체의 의지에 따른 부정이기 때문에 '않았다'가 적절하다. ㉡에는 외부의 원인 때문에 행위가 일어나지 못하는 것이므로 '못했다'가 적절하다. ㉢에는 주체의 의지에 따른 부정이기 때문에 '않기'가 적절하다.

**02** ②

정답 해설

㉠~㉢ 중에서 외부의 원인 때문에 행위를 하지 못하는 부정문은 ㉡이다. ㉡에서 외부의 원인은 '차가 끊겨서'이다.

오답 체크

㉠ 의지 부정, ㉢ 의지 부정

**03** ①

정답 해설

학생이 답한 '다 못 풀었어요.'라는 말이 문제의 일부분만 풀었다는 의미와 한 문제도 못 풀었다는 의미로 해석될 수 있기 때문에 오해의 여지가 있다. 선생님은 학생이 한 문제도 풀지 못했다고 생각하고 반응한 것이다.

**04** ②

정답 해설

제시된 지문에 사용된 부정 표현은 모두 부정 부사 '못'을 사용한 짧은 부정문이다. '못 풀었어요', '못 풀었단', '못 푼'

**05** 문제의 일부만 풀어 왔어요. / 문제를 다 풀지는 못했어요. / 문제의 일부는 풀고, 일부는 풀지 못했어요.

정답 해설

학생이 푼 문제는 1문제이므로 '문제의 일부만 풀어 왔어요. / 문제를 다 풀지는 못했어요. / 문제의 일부는 풀고, 일부는 풀지 못했어요.'라고 조언을 해줄 수 있다. 여기서 중의성을 해소하는 방법 중 두 번째의 문장은 보조적 연결 어미 '-지' 뒤에 보조사 '는'을 붙인 경우인데 이렇게 하면 서술어만을 부

정하게 돼서 중의성을 해소할 수 있게 된다.

**06** ③

정답 해설

㉠에는 '사과가 안 익은 것 같아서'라는 이유가 나타나 있고, ㉡에는 '이가 아파서'라는 이유가 나타나 있다. 따라서 ㉠과 달리라는 표현은 적절하지 않다.

오답 체크

① ㉠에서 부정 부사 '안'을 사용하여 만든 부정문은 주체의 의지에 따른 부정이다. 특히, '사과가 안 익은 것 같아서'라는 이유가 나타나 있기 때문에 의지 부정이 명확하다.

② ㉡에서 부정 부사 '못'을 사용하여 만든 부정문은 '이가 아파서'라고 하는 외부 원인 때문에 행위를 못하는 것이다.

④ 부정 표현은 ㉠과 ㉡에서처럼 '안'과 '못' 어떤 것을 사용하느냐에 따라 그 의미의 차이가 생긴다.

⑤ ㉠의 '안'을 '못'으로 바꿀 경우 '사과가 안 익은 것 같다'는 외부 원인에 의해서 행위를 하지 못하는 것이므로 '못'의 사용이 가능하다. ㉡의 '못'을 '안'으로 바꿀 경우 '이가 아파'도 먹을 수 있지만 주체의 의지에 의해 먹지 않는 것으로 해석이 가능하다.

**07** 사과가 익지 않은 것 같아서 먹지 않는다.

정답 해설

㉠은 짧은 부정문에 해당한다. 따라서 긴 부정문으로 바꾸려면 '안 익은'과 '안 먹는다'를 '-지 아니하다'를 사용해야 한다. 이렇게 하여 긴 부정문으로 바꾸면, '사과가 익지 않은 것 같아서 먹지 않는다.'가 된다.

**08** ①

정답 해설

'안'과 '못' 부정문은 명령문과 청유문을 제외하고는 어느 종류의 문장에서나 사용이 가능하다.

오답 체크

② '영희는 *못 예쁘다.'와 '영희는 예쁘지 *못하다.'에서처럼 형용사가 서술어로 쓰일 때는 '못' 부정문을 사용할 수 없기 때문에 사용하지 않는 것이 원칙이다.

③ 서술어가 의도를 뜻하는 어미가 사용된 경우는 '못'을 함께 쓰지 못한다.

④ 서술어인 용언이 파생어이면 일반적으로 긴 부정문이 자연스럽다.

⑤ '공부하다'처럼 '체언+하다'로 된 동사가 서술어로 쓰일 때에는 '안 공부하다'로는 쓰이지 않고 '공부 안 하다'의 형태로 쓰인다.

**09** ④

정답 해설

'안' 부정문을 사용할 수 없는 문장은 명령문과 청유문이다. 따라서 명령문인 ㉢과 청유문인 ㉣에서 부정 부사 '안'을 사용할 수 없다. 평서문, 의문문, 감탄문에서는 사용이 가능하다.

**10** ㉢, ㉣ / 로제를 만나지 마라., 로제를 만나지 말자.

정답 해설

'안' 부정문이 만들어지지 않는 문장은 ㉢과 ㉣이다. ㉢은 명령문이고, ㉣은 청유문인데, 이렇게 명령문이나 청유문에서는 '안' 부정문과 '못' 부정문을 쓰지 않고 '말다'를 사용하여 다음과 같이 부정문을 만든다. '로제를 만나지 마라.' '로제를 만나지 말자.'

## 모의고사

본문 63~67쪽

| 01 ① | 02 ⑤ | 03 ④ | 04 ④ | 05 ② |
|---|---|---|---|---|
| 06 ③ | 07 ④ | 08 ⑤ | 09 ④ | 10 ④ |
| 11 ④ | 12 ② | 13 ⑤ | 14 ② | 15 ② |
| 16 ② | 17 ④ | 18 ③ | 19 ① | 20 ③ |

### 01 ①

정답 해설

'주동'은 주어가 스스로 행동하는 것을 뜻하고 '사동'은 남에게 하게 시키거나 힘을 미치는 것을 의미한다. '능동'은 주어가 제힘으로 행동하는 것을 뜻하고 '피동'은 남의 행동을 입는 것을 의미한다.

### 02 ⑤

정답 해설

'낮다'의 사동사는 사동 접미사 '-추-'가 붙어서 만들어진 '낮추다'이다.

오답 체크

① '숨다'의 사동사는 사동 접미사 '-기-'가 붙어서 만들어진 '숨기다'이다.

② '넓다'의 사동사는 사동 접미사 '-히-'가 붙어서 만들어진 '넓히다'이다.

③ '돌다'의 사동사는 사동 접미사 '-리-'가 붙어서 만들어진 '돌리다'이다.

④ '비다'의 사동사는 사동 접미사 '-우-'가 붙어서 만들어진 '비우다'이다.

### 03 ④

정답 해설

〈보기〉의 표현에 근거하여 볼 때, 동작이 일어나게 한 사람을 알 수 없거나 밝힐 필요가 없을 때 피동 표현을 사용하는 것이 효과적이다.

오답 체크

① 행동의 주체를 강조하고 싶을 때는 사동 표현을 사용하는 것이 효과적이다.

② 동작의 대상을 강조하고 싶을 때는 피동 표현을 사용하는 것이 효과적이다.

③ 동작의 주체를 밝히려 하지 않을 때는 피동 표현을 사용하는 것이 효과적이다.

⑤ 사건의 결과가 외적인 원인에 의해 발생한 것임을 나타내고 싶을 때는 사동 표현을 사용하는 것이 효과적이다.

### 04 ④

정답 해설

능동문인 ㉢은 능력 부정이 맞지만, 피동문인 ㉣은 능력 부정이 아니고 가능성 부정이다. 따라서 둘 다 능력 부정으로 해석된다는 설명은 적절하지 않다.

오답 체크

③ ㉡은 포수 열 명이 오직 토끼 한 마리만을 잡았다는 의미이지만, ㉠은 ㉡의 의미 외에 포수 열 명이 각각 토끼 한 마리씩 잡았다는 의미도 포함한다. 따라서 ㉠은 중의적인 의미로 해석된다.

⑤ ㉠의 목적어인 '토끼 한 마리를'은 ㉡에서 주어인 '토끼 한 마리가'로 바뀌고, ㉢의 목적어인 '문제를'은 ㉣에서 '문제는'으로 바뀐다.

### 05 ②

정답 해설

㉠은 주어 하나만을 필요로 하는 한 자리 서술어지만, ㉡은 주어와 목적어를 필요로 하는 두 자리 서술어이다.

오답 체크

① ㉠과 ㉡은 형태는 같지만 ㉠은 '들다'에 피동 접미사 '-리-'가 붙어서 만들어진 피동사이고, ㉡은 '들다'에 사동 접미사 '-리-'가 붙어서 만들어진 사동사이다.

③ ㉠은 주어 하나만을 필요로 하지만, ㉡은 주어 이외에 목적어 '수석을'을 필요로 한다.

④ ㉠과 ㉡의 기본형인 '들리다'는 모두 하나의 단어로 인정하여 사전에 등재된다.

⑤ ㉠은 '들다'에 피동 접미사 '-리-'가 붙어서 만들어진 것이고, ㉡은 '들다'에 사동 접미사 '-리-'가 붙어서 만들어진 것이다.

### 06 ③

정답 해설

제시된 글에서 사동 표현은 '느끼게 하는'으로 1개 나타난다. 피동 표현은 '시작되었구나', '보입니다', '예상됩니다', '덮여'로 4개 나타난다.

### 07 ④

정답 해설

제시된 글에서 첫 번째로 나오는 사동 표현은 '느끼게 하는'이다. 이 서술어가 문장에서 꼭 필요로 하는 문장 성분의 개수는 주어(생략)와 부사어(생략), 그리고 목적어(더위를)로 3개이다. 한편, 제시된 글에서 마지막으로 나오는 피동 표현은 '덮여'이다. 이 서술어가 문장에서 꼭 필요로 하는 문장 성분의 개수는 주어(우리나라는)와 부사어(구름으로)로 2개이다.

**08** ⑤

정답 해설

사건의 결과가 외적인 원인에 의해 발생한 것임을 나타낼 때는 사동 표현을 사용하는 것이 효과적이다.

오답 체크

동작의 주체를 모를 때, 동작의 주체를 밝히지 않으려 할 때, 동작을 당하는 주어에 초점을 두고자 할 때, 그리고 객관적인 느낌을 주거나 책임을 회피하려 할 때는 피동 표현을 사용하는 것이 효과적이다.

**09** ④

정답 해설

'그는 사람들을 곧잘 웃기곤 하였다.'에서처럼 '웃기다'는 사동사로만 사용된다.

오답 체크

① '도둑이 경찰에게 잡히다.'와 '아이에게 연필을 잡히다.'에서처럼 '잡히다'는 피동사와 사동사로 모두 사용된다.

② '아이가 엄마 등에 업히다.'와 '할머니에게 아이를 업히다.'에서처럼 '업히다'는 피동사와 사동사로 모두 사용된다.

③ '사나운 개에게 팔을 물리다.'와 '어머니가 아기에게 젖을 물리다.'에서처럼 '물리다'는 피동사와 사동사로 모두 사용된다.

⑤ '모기에게 피를 빨리다.'와 '아기에게 젖을 빨리다.'에서처럼 '빨리다'는 피동사와 사동사로 모두 사용된다.

**10** ④

정답 해설

㉡의 서술어인 '맡겼다'는 ㉠의 서술어인 '맡았다'의 어간에 사동 접미사 '-기-'가 붙어서 만들어진 것이기 때문에 적절한 설명이다.

오답 체크

① ㉠의 주어인 '1중대장이'는 ㉡에서 부사어인 '1중대장에게'로 바뀐다.

② ㉡에는 ㉠에 없던 새로운 주어인 '대대장님은'이 나타난다. '작전은'에 '은'이 붙어 있다고 하여 주어로 착각하면 안된다. '작전은'은 문맥상으로 보면 목적격 조사가 붙어 있지는 않지만 목적어에 해당한다.

③ ㉠의 문장에서 의미상 목적어인 '작전은'은 ㉡에서도 변함없이 그대로 목적어로 사용된다.

⑤ ㉠의 서술어인 '맡았다'는 주어(1중대장이)와 목적어(작전은)를 필요로 하는 두 자리 서술어이고, ㉡의 서술어인 '맡겼다'는 주어(대대장님은)와 목적어(작전은), 그리고 부사어(1중대장에게)를 필요로 하는 세 자리 서술어이다.

**11** ④

정답 해설

㉠의 '보여 주었다'는 주어(그녀는), 목적어(보석 반지를), 부사어(나에게)를 필요로 하는 세 자리 서술어이고, ㉡의 '보인다'는 주어(하늘이)만을 필요로 하는 한 자리 서술어이다.

오답 체크

① ㉠의 '보여'는 '보다'의 어근에 사동 접미사 '-이-'가 붙어서 만들어진 사동 표현이다.

② ㉡의 '보인다'는 '보다'의 어근에 피동 접미사 '-이-'가 붙어서 만들어진 피동 표현이다.

③ ㉠과 ㉡의 기본형인 '보이다'는 하나의 단어로 인정하여 사전에 등재된다.

⑤ ㉠의 '보여'와 ㉡의 '보인다'는 모두 '보다'의 어근에 접미사 '-이-'가 붙어서 만들어진 것이다.

**12** ②

정답 해설

'만졌다'에는 피동 접미사가 결합하지 못하기 때문에 짧은 피동을 만들 수가 없다. 이렇게 단어들 중에는 짧은 피동을 만들 수 없는 단어들이 있다.

오답 체크

① '끊었다'는 피동 접미사 '-기-'가 붙어서 '끊겼다'와 같이 짧은 피동을 만들 수 있다.

③ '불렀다'는 피동 접미사 '-리-'가 붙어서 '불렸다'와 같이 짧은 피동을 만들 수 있다.

④ '묻었다'는 피동 접미사 '-히-'가 붙어서 '묻혔다'와 같이 짧은 피동을 만들 수 있다.

⑤ '담았다'는 피동 접미사 '-기-'가 붙어서 '담겼다'와 같이 짧은 피동을 만들 수 있다.

**13** ⑤

정답 해설

㉠의 피동문은 '영감님이 마을 사람들에게 '혹부리 영감'이라고 불렸습니다.'이다. 여기서 서술어인 '불렸습니다'는 주어(영감님이), 부사어(마을 사람들에게), 부사어('혹부리 영감'이라고)를 필요로 하는 세 자리 서술어이다.

오답 체크

① ㉠의 주어인 '마을 사람들은'은 피동문에서 부사어인 '마을 사람들에게'로 바뀐다.

② ㉠의 목적어인 '영감님을'은 피동문에서 주어인 '영감님이'로 바뀐다.

③ ㉠의 부사어인 '혹부리 영감이라고'는 피동문에서도 변함없이 부사어로 나타난다.

④ ㉠의 서술어인 '불렀습니다'는 주어(마을 사람들은), 목적어(영감님을), 부사어('혹부리 영감'이라고)를 필요로 하는 세 자리 서술어이다.

**14** ②

정답 해설

부정문에서 짧은 부정문을 긴 부정문으로 바꾸거나 긴 부정문을 짧은 부정문으로 바꾸더라도 의미상의 변화는 없다.

오답 체크

① '내려오다'에 '-지 못하다'를 붙여서 만든 긴 부정문에 해당한다.

③ '못' 부정문이든 '안' 부정문이든 명령문이나 청유문으로는 사용이 불가하다.

④ '못' 부정문은 주체의 능력이 부족하거나 외부의 원인 때문에 그 행위가 일어나지 못하는 것을 뜻하고, '안' 부정문은 주체의 의지로 행위가 일어나지 않는 것을 뜻한다. 따라서 '안'을 사용한 부정문으로 바꿀 때, 의미가 달라진다는 설명은 적절하다.

⑤ '날이 금세 어두워지는 바람에'라는 것이 '영감님'이 산에서 내려오지 못한 것의 외부 원인이라고 할 수 있다.

**15** ②

정답 해설

㉣을 사동문으로 바꾸면, '영감님이 도깨비들을 속인' 것이 되기 때문에 원래 표현과 달리 '영감님'의 의도가 강해진다. '영감님'이 속일 목적으로 노래를 부른 것이 아니기 때문에 사동문으로 바꾸면 원래의 의도와 달라지게 되어 어색한 문장이 된다.

오답 체크

① ㉢을 사동문으로 바꾸면, '영감님이 그 노랫소리를 도깨비들에게 듣게 했습니다.'가 되기 때문에 원래의 표현에서 멀어지게 된다. 영감님은 무서움은 떨치려고 노래를 불렀다고 했으므로 ㉢을 사동문으로 바꾸면 어색한 문장이 된다.

③ ㉢의 서술어인 '불렀습니다'는 주어(도깨비들이)와 목적어(노랫소리를)를 필요로 하는 두 자리 서술어이고, ㉣의 '속아'는 주어(도깨비들은)와 부사어(영감님에게)를 필요로 하는 두 자리 서술어이다.

④ ㉢을 파생적 사동문으로 바꾸면, '영감님이 그 노랫소리를 도깨비들에게 들렸습니다.'가 되고, 통사적 사동문으로 바꾸면, '영감님이 그 노랫소리를 도깨비들에게 듣게 했습니다.'가 되기 때문에 두 가지 사동문으로 모두 바꿀 수 있다.

⑤ ㉣을 사동문으로 바꾸면, 원래 없던 주어가 새로 나타나는 것이 아니라 부사어였던 '영감님에게'가 주어인 '영감님이'로 바뀌게 되는 것이다.

**16** ②

정답 해설

㉠에는 파생적 사동문인 (b)가, ㉡에는 통사적 사동문인 (c)가, ㉢에는 '-지 아니하다'를 사용한 긴 부정문인 (d)가, ㉣에는 '-지 못하다'를 사용한 긴 부정문인 (e)가 들어가야 한다.

**17** ④

정답 해설

'나에게 거짓말을 해서는 안 된다.'는 부정 부사 '안'을 사용하여 만든 부정 표현으로 적절한 표현이다.

오답 체크

① '생각되어진다'는 이중 피동 표현으로 적절하지 않은 표현이다.

② '극복되어야 된다'는 불필요한 피동 표현으로 '극복해야 한다'로 고쳐야 한다.

③ '5만 원이 되겠습니다'는 불필요한 피동 표현으로 '5만 원입니다'로 고쳐야 한다.

⑤ '교육시켜'는 위탁교육일 경우는 가능하지만, 위탁교육이 아니기 때문에 '교육하여'로 고쳐야 한다.

**18** ③

정답 해설

피동 표현은 ⓐ'보여', ⓔ'먹히는', ⓕ'이루어졌네'이고, 사동 표현은 ⓑ'밝혀야겠다', ⓒ'숨기기도', ⓓ'재우네'이다.

**19** ①

정답 해설

민수의 첫 번째 대화에서 '아무것도 안 보여'의 '안'은 단순히 '캄캄해서 아무것도 안 보인다'는 사실을 부정하는 의미로 해석되는 상태 부정에 해당한다.

오답 체크

② 민수의 두 번째 대화에는 부정 표현이 없다.

③ 정혜의 두 번째 대화에는 부정 표현이 없다.

④ 정혜의 세 번째 대화에 나타나는 '가지 않을래?'는 '-지 아니하다'를 사용하여 만들어진 부정 표현이기는 하나, 수사 의문문으로 사용된 것이기 때문에 부정의 의미가 없다.

⑤ 민수의 네 번째 대화에는 부정 표현이 없다.

**20** ③

정답 해설

㉠의 주어인 '지우가'는 사동문에서 목적어(지우를)가 되지만, ㉢의 주어인 '동생이'는 사동문에서 부사어(동생에게)가 되었기 때문에 적절하지 않은 설명이다.

오답 체크

① ㉡은 '먹다'에 사동 접미사 '-이-'를 붙여서 사동문을 만들 수 있지만, '가다'에는 사동 접미사가 결합할 수 없다.

② ㉢의 사동문에서 사동 접미사 대신 '-게 하다'를 사용하여 사동문을 만들면, '옮기게 하다'가 되어 행동의 주체의 '인부들'과 어울리지 않는다. 즉, 인부들은 짐을 옮기는 사람들인데 인부들이 누군가를 짐을 옮기는 것을 시키는 것이 되어 어색한 문장이 된다.

④ ㉠의 사동문에서 '내가'와 ㉡의 사동문에서 '엄마가'는 주동문에는 없던 것이 새롭게 나타난 것이다.

⑤ ㉢의 사동문에 대응하는 주동문은 표에서 확인할 수 있듯이 없다. 주동문이 사동문으로 바뀔 때를 감안하여 역으로 사동문을 주동문으로 바꿔 봤지만 표에서와 같이 비문이 된다.

# 제5강 어문 규정과 어휘 유형

## 한글 맞춤법과 표준어 규정

본문 71~72쪽

| | | | | | | | |
|---|---|---|---|---|---|---|---|
| 01 | ⑤ | 02 | 해설 참조 | 03 | ① | 04 | ③ |
| 05 | 해설 참조 | 06 | ② | 07 | ④ | 08 | ② |
| 09 | ⑤ | 10 | 해설 참조 | | | | |

**01** ⑤

정답 해설

한글 맞춤법은 소리와 형태와 관련하여 우리말을 표기하는 규칙 전반을 다루고 있다. 또한 띄어쓰기와 문장 부호에 대해서도 나와 있다. 그리고 표준어 규정에는 표준어를 정하는 원칙과 표준 발음법과 관련한 내용이 담겨 있다. 방언에 대해서는 자세히 나와 있지 않다.

**02** 단어의 본래 형태를 밝혀 적는다는 뜻이다. 예를 들어 '옷이', '옷만', '옷장'은 각각 [오시], [온만], [옫짱]으로 발음된다. 하지만 소리대로 적지 않고 본래의 형태를 밝혀 '옷이', '옷만', '옷장'으로 적는다는 것이다.

정답 해설

한글 맞춤법 제4항에 나오는 '어법에 맞도록 함'은 뜻을 파악하기 쉽도록 각 형태소의 본모양을 밝혀 적는다는 말이다. '꽃'은 [꼬ㅊ], [꼰], [꼳]의 세 가지로 소리 나는 형태소이지만 그 본모양에 따라 '꽃' 한 가지로 적고, [꼬치], [꼰만], [꼳꽈]도 '꽃이, 꽃만, 꽃과'로 적게 된다.

**03** ①

정답 해설

'막어도'의 기본형은 '막다'이다. '막다'에 '-아도'가 붙어 '막아도'가 된다. 한글 맞춤법 제16항 "어간의 끝음절 모음이 'ㅏ, ㅗ'일 때에는 어미를 '-아'로 적고, 그 밖의 모음일 때에는 '-어'로 적는다." → 막다-막아 / 막았다, 보다-보아 / 보았다, 먹다-먹어 / 먹었다, 주다-주어 / 주었다

오답 체크

② 곰곰이: '여러모로 깊이 생각하는 모양'이라는 뜻이다. 한글 맞춤법 제25항 "'-하다'가 붙는 어근에 '-히'나 '-이'가 붙어서 부사가 되거나, 부사에 '-이'가 붙어서 뜻을 더하는 경우에는 그 어근이나 부사의 원형을 밝히어 적는다." → 부사에 '-이'가 붙어서 역시 부사가 되는 경우(곰곰이 / 더욱이 / 오뚝이 / 일찍이)

③ 갈랐다: '가르다(쪼개거나 나누어 따로따로 되게 하다)'의 과거형. 한글 맞춤법 제18항 "다음과 같은 용언들은 어미가 바뀔 경우, 그 어간이나 어미가 원칙에 벗어나면 벗어나는 대로 적는다." ⇨ 어간의 끝음절 '르'의 'ㅡ'가 줄고, 그 뒤에 오는 어미 '-아 / -어'가 '-라 / -러'로 바뀔 적(가르다-갈라 / 갈랐다)

④ 돼: '되다(다른 것으로 바뀌거나 변하다)'의 활용형. 되(다)-+-어〉되어〉돼. 한글 맞춤법 제35항 "모음 'ㅗ, ㅜ'로 끝난 어간에 '-아 / -어, -았- / -었-'이 어울려 'ㅘ / ㅝ, ㅘㅆ / ㅝㅆ'으로 될 적에는 준 대로 적는다." ⇨ 되다-되어(돼) / 되었다(됐다)

⑤ 생각지: '생각하다(사물을 헤아리고 판단하다)'의 활용형. 생각하(다)-+지〉생각하지〉생각지. 한글 맞춤법 제40항을 보면 어간의 끝음절 '하'가 아주 줄 적에는 준 대로 적는다고 나와 있다. ⇨ 거북하지(거북지), 넉넉하지 않다(넉넉지 않다), 생각하건대(생각건대), 섭섭하지 않다(섭섭지 않다), 깨끗하지 않다(깨끗지 않다), 익숙하지 않다(익숙지 않다)

**04** ③

정답 해설

'이따가'는 '조금 지난 뒤에.'라는 뜻이고, '있다가'는 '사람이나 동물이 어느 곳에서 떠나거나 벗어나지 아니하고 머물다.'라는 뜻의 '있다'의 활용형. 있(다)-+-다가(어떤 동작이나 상태 따위가 중단되고 다른 동작이나 상태로 바뀜을 나타내는 연결 어미). 한글 맞춤법 제57항 "다음 말들은 각각 구별하여 적는다." ⇨ 그러므로(그는 부지런하다. 그러므로 잘 산다.) / 그럼으로(써)(그는 열심히 공부한다. 그럼으로(써) 은혜에 보답한다.), 느리다(진도가 너무 느리다.) / 늘이다(고무줄을 늘인다.) / 늘리다(수출량을 더 늘린다.), 다리다(옷을 다린다.) / 달이다(약을 달인다.), 반드시(약속은 반드시 지켜라.) / 반듯이(고개를 반듯이 들어라.), 안치다(밥을 안친다.) / 앉히다(윗자리에 앉힌다.), 이따가(이따가 오너라.) / 있다가(돈은 있다가도 없다.), -(으)러(목적)(공부하러 간다.) / -(으)려(의도)(서울 가려 한다.), (으)로서(자격)(사람으로서 그럴 수는 없다.) / (으)로써(수단)(닭으로써 꿩을 대신했다.), -(으)므로(어미)(그가 나를 믿으므로 나도 그를 믿는다. / (-ㅁ, -음)으로(써)(조사)(그는 믿음으로(써) 산 보람을 느꼈다.)

오답 체크

① 반드시: 틀림없이 꼭.
반듯이: 작은 물체, 또는 생각이나 행동 따위가 비뚤어지거나 기울거나 굽지 아니하고 바르게.

② 로서: 지위나 신분 또는 자격을 나타내는 격 조사.
로써: 어떤 물건의 재료나 원료를 나타내는 격 조사. 어떤 일의 수단이나 도구를 나타내는 격 조사. 시간을 셈할 때 셈에 넣는 한계를 나타내거나 어떤 일의 기준이 되는 시간임을 나타내는 격 조사.

④ 늘이다: 본디보다 더 길어지게 하다.
늘리다: 물체의 넓이, 부피 따위를 본디보다 커지게 하다. 수나 분량 따위를 본디보다 많아지게 하거나 무게를 더 나가게 하다. 힘이나 기운, 세력 따위를 이전보다 큰 상태로 만들다.

⑤ 다리다: 옷이나 천 따위의 주름이나 구김을 펴고 줄을 세우기 위하여 다리미나 인두로 문지르다.
달이다: 액체 따위를 끓여서 진하게 만들다. 약재 따위에 물을 부어 우러나도록 끓이다.

**05** 용돈으로∨모은∨삼십삼만∨삼천∨원으로∨좋은∨샤프나∨볼펜∨등을∨여러∨개∨살∨수∨있을∨것∨같다.

정답 해설

한글 맞춤법에서는 문장의 각 단어는 띄어 씀을 원칙으로 한다.(제2항) 물론 조사는 예외이다.(용돈<u>으로</u>, 원<u>으로</u>, 샤프<u>나</u>, 등<u>을</u>) 쓴다. 의존 명사와 단위를 나타내는 명사는 띄어 쓴다.(제42항과 제43항, '∨원 / ∨개 / ∨수 / ∨것') 수는 만(萬) 단위로 띄어 쓴다.(제44항)

**06** ②

정답 해설

표준어는 한 나라 안에서 지역적으로나 사회적으로 여러 형태로 쓰이는 말을 단수 혹은 복수의 표준형으로 제시하여 그 나라 국민들의 효율적이고 통일된 의사소통을 위해 정한 것이다. 새로 만든 것이 아니라 '교양 있는 사람들이 두루 쓰는 현대 서울말'처럼 정한 것이다. 서울말을 표준어의 조건으로 한다는 이러한 규정을 어떤 지역어를 사용하면 안 된다는 뜻으로 오해하면 안 된다. 표준어는 공적인 상황에서 써야 할 말이지 지역 사람들끼리 편하게 대화하는 경우에까지 꼭 써야 하는 말은 아니다. 오히려 여러 지역어는 지역의 문화적 가치를 보존하는 소중한 자산이기도 하고 지역 사람들의 연대 의식을 강화하는 긍정적 기능을 하기도 한다.

**07** ④

정답 해설

보기는 '소고기'와 '쇠고기', '우레'와 '천둥' 따위의 복수 표준어를 가리킨다. '된통'은 '아주 몹시'라는 뜻을 가지고 있는데 같은 뜻의 복수 표준어로는 '되게'가 있다. 표준어 규정 제1부 제26항 "한 가지 의미를 나타내는 형태 몇 가지가 널리 쓰이며 표준어 규정에 맞으면, 그 모두를 표준어로 삼는다."

오답 체크

① 딴전, 딴청: 어떤 일을 하는 데 그 일과는 전혀 관계없는 일이나 행동.

② 깨뜨리다, 깨트리다: '깨다(단단한 물체를 쳐서 조각이 나게 하다. 일이나 상태 따위를 중간에서 어그러뜨리다.)'를 강조하여 이르는 말.

③ 동쪽, 동녘: 네 방위의 하나. 해가 떠오르는 쪽이다.

⑤ 관계없다, 상관없다: 서로 아무런 관련이 없다.

**08** ②

정답 해설

표준어 규정 제1부 제12항에 "'웃-' 및 '윗-'은 명사 '위'에 맞추어 '윗-'으로 통일한다."라고 나와 있다.(윗-넓이, 윗-눈썹, 윗-도리, 윗-몸, 윗-입술) 그리고 된소리나 거센소리 앞에서는 '위-'로 하고(위-쪽, 위-층, 위-팔), '아래, 위'의 대립이 없는 단어는 '웃-'으로 발음되는 형태를 표준어로 삼는다.(웃-돈, 웃-어른, 웃-옷)

**09** ⑤

정답 해설

'빚을'은 [비즐]로, '빛이'는 [비치]로, '빗을'은 [비슬]로 발음된다. 물론 '빚', '빛', '빗'은 모두 [빋]으로 발음된다. 표준어 규정 제2부 제8항에 "받침소리로는 'ㄱ, ㄴ, ㄷ, ㄹ, ㅁ, ㅂ, ㅇ'의 7개 자음만 발음한다."라고 나와 있다. 현대 국어의 표기법상으로는 일부 쌍자음을 제외한 대부분의 자음을 종성에 표기할 수 있지만 실제로 발음할 수 있는 것은 'ㄱ, ㄴ, ㄷ, ㄹ, ㅁ, ㅂ, ㅇ'의 7개 자음밖에 없다. 그래서 여기에 속하지 않는 자음이 종성에 놓일 때에는 이 7개 자음 중 하나로 바뀐다. 가령 'ㅋ, ㅌ, ㅍ'과 같은 홑받침이나 'ㄲ, ㅆ'과 같은 쌍받침은 각각 'ㄱ, ㄷ, ㅂ'과 'ㄱ, ㄷ'으로 바뀐다.

오답 체크

① 표준어 규정 제2부 제6항 "모음의 장단을 구별하여 발음하되, 단어의 첫음절에서만 긴소리가 나타나는 것을 원칙으로 한다." ⇨ 눈보라[눈ː보라], 말씨[말ː씨], 밤나무[밤ː나무], 많다[만ː타], 멀리[멀ː리], 벌리다[벌ː리다] / 첫눈[천눈], 참말[참말], 쌍동밤[쌍동밤], 수많이[수ː마니], 눈멀다[눈멀다], 떠벌리다[떠벌리다]

② 표준어 규정 제2부 제30항 "사이시옷이 붙은 단어는 다음과 같이 발음한다." ⇨ 'ㄱ, ㄷ, ㅂ, ㅅ, ㅈ'으로 시작하는 단어 앞에 사이시옷이 올 때에는 이들 자음만을 된소리로 발음하는 것을 원칙으로 하되, 사이시옷을 [ㄷ]으로 발음하는 것도 허용한다.(냇가[내ː까 / 낻ː까], 콧등[코뜽 / 콛뜽], 깃발[기빨 / 긷빨], 햇살[해쌀 / 핻쌀], 고갯짓[고개찓 / 고갣찓])

③ 표준어 규정 제2부 제17항 "받침 'ㄷ, ㅌ(ㄾ)'이 조사나 접미사의 모음 'ㅣ'와 결합되는 경우에는, [ㅈ, ㅊ]으로 바꾸어서 뒤 음절 첫소리로 옮겨 발음한다." ⇨ 곧이듣다[고지듣따], 굳이[구지], 미닫이[미ː다지], 땀받이[땀바지], 밭이[바치], 벼훑이[벼훌치]

④ 표준어 규정 제2부 제23항 "받침 'ㄱ(ㄲ, ㅋ, ㄳ, ㄺ), ㄷ(ㅅ, ㅆ, ㅈ, ㅊ, ㅌ), ㅂ(ㅍ, ㄼ, ㄿ, ㅄ)' 뒤에 연결되는 'ㄱ, ㄷ, ㅂ, ㅅ, ㅈ'은 된소리로 발음한다." ⇨ 국밥[국빱], 깎다[깍따], 삯돈[삭똔], 닭장[닥짱], 뻗대다[뻗때다], 옷고름[옫꼬름], 꽂고[꼳꼬], 꽃다발[꼳따발], 밭갈이[받까리], 곱돌[곱똘], 덮개[덥깨], 넓죽하다[넙쭈카다], 읊조리다[읍쪼리다], 값지다[갑찌다]

**10** [익찌], [익따가], [일꼬], [일거라]

정답 해설

표준어 규정 제2부 제11항에 "겹받침 'ㄺ, ㄻ, ㄿ'은 어말 또는 자음 앞에서 각각 [ㄱ, ㅁ, ㅂ]으로 발음한다."라고 나와 있다. ⇨ 닭[닥], 흙과[흑꽈], 맑다[막따], 늙지[늑찌], 삶[삼ː], 젊다[점ː따], 읊고[읍꼬], 읊다[읍따]. 다만, 용언의 어간 말음 'ㄺ'은 'ㄱ' 앞에서 [ㄹ]로 발음한다.(맑게[말께], 묽고[물꼬], 얽거나[얼꺼나]) 용언 어간의 겹받침 'ㄺ'은 'ㄱ' 앞에서 앞 자음 'ㄹ'이 탈락하는 대신 뒤 자음 'ㄱ'이 탈락하여 [ㄹ]로 발음된다. 그래서 'ㄺ'으로 끝나는 어간 뒤에 '-고, -거나, -거든' 등과 같은 어미가 결합하는 경우에는 'ㄺ'을 [ㄹ]로 발음한다. 이것은 용언의 활용형뿐만 아니라 '긁개[글깨], 밝기[발끼]'와 같은 파생어에도 그대로 적용된다.

## 외래어 표기법과 국어의 로마자 표기법

본문 73~75쪽

| | | | |
|---|---|---|---|
| **01** ③ | **02** 해설 참조 | **03** ④ | **04** ④ |
| **05** ① | **06** ② | **07** 해설 참조 | **08** ⑤ |
| **09** ⑤ | **10** 해설 참조 | | |

**01** ③

정답 해설

외래어 표기법에서는 외국어 소리를 적기 위해 국어의 자모 이외에는 별도의 문자를 사용하지 않는다.

오답 체크

① 외래어 표기법은 '제1장 표기의 기본 원칙, 제2장 표기 일람표, 제3장 표기 세칙, 제4장 인명, 지명 표기의 원칙, 부칙'으로 이루어져 있다.

② 외래어(외국에서 들어온 말로 국어에서 널리 쓰이는 단어)는 고유어와 한자어와 함께 우리말의 한 가지이다. 그런데 외국에서 들어오는 말이 늘면서 자연스럽게 외래어도 늘고 있다.

④ 외래어 표기법은 외래어를 한글로 표기하는 방법과 관련한 어문 규정이다.

⑤ 외래어 표기법 제1장 제1항에 "외래어는 국어의 현용 24 자모만으로 적는다."라고 나와 있다. 여기서 말하는 '24 자모란 자음 14개('ㄱ, ㄴ, ㄷ, ㄹ, ㅁ, ㅂ, ㅅ, ㅇ, ㅈ, ㅊ, ㅋ, ㅌ, ㅍ, ㅎ')와 모음 10개('ㅏ, ㅑ, ㅓ, ㅕ, ㅗ, ㅛ, ㅜ, ㅠ, ㅡ, ㅣ')를 가리킨다. 이 조항의 핵심은 [f, v, ʃ, ʧ, ɔ, ɵ]와 같이 국어에 없는 외국어 소리를 적기 위해 별도의 문자를 만들면 외래어를 표기할 때 무척 복잡해질 수 있음을 이야기하는 것이다. 그렇기 때문에 24 자모를 기본으로 하되 이 자모로 적을 수 없는 소리는 두 개 이상의 자모를 어울러서 적을 수도 있는 것이다. 한글 맞춤법 제4항에 "한글 자모의 수는 스물넉 자로 하고"라는 규정을 보면 기본 자모는 24이나 붙임 규정에 따르면 24 자모로써 적을 수 없는 소리는 두 개 이상의 자모를 어울러서 적는다고 밝히고 있다.

**02** 외래어의 1 음운은 원칙적으로 1 기호로 적는다.

정답 해설

보기의 내용은 외래어 표기법 제1장 제2항의 1 음운 1 기호 원칙과 관련이 있다. 외래어를 좀 더 편하게 표기하기 위한 규정 가운데 하나이다.

**03** ④

정답 해설

외래어 표기법 제3장 제1절 제1항에 따르면, 짧은 모음 다음의 어말 무성 파열음 [p, t, k]는 받침으로 적는다. 그렇지 않은 경우는 '으'를 붙인다. → 케이크(cake[keɪk]), 비프(beef[biːf]), 바이크(bike[baɪk]), 노트(note[noʊt], 큐브(cube[[kjuːb]) 또한 외래어 표기법 제1장 제3항에 "받침에는 'ㄱ, ㄴ, ㄹ, ㅁ, ㅂ, ㅅ, ㅇ'만을 쓴다."라고 나와 있다. 카페트(×),카펜(×),카펱(×). 케익(×), 케잌(×).

**04** ④

정답 해설

외래어 표기법 제3장 제1절 제3항에 따르면 [ʃ]가 모음 앞에 올 때에는 모두 '시'로 적는데, 실제로는 뒤에 나오는 모음과 합쳐져서 '샤, 섀, 셔, 셰, 쇼, 슈, 시' 등으로 적게 된다. 예를 들어 'sharp[ʃaːp](샤프)'의 [ʃa] 소리는 '시+아'이므로 '샤'로 적고, 'shopping[ʃɔpɪŋ](쇼핑)'의 [ʃɔ] 소리는 '시+오'이므로 '쇼'로 적는다. 다만 [ʃi]는 '시+이'의 결합이지만 장모음을 따로 적지 않는다는 원칙에 따라 '시이'가 아니라 '시'로 적는다. 자음 앞이나 어말에 [ʃ] 소리가 나올 때에는 좀 더 복잡한데, 영어의 경우는 자음 앞에서는 '슈'로, 어말에서는 '시'로 적는다. 따라서 'shrimp[ʃrɪmp]'는 '슈림프'로, 'flash[flæʃ]'는 '플래시'로 적는다.

**05** ①

정답 해설

외래어 표기법 제1장 제4항에 "파열음 표기에는 된소리를 쓰지 않는 것을 원칙으로 한다."라고 나와 있다. 무성 파열음 [p, t, k]는 영어와 독일어에서는 'ㅍ, ㅌ, ㅋ'에 가깝게 들리고, 프랑스어나 러시아어에서는 'ㅃ, ㄸ, ㄲ'에 가깝게 들린다. 그래서 어떤 경우에는 된소리로, 어떤 경우에는 거센소리로 적으면 혼란스러울 수 있어 파열음 표기에 'bus-버스'처럼 된소리를 쓰지 않는 것을 원칙으로 한다.

오답 체크

② 외래어 표기법 제1장 제5항 "이미 굳어진 외래어는 관용을 존중하되, 그 범위와 용례는 따로 정한다."

③ 외래어 표기법 제1장 제3항 "받침에는 'ㄱ, ㄴ, ㄹ, ㅁ, ㅂ, ㅅ, ㅇ'만을 쓴다."

④ 외래어 표기법 제2장 표기 일람표에 따르면 발음 [æ]는 'ㅐ'로 표기한다. 발음 [e], [ɛ]는 'ㅔ'로 표기한다.(호텔, 펜)

⑤ '자장면'은 중국에서 온 외래어이다. 중국어로는 '炸튀기다 작醬된장 장麵밀가루 면'이라고 쓰고 [zhajiangmian]으로 발음한다.

중국어 발음 [zh]는 혀를 말아 내는 소리로 한글로 표기할 수 없는 발음이다. 비교적 'ㅈ'에 가까워 '자장면'으로 표기를 통일하였다. 하지만 '짜장면'이라고 말하고 쓰는 사람들이 대부분이어서 '짜장면'도 표준어로 인정하여(2011년 8월 31일 국립국어원) 지금은 '자장면'과 '짜장면'을 모두 사용하고 있다.

**06** ②

정답 해설

'짬뽕'은 중국 음식이지만 '짬뽕'이라는 말은 일본어 'ちゃんぽん[champon]'에서 비롯된 외래어이다. 우리말인 '짬뽕'을 외국인이 읽을 수 있도록 하려면 국어의 로마자 표기법 제2장 제1, 2항의 모음과 자음 표기 일람에 맞게 표기하면 된다. 'ㅉ'은 'jj'이고 'ㅃ'은 'pp'이다.

**07** Hunminjeongeum

| 한글 | ㅎ | ㅜ | ㄴ | ㅁ | ㅣ | ㄴ | ㅈ | ㅓ | ㅇ | ㅡ | ㅁ |
|---|---|---|---|---|---|---|---|---|---|---|---|
| 로마자 | H | u | n | m | i | n | j | eo | ng | eu | m |

정답 해설

국어의 로마자 표기법 제1장 제1항 "국어의 로마자 표기는 국어의 표준 발음법에 따라 적는 것을 원칙으로 한다." 그리고 제2항에서는 1 음운 1 기호의 대응을 원칙으로 한다. 국어의 로마자 표기법 제2장 제1, 2항의 모음과 자음 표기 일람대로 표기하면 된다. 음운의 변화가 일어날 때에는 그 결과를 반영하여 표기하는데, '훈민정음'에는 음운의 변화가 일어나지 않는다.

-모음 일람표

| ㅏ | ㅑ | ㅓ | ㅕ | ㅗ | ㅛ | ㅜ | ㅠ | ㅡ | ㅣ | ㅐ |
|---|---|---|---|---|---|---|---|---|---|---|
| a | ya | eo | yeo | o | yo | u | yu | eu | i | ae |
| ㅒ | ㅔ | ㅖ | ㅚ | ㅟ | ㅢ | ㅘ | ㅝ | ㅙ | ㅞ | |
| yae | e | ye | oe | wi | ui | wa | wo | wae | we | |

-자음 일람표

| ㄱ | ㄴ | ㄷ | ㄹ | ㅁ | ㅂ | ㅅ | ㅇ | ㅈ | ㅊ |
|---|---|---|---|---|---|---|---|---|---|
| g / k | n | d / t | r / l | m | b / p | s | ng | j | ch |
| ㅋ | ㅌ | ㅍ | ㅎ | ㄲ | ㄸ | ㅃ | ㅆ | ㅉ | |
| k | t | p | h | kk | tt | pp | ss | jj | |

**08** ⑤

정답 해설

'구리'와 '칠곡'에는 모두 음운의 변화가 일어나지 않는다. 그러므로 국어의 로마자 표기법 제2장 제1, 2항의 모음과 자음 표기 일람대로 표기하면 된다.

오답 체크

① 국어의 로마자 표기법 제1장 제2항 "로마자 이외의 부호는 되도록 사용하지 않는다."

②, ③ 국어의 로마자 표기법 제2장 제2항에 따르면 'ㄱ, ㄷ, ㅂ'은 모음 앞에서는 'g, d, b'로, 자음 앞이나 어말에서는 'k, t, p'로 적는다. 그리고 'ㄹ'은 모음 앞에서는 'r'로, 자음 앞이나 어말에서는 'l'로 적는다.

④ 국어의 로마자 표기법 제2장 제1항의 모음 표기 일람에 따른다.

**09** ⑤

정답 해설

'답십리로 1길'의 발음은 [답씸니로 일길]이다. '답'의 받침 'ㅂ'은 7개의 대표 소리 가운데 하나로 그대로 발음되고, '십'의 'ㅂ'은 음운의 변화에 따라 'ㅁ'으로 발음된다. 그래서 'ㅂ'은 국어의 로마자 표기법 제2장 제2항에 따라 'p'로 표기하고 'ㅁ'은 'm'으로 표기한다. ⑤의 7개의 대표 소리('ㄱ, ㄴ, ㄷ, ㄹ, ㅁ, ㅂ, ㅇ')로 바뀌어 표기하는 것은 맞지만 '답십리로 1길' 표기와는 관련이 없다.

오답 체크

① 국어의 로마자 표기법 제1장 제1항에 "국어의 로마자 표기는 국어의 표준 발음법에 따라 적는 것을 원칙으로 한다." 라고 나와 있다. 기본적으로 국어의 발음대로 로마자로 옮겨 적는데, 경음화는 국어의 로마자 표기법에 반영하지 않는다. 따라서 '-십[씸]-'은 'ssim'으로 표기하지 않고 'sim'으로 표기한다.

② 국어의 로마자 표기법 제3장 제5항에 따르면 '도, 시, 군, 구, 읍, 면, 리, 동'의 행정 구역 단위와 '가'는 각각 'do, si, gun, gu, eup, myeon, ri, dong, ga'로 적고, 그 앞에는 붙임표(-)를 넣는다. 붙임표(-) 앞뒤에서 일어나는 음운 변화는 표기에 반영하지 않는다.

③ [답씸니로 일길]에서 [-씸니-]에 음운의 변화가 나타난다. 표준어 규정 제2부 제18항 "받침 'ㅁ, ㅇ' 뒤에 연결되는 'ㄹ'은 [ㄴ]으로 발음한다." 국어의 로마자 표기법 제3장 제1항에 음운 변화가 일어날 때에는 변화의 결과를 반영한다고 나와 있다.

④ '1길'은 '1(il)-gil'처럼 숫자로도 표기하고 친절하게 괄호에 그 발음도 표기하고 있다.

**10** Jeollabuk-do, '전라북도'는 '[절라북또]'로 발음한다. '[절라-]'는 자음 사이에 동화 작용이 일어난 것인데 로마자 표기에서는 이를

반영한다. 그런데 '[-북또]'와 같은 경음화는 로마자 표기에 반영하지 않는다.

정답 해설

국어의 로마자 표기법 제2장 제2항에 따르면 'ㄹ'은 모음 앞에서는 'r'로, 자음 앞이나 어말에서는 'l'로 적는데 단 'ㄹㄹ'은 'll'로 적는다. 그래서 '전라'는 'Jeolla'로 표기한다. 그리고 국어의 로마자 표기법 제3장 제5항에 따르면 '도, 시, 군, 구, 읍, 면, 리, 동'의 행정 구역 단위와 '가'는 각각 'do, si, gun, gu, eup, myeon, ri, dong, ga'로 적고, 그 앞에는 붙임표(-)를 넣는다. 붙임표(-) 앞뒤에서 일어나는 음운 변화는 표기에 반영하지 않는다. 그래서 '북도'는 'buk-do'로 표기한다. 물론 그것이 아니어도 국어의 로마자 표기법 제1장 제1항에 따르면 기본적으로 국어의 발음대로 로마자로 옮겨 적는데, 경음화는 국어의 로마자 표기법에 반영하지 않는다.

## 어휘의 유형

본문 76~77쪽

| | | | |
|---|---|---|---|
| 01 ④ | 02 ③ | 03 ⑤ | 04 해설 참조 |
| 05 ④ | 06 해설 참조 | 07 ① | 08 ② |
| 09 ① | 10 해설 참조 | | |

### 01 ④

정답 해설

보기에 쓰인 '죽다'는 '생명이 없어지거나 끊어지다'(중심적 의미)라는 뜻이다. ④도 이 '죽다'라는 단어와 같은 단어로, 뜻만 조금 다를 뿐이다. 다의 관계에 놓여 있는 다의어이다.

### 02 ③

정답 해설

관용어는 두 개 이상의 단어로 이루어져 있으면서 그 단어들의 의미만으로는 전체의 의미를 알 수 없는, 특수한 의미를 나타내는 어구(語句)이다. '발이 넓다'는 '사귀어 아는 사람이 많아 활동하는 범위가 넓다'라는 뜻으로 관용적으로 쓰일 수 있다. 예를 들어 '그 사람은 그쪽 방면으로 발이 넓어 네가 도움을 받을 수 있을 거다.'에서 밑줄 친 '발이 넓어'는 관용어라 할 수 있다. 하지만 ③의 '발이 넓어'는 이러한 관용 표현이 아니라 '발이 크다'라는 뜻으로 쓰이고 있다.

오답 체크

① 발(을) 디딜 틈이 없다: 복작거리어 혼잡스럽다.
② 발(을) 뻗고[펴고] 자다: 마음 놓고 편히 자다.
④ 발이 떨어지지 않다: 애착, 미련, 근심, 걱정 따위로 마음이 놓이지 아니하여 선뜻 떠날 수가 없다.
⑤ 발에 채다[차이다]: 여기저기 흔하게 널려 있다.

### 03 ⑤

정답 해설

관용어는 형태가 굳어진 말이다. 그래서 단어의 순서를 바꾸거나 있던 말을 빼거나 다른 말을 덧붙이면 의미가 달라질 수 있다. '코를 납작하게 만들다'는 '기를 죽이다'는 뜻의 관용어이다.

오답 체크

① 미역국(을) 먹다: 시험에서 떨어지다.
② 배가 등에 붙다: 먹은 것이 없어서 배가 홀쭉하고 몹시 허기지다
③ 비행기(를) 태우다: 남을 지나치게 칭찬하거나 높이 추어올려 주다.

④ 말(도)[말(을)] 마라: 어떤 사실이 보통 이상임을 상대편에게 강조하여 이르는 말.

**04** 까마귀 날자 배 떨어진(떨어진다)

정답 해설

'까마귀 날자 배 떨어진다'는 아무 관계 없이 한 일이 공교롭게도 때가 같아 어떤 관계가 있는 것처럼 의심을 받게 됨을 비유적으로 이르는 속담이다.

**05** ④

정답 해설

'모난 돌이 정 맞는다'는 두각을 나타내는 사람이 남에게 미움을 받게 된다는 속담이고, '물이 너무 맑으면 고기가 아니 모인다[산다]'는 사람이 지나치게 결백하면 남이 따르지 않음을 비유적으로 이르는 속담이다.

오답 체크

① '가는 말이 고와야 오는 말이 곱다'는 자기가 남에게 말이나 행동을 좋게 하여야 남도 자기에게 좋게 한다는 속담이고, '엑 하면 떽 한다'도 자기가 남에게 말이나 행동을 좋게 하여야 남도 자기에게 좋게 한다는 속담이다. '엑(에기)'은 마음에 마땅치 않거나 무엇에 싫증이 나서 그만둘 때 내는 소리이고 '떽(떼기)'은 자기보다 어린 사람을 혼내는 소리이다.

② '아는 길도 물어 가랬다'와 '돌다리도 두들겨 보고 건너라'는 잘 아는 일이라도 세심하게 주의를 하라는 속담이다.

③ '낮말은 새가 듣고 밤말은 쥐가 듣는다'는 아무도 안 듣는 데서라도 말조심해야 한다는 속담이고, '벽에도 귀가 있다'는 비밀은 없기 때문에 경솔히 말하지 말 것을 비유적으로 이르는 속담이다.

⑤ '바다는 메워도 사람의 욕심은 못 채운다'는 아무리 넓고 깊은 바다라도 메울 수는 있지만, 사람의 욕심은 끝이 없어 메울 수 없다는 뜻으로, 사람의 욕심이 한이 없음을 비유적으로 이르는 속담이고, '말 타면 경마 잡히고 싶다'는 사람의 욕심이란 한이 없다는 뜻의 속담이다. '경마'는 남이 탄 말의 고삐를 잡고 말을 모는 일을 가리킨다.

**06** ㉠: 금기어, ㉡: 완곡어, 두려움이나 불쾌함을 피하려고 부드럽게 바꾼 것이다.

정답 해설

관습, 신앙, 질병, 배설 따위와 관련하여 마음에 꺼려서 하지 않거나 피하는 말을 금기어라고 한다. '천연두'는 이 질병에 대한 두려움으로 이를 가리키는 이름을 '마마'나 '손님'과 같이 높이고 있고, '후진국'은 이 단어가 주는 불쾌함을 없애려고 '개발도상국'으로 완곡하게 표현하고 있다.

**07** ①

정답 해설

다의어에서 한 단어의 여러 의미 가운데 가장 기본적이고 핵심적인 의미를 '중심적 의미'라고 부른다. 사전에서 1번 자리를 차지한다. 그리고 중심적 의미가 확장하여 달라진 의미를 '주변적 의미'라고 부르는데, 사전에서 2번부터가 주변적 의미이다. '손'의 중심적 의미는 '사람의 팔목 끝에 달린 부분'으로, 손등, 손바닥, 손목으로 나뉘며 그 끝에 다섯 개의 손가락이 있어 무엇을 만지거나 잡거나 하는 데 쓰이는 신체의 한 부분을 가리킨다. ①의 '손'이 이러한 뜻으로 쓰이고 있다. 나머지는 주변적 의미이다.

오답 체크

② 손: 5. 어떤 사람의 영향력이나 권한이 미치는 범위.

③ 손: 3. 일을 하는 사람.

④ 손: 2. 손끝의 다섯 개로 갈라진 부분. 또는 그것 하나하나.

⑤ 손: 4. 어떤 일을 하는 데 드는 사람의 힘이나 노력, 기술.

**08** ②

정답 해설

②의 '먹다'는 '귀나 코가 막혀서 제 기능을 하지 못하게 되다'는 뜻이고, 나머지 '먹다'는 '음식 따위를 입을 통하여 배 속에 들여보내다'는 뜻과 관련이 있는 다의어이다.

오답 체크

① '먹다'의 중심적 의미

③ 주변적 의미: 14. 매 따위를 맞다.

④ 주변적 의미: 6. 겁, 충격 따위를 느끼게 되다.

⑤ 주변적 의미: 5. 일정한 나이에 이르거나 나이를 더하다.

**09** ①

정답 해설

㉠ 벌: 벌목의 곤충 가운데 개미류를 제외한 곤충을 통틀어 이르는 말. ㉡ 벌: 잘못하거나 죄를 지은 사람에게 주는 고통. ㉠과 ㉡은 우연히 소리만 같고 의미는 전혀 다른 동음이의어이다.

오답 체크

② '㉠벌'은 고유어이고 '㉡벌(罰)'은 한자어이다.

③ ㉠과 ㉡은 동음이의 관계로 의미상 아무 관련이 없다.

④ ㉠과 ㉡은 서로 다른 단어로, 각각 중심적 의미라고 할 수 있다.

⑤ '㉠벌'은 긴소리이고 '㉡벌'은 긴소리가 아니다.

**10** ㉠: 탈것이나 짐승의 등 따위에 몸을 얹다. ㉡: 물기가 없어 바싹 마르다. ㉠과 ㉡은 동음이의 관계

정답 해설

㉠ '타다'와 ㉡ '타다'는 뜻이 서로 다른 관련이 없는 단어이다. ㉡ '타다'는 주변적 의미인데, 중심적 의미는 '불씨나 높은 열로 불이 붙어 번지거나 불꽃이 일어나다'이다. 그리고 ㉠ '타다'의 주변적 의미로는 다음과 같은 것들이 있다.

2. 어떤 조건이나 시간, 기회 등을 이용하다.(아이들은 야밤을 타 닭서리를 했다.)
3. 바람이나 물결, 전파 따위에 실려 퍼지다.(연이 바람을 타고 하늘로 올라간다.)
4. 바닥이 미끄러운 곳에서 어떤 기구를 이용하여 달리다.(스케이트를 처음 탈 때는 엉덩방아를 찧게 마련이다.)
5. 그네나 시소 따위의 놀이 기구에 몸을 싣고 앞뒤로, 위아래로 또는 원을 그리며 움직이다.(그네를 타다.)
6. 의거하는 계통, 질서나 선을 밟다.(연줄을 타다.)

## 모의고사

본문 78~83쪽

| | | | | | | | | | |
|---|---|---|---|---|---|---|---|---|---|
| 01 | ⑤ | 02 | ④ | 03 | ① | 04 | ② | 05 | ③ |
| 06 | ④ | 07 | ⑤ | 08 | ② | 09 | ③ | 10 | ① |
| 11 | ⑤ | 12 | ② | 13 | ⑤ | 14 | ③ | 15 | ① |
| 16 | ① | 17 | ④ | 18 | ② | 19 | ③ | 20 | ④ |

**01** ⑤

정답 해설

어문 규정에는 한글 맞춤법, 표준어 규정, 외래어 표기법과 국어의 로마자 표기법이 있다. 국어의 로마자 표기법은 우리나라 사람들을 위한 것이 아니라 외국인을 위한 것이다. 국어의 로마자 표기법은 제1장 표기의 기본 원칙, 제2장 표기 일람, 제3장 표기상의 유의점, 부칙 등으로 이루어져 있다.

오답 체크

② 한글 맞춤법은 제1장 총칙, 제2장 자모, 제3장 소리에 관한 것, 제4장 형태에 관한 것, 제5장 띄어쓰기, 제6장 그 밖의 것, 그리고 문장 부호 등으로 이루어져 있다.

③ 표준어 규정은 제1부 표준어 사정 원칙(제1장 총칙, 제2장 발음 변화에 따른 표준어 규정, 제3장 어휘 선택의 변화에 따른 표준어 규정)과 제2부 표준 발음법(제1장 총칙, 제2장 자음과 모음, 제3장 음의 길이, 제4장 받침의 발음, 제5장 음의 동화, 제6장 경음화, 제7장 음의 첨가)으로 이루어져 있다.

④ 외래어 표기법은 제1장 표기의 기본 원칙, 제2장 표기 일람표, 제3장 표기 세칙, 제4장 인명, 지명 표기의 원칙, 부칙 등으로 이루어져 있다.

**02** ④

정답 해설

④는 구개음화에 대한 설명이다. [눈꼬치피얻따]에는 구개음화가 없다. [눈꼬치]에서 [치]는 '꽃'의 'ㅊ'이 다음에 이어지는 모음 'ㅣ'와 어울린 것이다.

오답 체크

① '어법에 맞도록 함'은 뜻을 파악하기 쉽도록 '[눈꼬치피얻따]'가 아닌 '눈꽃이 피었다'처럼 각 형태소의 본모양을 밝혀 적는다는 말이다.

② '눈꽃이 피었다'처럼 단어 단위로 띄어 쓴다. '눈꽃이'의 '이'는 조사이지만 예외적으로 앞말에 붙여 쓴다.

③ '피었다'의 '었'은 [얻]으로 발음한다. 'ㅆ'의 대표 소리가 'ㄷ'이다.

⑤ '피었다'는 [피얻따]처럼 [얻]의 'ㄷ' 다음의 'ㄷ'이 된소리

'ㄸ'으로 발음되고 있다.

**03** ①

정답 해설

'오랜만'은 '오래간만(어떤 일이 있은 때로부터 긴 시간이 지난 뒤)'의 줄임말이다.

오답 체크

② 넉넉지 않다: 끝음절 '하'가 아주 줄 적에는 준 대로 적는다. ⇨ 거북하지(거북지), 넉넉하지 않다(넉넉지 않다), 생각하건대(생각건대), 섭섭하지 않다(섭섭지 않다), 깨끗하지 않다(깨끗지 않다), 익숙하지 않다(익숙지 않다)

③ 성공률: 모음이나 'ㄴ' 받침 뒤에 이어지는 '렬, 률'은 '열, 율'로 적는다. ⇨ 나열(羅列), 분열(分裂), 실패율(失敗率), 백분율(百分率)

④ 머리말: '책이나 논문 따위의 첫머리에 내용이나 목적 따위를 간략하게 적은 글'이라는 뜻을 지닌 '머리말'은 발음이 [머리말]이다. 그러므로 사이시옷이 들어가지 않는다. 사이시옷을 받쳐 적으려면 아래와 같은 세 가지 조건을 만족시켜야 한다. 첫째, 사이시옷은 합성어에서 나타나는 현상이므로 합성어가 아닌 단일어나 파생어에서는 사이시옷이 나타나지 않는다. 둘째, 합성어이면서 다음과 같은 음운론적 현상이 나타나야 한다. 뒷말의 첫소리가 된소리로 나거나(바다+가→[바다까]→바닷가), 뒷말의 첫소리 'ㄴ, ㅁ' 앞에서 'ㄴ' 소리가 덧나거나(코+날→[콘날]→콧날 / 비+물→[빈물]→빗물), 뒷말의 첫소리 모음 앞에서 'ㄴㄴ' 소리가 덧나야(예사+일→[예:산닐]→예삿일) 한다. 셋째, 이 두 가지 요건과 더불어 합성어를 이루는 구성 요소 중에서 적어도 하나는 고유어이어야 하고 구성 요소 중에 외래어도 없어야 한다는 조건이 덧붙는다.

⑤ 삼가다: '몸가짐이나 언행을 조심하다'나 '꺼리는 마음으로 양(量)이나 횟수가 지나치지 아니하도록 하다'라는 뜻을 가진 단어의 기본형은 '삼가다'이다. '삼가다'의 어간 '삼가-' 뒤에 '-아 주다' 구성으로 쓰이는 보조 용언 '주다'가 이어지면 '삼가 주다'의 형태로 적게 되므로 '삼가 주세요'나 '삼가 주시기 바랍니다'와 같이 써야 한다.

**04** ②

정답 해설

'틈이 난 곳마다'나 '겨를이 있을 때마다'의 뜻을 가진 '틈틈이'는 발음이 [틈트미]이다. '이'로만 소리 나는 것은 '이'로 적는다.(깨끗이 / 느긋이 / 반듯이 / 가까이 / 고이 / 헛되이 / 번번이 / 일일이 / 틈틈이)

오답 체크

① 줄게: '주(다)-+-ㄹ게(어떤 행동에 대한 약속이나 의지를 나타내는 종결 어미)'는 [줄께]로 발음되지만 어법에 맞도록 본모양을 밝혀 적는다.

③ 놀든 말든: 지난 일을 나타내는 어미는 '-더라, -던'으로 적는다.(지난겨울은 몹시 춥더라. / 깊던 물이 얕아졌다.) 물건이나 일의 내용을 가리지 아니하는 뜻을 나타내는 조사와 어미는 '-든지'로 적는다.(가든지 오든지 마음대로 해라.) '든'은 '든지'의 준말이다.

④ 사귀어라: '사귀(다)-+-어라(명령형 종결 어미)'에서 'ㅟ' 모음과 'ㅓ' 모음을 한 번에 표기할 수 있는 모음이 없기 때문에 '사귀어라'라고 쓴다.

⑤ 나는: '날(다)-+-는'에서 'ㄹ'이 탈락하여 '나는'이 되었다.

**05** ③

정답 해설

'익히는데'는 '익히는∨데'로 띄어 써야 한다. 이 문장에서 '데'는 '곳'이나 '장소'의 뜻을 나타내거나 '일'이나 '것', '경우'의 뜻을 나타내는 의존 명사이다. '-는데'라는 형태가 있어 띄어쓰기가 헷갈릴 수 있다. '-는데'는 '기술을 익히는데 친구가 왔다'처럼 뒤 절에서 어떤 일을 설명하거나 묻거나 시키거나 제안하기 위하여 그 대상과 상관되는 상황을 미리 말할 때에 쓰는 연결 어미이다. 어미 '-는데'를 쓸 것인지, 의존 명사 '데'를 쓸 것인지는 문맥적 의미로 판단한다. 뒤 절에서 어떤 일을 설명하거나 묻거나 시키거나 제안하기 위하여 그 대상과 상관되는 상황을 앞 절에서 미리 말할 때에는 연결 어미 '-는데 / -ㄴ데'를, '곳, 장소, 일, 것, 경우' 등의 뜻을 나타내는 경우에는 의존 명사 '데'를 쓰면 된다.

오답 체크

① 잘난∨체: '체'는 의존 명사이다. '한∨골': '골'은 득점 단위이다.

② 수밖에: '밖에'는 '그것 말고는', '그것 이외에는', '기꺼이 받아들이는', '피할 수 없는'의 뜻을 나타내는 보조사이다.

④ 100미터: '미터'는 단위를 나타내는 말이므로 띄어 써야 하지만 순서를 나타내는 경우나 숫자와 어울리어 쓰이는 경우에는 붙여 쓸 수 있다.(두시∨삼십분∨오초, 제일과, 삼학년, 육층, 1446년∨10월∨9일, 16동∨502호, 제1실습실, 80원, 10개, 7미터), '달린∨지가': '지'는 어떤 일이 있었던 때로부터 지금까지의 동안을 나타내는 의존 명사이다.

⑤ 이만∨사천사백십일∨석: 수는 만 단위로 띄어 쓴다. 그리고 좌석을 세는 단위인 '석'은 띄어 쓴다.

**06** ④

정답 해설

이 시는 적막한 가을 들판에서 깨닫게 된 생태계의 위기를 다룬 정현종의 '들판이 적막하다'를 모방한 것이다. 이 모방시의 화자는 산을 오르내리며 사람들이 버린 쓰레기로 산속이 더러워진 것을 비판하고 있다. 이 시는 쉼표, 줄표, 느낌표, 말줄임표 등 문장 부호를 사용하여 화자의 정서를 효과적으로 드러내고 있는 것이 특징이다. 6행의 느낌표(!)는 산속이 여러 가지 쓰레기로 더러워진 사실을 강조하여 드러내고 있다.

오답 체크

①, ② 쉼표(,)는 주로 같은 자격의 어구를 열거할 때 그 사이에 쓴다. '반점'이라는 용어를 쓸 수 있다.

③ 줄표(—)는 원래 다음에 표시하는 부제의 앞뒤에 쓴다.

⑤ 줄임표(……)는 주로 할 말을 줄였을 때 쓴다.

**07** ⑤

정답 해설

표준어 규정 제1부 제2장 발음 변화에 따른 표준어 규정 제7항의 해설에 다음과 같이 나와 있다. "'암'과 '수'는 역사적으로 '암ㅎ, 수ㅎ'과 같이 'ㅎ'을 맨 마지막 음으로 가지고 있는 말이었으나 현대에 와서는 이러한 'ㅎ'이 모두 떨어졌으므로 떨어진 형태를 기본적인 표준어로 규정하였다. 'ㅎ'은 현대의 단어들에도 그 발음의 흔적이 많이 남아 있는데, 이 'ㅎ'이 뒤의 예사소리와 결합하면 거센소리로 축약되는 일이 흔하여, '암ㅎ'에 '개, 닭, 병아리'가 결합하면 각각 '암캐, 암탉, 암평아리'가 되고 '수ㅎ'에 '개, 닭, 돼지, 병아리'가 결합하면 각각 '수캐, 수탉, 수퇘지, 수평아리'가 된다. 이러한 축약은 규정에서 언급한 예들에만 해당되는 것이므로 '암ㅎ, 수ㅎ'에 '고양이'가 결합하더라도 '암고양이, 수고양이'와 같은 형태가 표준어가 된다. 발음도 [암고양이], [수고양이]가 표준 발음이다."

**08** ②

정답 해설

'안절부절'은 '마음이 초조하고 불안하여 어찌할 바를 모르는 모양'을 가리킨다. '안절부절못하다(마음이 초조하고 불안하여 어찌할 바를 모르다)'가 맞는 표현이다.

오답 체크

① 설렘: 설레(다)-+-ㅁ〉설렘. 기본형이 '설레이다'가 아니라 '설레다(마음이 가라앉지 아니하고 들떠서 두근거리다)'이다.

③ 바람: 바라(다)-+-ㅁ〉바람. 기본형이 '바래다'가 아니라 '바라다(생각이나 바람대로 어떤 일이나 상태가 이루어지거나 그렇게 되었으면 하고 생각하다)'이다. '바라다'의 명령형은 '바라(다)-+-아(어떤 사실을 서술하거나 물음 · 명령 · 청유를 나타내는 종결 어미)〉바라'가 된다. '바라아'가 '바라'로 줄어든 대로 적는 것인데, 이는 '(책을) 사아, (밖으로) 나가아'로 쓰지 않고 '사, 나가'로 쓰는 것과 같다. 한편 '바래다'는 '볕이나 습기를 받아 색이 변하다'는 뜻을 가지고 있다.

④ 주려고: 주(다)-+-려고(어떤 행동을 할 의도나 욕망을 가지고 있음을 나타내는 연결 어미)〉주려고. 하(다)-+-려고〉하려고, 가(다)-+-려고〉가려고, 먹(다)-+-으려고〉먹으려고, 살(다)-+-려고〉살려고.

⑤ 내로라하다: '어떤 분야를 대표할 만하다'의 뜻을 가진 '내로라하다'는 어원적으로 대명사 '나'에 서술격 조사 '이-', 주어가 화자와 일치할 때 쓰이는 선어말 어미 '-오-', 평서형 종결 어미 '-다'가 차례로 결합된 형식으로 추측할 수 있는데, 결국 '나도다, 나다'와 같은 뜻이라고 할 수 있다. 나+이-+-오-+-다〉나+이-+-로-+-라〉내로라.

**09** ③

정답 해설

'아무튼'과 뜻이 비슷한 복수 표준어에는 '어떻든, 어쨌든, 하여튼, 여하튼' 등이 있다. '어떻튼'은 틀린 표기이다.

오답 체크

① 만큼 / 만치: 의존명사(앞의 내용에 상당한 수량이나 정도임을 나타내는 말. 뒤에 나오는 내용의 원인이나 근거가 됨을 나타내는 말.) 또 '만큼 / 만치'는 체언의 바로 뒤에 붙어 앞말과 비슷한 정도나 한도임을 나타내는 격 조사로도 쓰인다.(집을 대궐만큼 크게 짓다.)

② 여쭈다 / 여쭙다: 1. 웃어른에게 말씀을 올리다. 2. 웃어른에게 인사를 드리다. '여쭈다'에는 '-ㅂ니다'가 붙어 '여쭙니다'와 같이, '여쭙다'에는 '-습니다'가 붙어 '여쭙습니다'와 같이 활용한다.

④ 보조개 / 볼우물: '보조개'는 말하거나 웃을 때에 두 볼에 움푹 들어가는 자국이고, '볼우물'은 볼에 팬 우물이라는 뜻으로 '보조개'를 이르는 말이다. 모두 널리 쓰이므로 둘 다 표준어로 삼는다.

⑤ 보통내기 / 여간내기: 만만하게 여길 만큼 평범한 사람이라는 뜻이다. '예사내기'도 같은 뜻의 표준어이다.

**10** ①

정답 해설

표준어 규정 제2부 제19항에 따르면 받침 'ㅂ' 뒤에 연결되는 'ㄹ'도 [ㄴ]으로 발음하므로 '납량'은 [납냥]이 되고, 제18항에 따르면 '받침' 'ㅂ'은 그 'ㄴ' 앞에서 [ㅁ]으로 발음하므로 '납냥'

이 [남냥]으로 되므로 '납량'은 [남냥]으로 발음한다.

오답 체크

② [부어케]: '엌'의 'ㅋ'이 다음에 이어지는 모음 'ㅔ'와 어울려 [-어케]로 소리 난다.

③ [나라다니네]: '날'의 'ㄹ'이 다음에 이어지는 모음 'ㅏ'와 어울려 [나라-]로 소리 난다.

④ [깨끄시]: '깨끗이'는 [깨끄시]로 발음되어 끝음절이 분명히 '이'로만 나므로 '깨끗이'로 적은 것이다.

⑤ [감꼬]: '머리나 몸을 물로 씻다'라는 뜻의 '감다'는 [감따]로 발음한다. 예사소리를 된소리로 잘못 발음하는 경우가 많다. 가시[까시×], 고추[꼬추×], 소주[쏘주×], 공짜[꽁짜×], 자르다[짜르다×], (힘이) 달리다[딸리다×])

**11** ⑤

정답 해설

외래어 표기법은 외래어를 우리말로 어떻게 표기할지를 정해 놓은 것이다. 외래어는 다른 나라에서 들어온 말 가운데 우리말로 인정된 말로 우리말로 굳어진 것인데, 다른 말로 바꿔 쓰기가 어렵다. '심플하다'는 '단순하다'나 '간단하다'로 바꿀 수 있다. 물론 바꿔 쓸 말이 있지만 많은 사람들이 써서 외래어로 사전에 오르는 경우도 있다.

오답 체크

① 제스처: 말의 효과를 더하기 위하여 하는 몸짓이나 손짓. 마음에 없이 남에게 보이기 위한, 형식뿐인 태도.(영어)

② 뷔페: 여러 가지 음식을 큰 식탁에 차려 놓고 손님이 스스로 선택하여 덜어 먹도록 한 식당.(프랑스어)

③ 이모티콘: 컴퓨터나 휴대 전화의 문자와 기호, 숫자 등을 조합하여 만든 그림 문자.(영어)

④ 앙코르: 출연자의 훌륭한 솜씨를 찬양하여 박수 따위로 재연을 청하는 일.(프랑스어)

**12** ②

정답 해설

우리말의 발음 특성상 'ㅈ, ㅊ'(구개음) 뒤에 단모음 'ㅏ, ㅓ, ㅗ, ㅜ'가 오든 이중 모음 'ㅑ, ㅕ, ㅛ, ㅠ'가 오든 서로 발음 구분이 되지 않고 똑같이 발음되기 때문에 외래어 표기법에서는 구개음 뒤에 이중 모음을 붙이는 '쟈, 져, 죠, 쥬, 챠, 쳐, 쵸, 츄' 형태의 표기를 인정하지 않는다. 따라서 '쟈일', '져글', '죠스', '쥬피터', '챠트', '쳐칠', '쵸콜릿', '츄리닝'은 틀린 표기이고 '자일', '저글', '조스', '주피터', '차트', '처칠', '초콜릿', '추리닝'으로 적어야 한다. 그리고 외래어 표기법 제3장 제1절 제1항에 따르면, 짧은 모음 다음의 어말 무성 파열음 [p, t, k]는 받침으로 적는다.

**13** ⑤

정답 해설

'배터리'는 전기 에너지를 화학 에너지로 바꾸어 모아 두었다가 필요한 때에 전기로 재생하는 장치로, '밧데리'는 잘못된 표기이다. '액세서리'는 복장의 조화를 도모하는 장식품으로, '악세사리'는 잘못된 표기이다.

오답 체크

① 리더쉽→리더십[liːdərʃɪp]: 국제 음성 기호에서 [ʃ]는 어말에서 '시'로, 자음 앞에서는 '슈'로, 모음 앞에서는 뒤따르는 모음에 따라 '샤, 섀, 셔, 셰, 쇼, 슈, 시'로 적는다. 외래어 표기법은 말 그대로 외래어를 한글로 표기하는 방법으로, 현지 발음을 살려서 적는 것이 이상적이지만 한국어와 음운 체계가 다르기 때문에 온전히 적을 수는 없다. 따라서 발음만 살려서 적게 된다면 표기의 일관성이 없고 표기 규칙을 세우기도 어렵게 된다. 따라서 외래어의 한글 표기를 보고 그 외래어를 쉽게 알 수 있도록 여러 가지를 고려하여 그 표기를 정한 것이 외래어 표기법이다. [ʃ]의 표기 방식도 이러한 점에 근거하였다.

② 소세지→소시지[sɔːsɪdʒ]: 발음을 외래어 표기법 원칙에 따라 옮겨 적으면 '소시지'가 된다.

③ 도너츠→도넛[doʊnʌt]: 짧은 모음 다음의 어말 무성 파열음 [p, t, k]는 받침으로 적는다.

④ 쥬스→주스[dʒuːs]: 구개음인 'ㅈ, ㅊ' 뒤에서는 '쟈, 져, 죠, 쥬, 챠, 쳐, 쵸, 츄'가 아닌, '자, 저, 조, 주, 차, 처, 초, 추'로 발음된다.

**14** ③

정답 해설

대관령은 [대괄령]으로 발음된다. 'ㄹ'은 모음 앞에서는 'r'로, 자음 앞이나 어말에서는 'l'로 적는다.(구리-Guri, 설악-Seorak, 칠곡-Chilgok, 임실-Imsil) 단, 'ㄹㄹ'은 'll'로 적는다.(울릉-Ulleung, 대관령[대괄령]-Daegwallyeong) 그러므로 ③의 '자음 표기 일람대로 'ㄹ'은 모음 앞에서 'r'로, 어말에서 'l'로 표기하고 있'다는 설명은 적절하지 않다.

오답 체크

① 로마자는 보기에도 나와 있지만 문화재나 고속도로 표지판, 지하철역 등의 공공시설이나 식당의 음식 이름 등에 쓰이고 있다. 많은 곳에서 중요한 역할을 하는 만큼 표기법에 맞게 정확하게 적을 필요가 있다.

②, ⑤ '오죽헌[오주컨]'을 'Ojukheon'으로 표기한 것은 격음

화를 표기에 반영하지 않은 것이다.(묵호-Mukho, 집현전-Jiphyeonjeon) 그리고 '비빔밥[비빔빱]'을 'bibimbap'으로 표기한 것은 경음화를 표기에 반영하지 않은 것이다.(압구정-Apgujeong, 낙동강-Nakdonggang, 울산-Ulsan) 로마자 표기는 표준 발음법에 따라 적는 것을 원칙으로 하고 있다. 따라서 국어의 모든 음운 변화는 원칙적으로 로마자 표기에 반영되어야 한다. 그러나 지금의 국어의 로마자 표기법에서는 경음화와 격음화를 반영하지 않는다. 격음화 현상은 체언과 용언을 나누어 체언의 경우는 격음화의 결과를 표기에 반영하지 않는다. 그런데 로마자 표기법의 주요 표기 대상은 지명이나 인명 등 고유 명사이므로, 결과적으로 격음화 현상은 표기에 반영하지 않는 것이 된다.

④ 자음 사이에서 동화 작용이 일어나는 경우(백마[뱅마]-Baengma, 신문로[신문노]-Sinmunno, 종로[종노]- Jongno)나 'ㄴ, ㄹ'이 덧나는 경우(학여울[항녀울]-Hangnyeoul, 알약[알략]-allyak) 등의 음운 변화는 그 결과를 표기에 반영한다.

**15** ①

정답 해설

빈침에는 7개의 내표 소리만 표기한다.(ㄱ-k, ㄴ-n, ㄷ-t, ㄹ-l, ㅁ-m, ㅂ-p, ㅇ-ng) 그래서 '꽃[꼳]'은 'Kkot', '빛[빋]'은 'bit'으로 표기하고 있다.

-자음 일람표

| ㄱ | ㄴ | ㄷ | ㄹ | ㅁ | ㅂ | ㅅ | ㅇ | ㅈ | ㅊ |
|---|---|---|---|---|---|---|---|---|---|
| g / k | n | d / t | r / l | m | b / p | s | ng | j | ch |
| ㅋ | ㅌ | ㅍ | ㅎ | ㄲ | ㄸ | ㅃ | ㅆ | ㅉ | |
| k | t | p | h | kk | tt | pp | ss | jj | |

오답 체크

②, ④ 국어의 로마자 표기법에서 인명은 경음화를 포함하여 음운의 변화를 표기에 반영하지 않는다.

③ 성과 이름의 순서로 띄어 쓰고, 이름은 붙여 쓰는 것을 원칙으로 하되 음절 사이에 붙임표(-)를 쓰는 것을 허용한다.

⑤ 인명, 회사명, 단체명 등은 그동안 써 온 표기를 쓸 수 있다고 나와 있다.

**16** ①

정답 해설

'낯(이) 두껍다'는 '부끄러움을 모르고 염치가 없다'는 뜻을 지닌 관용어이다. '낯'은 '눈, 코, 입 따위가 있는 얼굴의 바닥'을 뜻한다.

오답 체크

② 뿌리(를) 뽑다: 어떤 것이 생겨나고 자랄 수 있는 근원을 없애 버리다

③ 머리(를) 맞대다: 어떤 일을 의논하거나 결정하기 위하여 서로 마주 대하다

④ 날개(를) 펴다: 생각, 감정, 기세 따위를 힘차게 펼치다

⑤ 불똥(이) 튀다: 재앙이나 화가 미치다.

**17** ④

정답 해설

'말 한마디에 천 냥 빚도 갚는다'는 말만 잘하면 어려운 일이나 불가능해 보이는 일도 해결할 수 있다는 뜻의 속담이다. 이 상황은 할 말은 해야 한다는 것이니까 '말은 해야 맛이고 고기는 씹어야 맛이다'(마땅히 할 말은 해야 한다는 말)나 '입은 비뚤어져도 말은 바로 해라[하랬다]'(상황이 어떻든지 말은 언제나 바르게 하여야 함을 이르는 말)와 같은 속담이 어울린다.

오답 체크

① 가는[가던] 날이 장날: 일을 보러 가니 공교롭게 장이 서는 날이라는 뜻으로, 어떤 일을 하려고 하는데 뜻하지 않은 일을 공교롭게 당함을 비유적으로 이르는 속담

② 소문난 잔치에 먹을 것 없다: 떠들썩한 소문이나 큰 기대에 비하여 실속이 없거나 소문이 실제와 일치하지 아니하는 경우를 비유적으로 이르는 속담

③ 남의 잔치[장 / 제사]에 감 놓아라 배 놓아라 한다: 남의 일에 공연히 간섭하고 나섬을 비유적으로 이르는 속담

⑤ 호랑이도 제 말 하면 온다: 깊은 산에 있는 호랑이조차도 저에 대하여 이야기하면 찾아온다는 뜻으로, 어느 곳에서나 그 자리에 없다고 남을 흉보아서는 안 된다는 속담

**18** ②

정답 해설

관습, 신앙, 질병, 배설 따위와 관련하여 마음에 꺼려서 하지 않거나 피하는 말을 금기어라고 한다. 금기어를 피하여 불쾌함이나 두려움을 덜하도록 부드러운 말로 바꾼 말이 완곡어이다. 보기의 예는 배설과 관련하여 불쾌함을 피하기 위한 것이다.

오답 체크

① 성(性)에 관한 단어는 가능한 한 다른 표현으로 바꾸어 사용하는데, 이는 도덕적으로 꺼리는 심리 때문이다.

③ 옛날에는 소중한 자식을 잃지 않으려고 일부러 '개똥이'나 '돼지'처럼 험하게 부르기도 했다. 귀신들의 시야에서 벗어

나게 하려는 심리가 작용한 것이다. 이때에는 아이의 본명이 금기어가 된다.

④ 본래의 금기어와 완곡어 개념과는 다르지만 현대에도 상대방에 대한 예의로 금기어가 존재한다. 결혼을 하지 않은 사람에게 결혼 이야기를 꺼낸다든지 몸이 뚱뚱한 사람에게 뚱뚱하다고 말하는 것들이 이와 같은 상황에 속한다. 이때에는 그 말을 하지 않거나 완곡어처럼 돌려 말할 수 있다.

⑤ 홍역이나 천연두를 '손님'이나 '마마'로 존칭어를 사용하는 것은 이를 들은 역신의 기분을 좋게 함으로써 병을 옮기는 것으로부터 벗어나려는 심리가 작용한 것이다.

**19** ③

정답 해설

'쓰다2'의 중심적 의미는 '모자 따위를 머리에 얹어 덮다'이다. 중심적 의미와 주변적 의미의 단어는 서로 다의 관계라 할 수 있다.

**20** ④

정답 해설

'고추나 겨자와 같이 맛이 알알하다'라는 뜻의 '맵다'는 여러 주변적 의미를 지닌다. '2. 성미가 사납고 독하다.(어머니는 매운 시집살이를 하셨다.), 3. 날씨가 몹시 춥다.(겨울바람이 맵고 싸늘하게 불었다.), 4. 연기 따위가 눈이나 코를 아리게 하다.(매운 담배 연기.), 5. 결기가 있고 야무지다.(저 녀석은 하는 일마다 맵게 잘 처리해서 마음에 든다.)' ④에서 앞의 '매운'은 주변적 의미(4번)이고 뒤의 '매운'은 중심적 의미이다. 이 둘은 하나의 단어로 뜻이 서로 관련이 있는 다의 관계이다. 나머지는 소리는 같지만 뜻이 서로 다른 동음이의 관계이다.

오답 체크

① 앞 '길': 짐승 따위를 잘 가르쳐서 부리기 좋게 된 버릇.('물건에 손질을 잘하여 생기는 윤기'의 주변적 의미)
뒤 '길': 방법이나 수단.('사람이나 동물 또는 자동차 따위가 지나갈 수 있게 땅 위에 낸 일정한 너비의 공간'의 주변적 의미)

② 앞 '자리': 앉거나 누울 수 있도록 바닥에 까는 물건.(중심적 의미)
뒤 '자리': 사람이나 물체가 차지하고 있는 공간.(중심적 의미)

③ 앞 '치다': 바람이 세차게 불거나 비, 눈 따위가 세차게 뿌리다.(중심적 의미)
뒤 '치다': 손이나 손에 든 물건으로 세게 부딪게 하다.(중심적 의미)

⑤ 앞 '사색(思索)': 어떤 것에 대하여 깊이 생각하고 이치를 따짐.(중심적 의미)
뒤 '사색(死色)': 죽은 사람처럼 창백한 얼굴빛.(중심적 의미)